NATIONAL GEOGRAPHIC
LES GUIDES DE VOYAGE

San Francisco

Photographies : p. I : *Cable-car* ; pp. 2-3 : *Le Vesuvio* et la librairie de nuit *City Lights*.

SOMMAIRE

COMMENT UTILISER

Exploratorium

www.exploratorium.edu

- ✉ Derrière le Palace of Fine Arts
- ☎ 415/561-0360 ou 415/561-0362 (réservations pour le Dôme tactile)
- 🕐 Fermé lun., sauf certaines vacances
- 💶 €€ ; gratuit 1er mer.
- 🚌 Bus : 22, 28, 30, 41, 43, 45

RENSEIGNEMENTS

Des informations sur les principaux sites à visiter figurent en marge des pages (voir la légende des symboles sur le dernier rabat de la couverture). Lorsque la visite est payante, le tarif des entrées est indiqué par le symbole €.

€	moins de 3 euros
€€	de 3 à 7 euros
€€€	de 7 à 10 euros
€€€€	de 10 à 14 euros
€€€€€	plus de 18 euros

58

CODE COULEUR

Chaque quartier est identifié à l'aide d'une couleur afin de faciliter la navigation dans le guide. Ce même principe est appliqué dans la partie **Informations pratiques**.

TABLEAUX SYNOPTIQUES

Vous trouverez des tableaux à la fin du guide (p. 244-247 et p. 254-256) pour vous aider à choisir hôtels et restaurants. Classés par ordre de prix, quartier, niveau de prestation, chaque établissement est précédé d'un numéro qui renvoie à une notice explicative dans les pages suivantes. Nos enquêteurs ont établi ces listes selon des critères objectifs, mais aussi selon leur coup de cœur.

244

HÔTELS

N°		tél.	prix	
45	ADELAIDE HOSTEL	415/359-1915	€	18
85	AHWAHNEE HOTEL & RESTAURANT	406/862-8190	€€€€€	127
29	ANDREWS	415/563-6877	€€	48
61	ARCHBISHOP'S MANSION	415/563-7872	€€€	15
73	ARGENT HOTEL	415/974-6400	€€€	667
53	ARGONAUT HOTEL	415/563-0800	€€€	252
6	CAMPTON PLACE	415/781-5555	€€€€€	110
30	CARLTON	415/673-0242	€€	163
16	CHANCELLOR HOTEL	415/362-2004	€€€	137
12	CLIFT	415/775-4700	€€€€	374
32	COMMODORE INTERNATIONAL	415/923-6800	€€	113

Détails de tableaux synoptiques réduits

FINANCIAL DISTRICT

01 – MANDARIN ORIENTAL
222 SANSOME ST, 94104
TEL 415/276-9888
FAX 415/433-0289
Les deux tours de cet hôtel de luxe sont reliées par une passerelle en verre qui offre un panorama splendide sur la ville. Il occupe deux étages du troisième plus haut immeuble de la ville. Le service est haut de gamme.
💳 Principales cartes

02 – PALACE
🍴 2 NEW MONTGOMERY ST, 94105
TEL 415/512-1111
FAX 415/543-0671
Cette ancienne hôtellerie majestueuse qui date de 1909 abrite le célèbre restaurant Garden Court. L'hôtel possède une piscine protégée par une verrière et de vastes chambres superbement décorées.
💳 Principales cartes

03 – HYATT REGENCY
5 EMBARCADERO CENTER, 94111
TEL 415/788-1234
FAX 415/398-2567
Cet hôtel est célèbre pour son hall en forme d'atrium de 17 étages et ses cabines d'ascenseur en verre. Les étages sont ouverts. Le décor des chambres convient plutôt au monde des affaires.
💳 Principales cartes

Nom du quartier et code couleur

Numéro, nom de l'hôtel & indication de tarif

Adresse, téléphone, fax

Bref commentaire sur l'hôtel

RESTAURANTS

Les restaurants sont classés par ordre de prix, pour que vous n'ayez pas de mauvaises surprises au moment de l'addition. À chaque nom de restaurant correspond un chiffre qui renvoie à un bref commentaire. Le téléphone figure également, car il vaut mieux réserver dans les bons restaurants.

RESTAURANTS

N°		€	tél.	sites inte
52	DOIDGE'S CAFÉ		415/921-2149	
21	HENRY'S HUNAN		415/788-2234	www.henryshunan
80	LA SANTANECA		415/648-1034	
22	LUCKY CREATION		415/989-0818	
31	MARIO'S BOHEMIAN CIGAR STORE		415/362-0536	
55	MEDITERRANEAN MARKET		831/624-2022	
35	MIFUNE		415/922-0337	
34	MO'S GOURMET BURGERS		415/788-3779	

CE GUIDE ?

PLANS DE QUARTIER

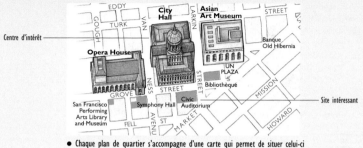

Centre d'intérêt

Site intéressant

• Chaque plan de quartier s'accompagne d'une carte qui permet de situer celui-ci dans la ville.

PROMENADES À PIED

Site intéressant (en gras) sur l'itinéraire

Itinéraire pédestre

Point de départ

Direction à suivre

Centre d'intérêt non référencé sur l'itinéraire

Les chiffres rouges correspondent aux descriptions du texte

Silhouette d'immeuble

• Les points de départ et d'arrivée de la promenade, sa longueur et sa durée, ainsi que les lieux à ne pas manquer sont indiqués dans un encadré.

CARTES DES ESCAPADES

Centre d'intérêt

Ville importante

N° de la route

Numéro sur la grille

• Les villes décrites au chapitre « Escapades » (p. 207 à 240) sont surlignées en jaune sur la carte. Les autres suggestions de visite sont également surlignées et marquées d'un losange rouge.

Histoire et culture

Orpailleurs de Sutter's Mill.

San Francisco aujourd'hui

IL N'EST PAS ÉTONNANT QUE TANT DE GENS FASSENT COMME DANS LA CÉLÈBRE CHANSON DE Tony Bennett : ils laissent leur cœur à San Francisco. Cette histoire d'amour est purement physique : aucune autre ville américaine n'offre, en effet, de spectacles aussi magnifiques, depuis ses maisons victoriennes décorées de boiseries peintes jusqu'à sa splendide baie dont Alcatraz anime la vue.

Mais l'attirance des visiteurs pour San Francisco ne se contente pas d'être superficielle. Ses paysages sans cesse changeants, l'interaction de la mer, du ciel et des collines donnent à la ville un rythme et une effervescence pratiquement jazzy. Vous avez l'impression qu'elle est sans cesse en train d'improviser, à partir de son expérience, une personnalité originale. Elle crée chaque fois de nouveau couplets inspirés d'un vieux refrain.

Certains paysages urbains de San Francisco sont devenus des classiques. Par exemple, la brume qui se lève et drape la ville d'un voile romantique et mystérieux, comme le pardessus du détective san-franciscain Sam Spade enveloppant les épaules d'une jolie blonde, au coin d'une rue sombre. Le soir tombe, la musique s'éveille, les glaçons tintent dans les verres et tout peut arriver. Cette ville dégage une incontestable aura de mystère. Mais ce n'est qu'une

des multiples facettes qui font la personnalité de San Francisco. Le visiteur éprouvera d'autres impressions et emportera d'autres souvenirs :
• son souffle coupé quand le *cable-car* dévoile toute la baie au détour d'une colline ;
• les cocktails de crabe du marchand italien à la grosse moustache de Fisherman's Warf ;
• le sillage blanc d'écume des cargos qui passent sur la mer bleue aperçu depuis le Golden Gate ;
• l'arôme du cappuccino dans les cafés de North Beach, là où ceux de la *Beat Generation* avaient déposé leurs valises ;
• la découverte des vingt mille baigneurs

Ci-dessous, une vue moderne d'une cité historique.
À droite, le marché paysan, derrière Ferry Building.

pataugeant sous ce qui fut la verrière, dans les ruines de Sutro Baths ;
• son questionnement sur les réflexions de Penseur de Rodin au California Palace of the Legion of Honor ;
• la dégustation d'un vin californien de Cliff House en admirant la vue et les rochers animés par les lions de mer ;
• les bateleurs de Cannery à qui on glisse la pièce ;
• les bateaux radiocommandés sur les étangs du Golden Gate Park ;
• les courses de Noël sur Union Square, temple du chic et du clinquant, haut lieu de la consommation ;
• les *dim-sum* qu'on mange à Chinatown, où l'on n'entend parler que le chinois ;
• les soirées de danse jusqu'au bout de la nuit dans un club branché de SoMa ;

• les épais murs de brique construits autrefois par des anonymes, qu'on caresse de la main à la Mission Dolores, le bâtiment le plus ancien de la ville ;
• la descente, le pied sur le frein, de Lombard St, la rue la plus tortueuse du monde.

C'est ce qui a fait de San Francisco la ville américaine la plus appréciée des visiteurs. Elle est plébiscitée par les voyageurs du monde entier. Les Européens lui trouvent une certaine ressemblance avec les villes d'Europe, car elle est pittoresque et charmante. Les New-Yorkais s'y sentent comme chez eux grâce à ses hôtels cosmopolites, ses restaurants, ses musées et son opéra. Les provinciaux y découvrent une ville à l'échelle exceptionnellement humaine.

Mais personne n'aime plus San Francisco que les San-Franciscains eux-mêmes, qui en

Salle des marchés au Pacific Exchange.

sont parfois émus jusqu'aux larmes... Mais peut-on leur en vouloir d'encenser leur ville ? Une partie du charme de cette ville réside dans son équilibre entre le passé et la modernité.

SAN FRANCISCO LA PROVINCIALE

San Francisco, protégée par 43 collines et enfermée derrière sa Golden Gate, entretient son univers quasi insulaire. Depuis plus d'un demi-siècle, les symboles de la ville n'ont pas changé, ils sont même devenus des clichés : les *cable-cars*, le pont du Golden Gate et Chinatown.

La San Francisco provinciale préserve soigneusement son passé. Les maisons victoriennes et les immeubles edwardiens amoureusement restaurés lui donnent un air démodé. On dirait un livre d'images pour enfants sages.

San Francisco a aussi gardé les usages de la province. Comme dans les petites villes, les gens y sont hospitaliers et cordiaux. Ils prennent même leur temps avant d'appuyer sur le klaxon.

Les anciens se rappellent l'époque où les femmes ne sortaient jamais sans gants ni chapeau. Aujourd'hui encore, tous appellent San Francisco la Ville, jamais « Frisco », par simple politesse.

Pour l'œil exercé, la ville est un assemblage de quartiers de province, de lieux attachants comme l'épicerie du coin et de visages familiers croisés tous les jours. Chacun s'y sent chez soi, que ce soit à Pacific Heights où l'élite promène ses chiots de race au sommet des collines, à Chinatown où de vieilles dames en gros pull-over font leurs lents mouvements de Taï-chi-chuan, à North Beach où les poètes en devenir imitent les hippies en passant leurs journées à une table de café, griffonnant dans un carnet et sirotant du café pour favoriser l'inspiration.

Symboles de San Francisco : le pont du Golden Gate (1937) et la pyramide Transamerica (1972).

SAN FRANCISCO LA COSMOPOLITE

Parmi les traits qui rendent San Francisco si atta-
chante, il en est un qui ne figurera jamais sur les
cartes postales. Mais il est bien là, dans les yeux
des habitants qui vous rendent votre regard ami-
cal. Cette qualité, c'est l'ouverture d'esprit, la
réceptivité aux idées nouvelles et différentes, la
volonté de vous laisser exister à votre guise.

Depuis un siècle et demi, la cité provinciale
s'est ouverte au monde extérieur avec l'arrivée
par vagues des immigrants (comme les

pêcheurs italiens et les herboristes chinois). Ils
arrivaient d'Europe, d'Asie, d'Amérique latine,
et d'ailleurs encore. Leurs langues, leurs religions et leurs cultures ont fait de la ville un lieu
de vie unique par sa diversité et sa tolérance.

L'ouverture d'esprit de San Francisco a commencé lors de la ruée vers l'or californien. À
l'époque, la vie quotidienne était rude et dure et
les San-Franciscains ont accueilli toutes sortes de
personnages. La belle entraîneuse Lola Montez
(célèbre pour sa danse de l'araignée) sortait dans

les rues avec un fouet pour décourager ses admirateurs trop entreprenants. Les joueurs aux manchettes de soie et les mineurs blanchis sous le harnais se mêlaient aux écrivains et aux millionnaires. Et parmi les personnages peuplant l'infâme côte des Barbares, le nommé Oofy Goofty, vêtu de fourrures et de plumes, vestiges de sa lointaine vie de « sauvage » saltimbanque, s'était inventé un nouveau métier : il autorisait n'importe qui à lui botter les fesses pour 10 cents (l'usage d'une batte de base-ball coûtait 25 cents).

À la Porte d'Or, les bateaux – et les idées – du monde entier vont et viennent.

Mais la personnalité la plus mémorable – et la préférée des habitants – est certainement son seul et unique monarque, Joshua Abraham Norton. Arrivé en 1849, il perdit sa fortune, puis se mit à porter un vieil uniforme militaire bleu et un chapeau à panache tout poussiéreux, et se proclama « Norton Ier, Empereur des États-Unis d'Amérique et Protecteur du Mexique ».

Les San-Franciscains s'amusaient de lui. Quand l'empereur Norton entrait au théâtre, tout le public se levait. Les journaux publiaient ses lettres suggérant, parmi ses idées les plus « folles », la construction du pont Bay Bridge et l'installation d'un arbre de Noël géant sur Union Square pour les enfants – tradition encore observée de nos jours. L'empereur demandait régulièrement des prêts de plusieurs millions de dollars aux banquiers de la ville, mais repartait ravi après avoir négocié 50 cents.

Il aimait tout le monde, et tous avaient un faible pour lui. Il mourut en 1880 alors qu'il saluait les touristes d'un *cable-car*. Plus de 30 000 personnes assistèrent à ses funérailles. Bien que pratiquement sans le sou, il fut un monarque incontesté au cœur de San Francisco.

Comme l'empereur Norton, d'autres personnages ont prouvé, au fil du temps, qu'à San Francisco, on vous laisse vivre comme vous l'entendez.

Cette philosophie libertaire laisse une place à toutes les convictions, sociales et politiques. Voyez par exemple les Sœurs de l'Indulgence perpétuelle sur leurs motos et leurs rollers, des « nonnes » qui en réalité sont de cocasses travestis. Cette ville a toujours abrité des excentriques outranciers, des individualistes et des saltimbanques de tout poil, depuis les peintres et les poètes du début du siècle jusqu'aux jeunes de la *Beat Generation* des années cinquante ou aux hippies des sixties qui ont réinventé le *Flower*

Province dans une ville provinciale, Chinatown semble ne jamais changer.

Power et le *Summer of Love*. Et même si vous êtes du genre père de famille sérieux en costume-cravate ou mère respectable, vous constaterez que San Francisco peut vous séduire au cours d'une descente vertigineuse en *cable-car*, soleil dans les yeux et vent dans les cheveux. Tout d'un coup, vous vous éveillez. Quel tourbillon ! Quelle liberté ! Quelle belle ville ! ■

Situation géographique

SAN FRANCISCO OCCUPE LA POINTE D'UNE PÉNINSULE SITUÉE ENTRE L'OCÉAN PACIFIQUE ET LA baie de San Francisco. Cette baie est à la fois un bras de mer qui s'étire sur 70 km et un estuaire vers lequel convergent les 16 fleuves de la Sierra Nevada et de Central Valley.

GÉOGRAPHIE

Il y a environ 500 000 ans, à l'époque glaciaire, la glace s'accumula aux pôles, ce qui fit baisser le niveau de l'océan de 100 m. La ligne côtière de San Francisco se situait au niveau des îles Farallon, à une quarantaine de kilomètres à l'ouest. Ce qui est aujourd'hui la baie était une vallée côtière sèche et herbeuse dans laquelle paissaient des mammouths. Un fleuve traversait la Sierra Nevada et toute la vallée, pour aboutir au Pacifique en passant par la Porte d'Or. Puis, il y a environ 12 000 ans, les glaces fondirent et le niveau de l'océan s'éleva. L'eau recouvrit la terre et envahit les vallées qui formèrent la baie de San Francisco.

La péninsule resta haute et sèche, entourée d'eau sur trois côtés. Cette situation confère toute sa beauté à San Francisco, surtout quand on la regarde depuis l'une de ses 43 collines.

Le climat y est maritime et méditerranéen, tempéré hiver comme été par l'air de la mer. Mais dans cette ville où le non-conformisme est la norme, même le temps est excentrique et la saison la plus chaude se situe plus souvent au début de l'automne que de l'été. Toute l'année, il arrive que la brume et le brouillard enveloppent le Sunset District, tandis que les zones alentour, comme North Beach et Potrero Hill, sont inondées de soleil. Ces poches climatiques, ou micro-climats, résultent du courant de l'air maritime qui entre par la Golden Gate puis se répartit irrégulièrement à cause des collines qu'il heurte.

UNE TERRE QUI TREMBLE

San Francisco a une voisine de mauvaise réputation : la faille de San Andreas. Menace permanente, elle court sur près de 1 000 km du nord-ouest de l'État jusqu'au golfe de Californie. Elle ne passe pas réellement à San Francisco mais entre Daly City et Point Reyes. C'est le point de rencontre instable entre deux plaques tectoniques, la pacifique et la nord-américaine, qui se déplacent l'une vers l'autre d'environ 5 cm par an. De temps en temps, les plaques se bloquent le long de la faille. La pression s'accumule et provoque de terribles séismes.

En 1906, la terre a glissé de près de 5 m le long de la faille et la force engendrée a déplacé des maisons sur plus de 280 km. Ce grand tremblement de terre a été estimé à 8,3° sur l'échelle de Richter (qui en compte 10). À l'époque actuelle, il y a un tremblement de terre par semaine, d'une magnitude d'environ 3° et qui passe inaperçu (sauf exception, voir ci-dessous). Les sismologues prétendent qu'il faut s'attendre à « quelque chose d'énorme ». Mais ils ne savent ni où, ni quand.

Le tremblement de terre de Loma Quieta

Le 17 octobre 1989, les supporters de Candelstick Park attendaient un match de la Coupe du monde lorsqu'un tremblement de 7,1° ébranla le stade et toute la baie. La force du séisme déplaça le pont Bay Bridge de 12 cm vers le nord faisant s'écrouler une partie du tablier supérieur sur celui du dessous. Sur l'autoroute Nimitz, les voies supérieures s'écroulèrent, écrasant les voitures et tuant 43 personnes. Dans le Marina District, nombre de maisons et d'immeubles s'affaissèrent, quittèrent leurs fondations ou s'écroulèrent. Elles étaient construites sur des remblais instables (ironie du sort, ceux du séisme de 1906) qui se liquéfièrent pendant le tremblement. Le feu prit et, comme en 1906, les habitants firent la chaîne avec des seaux pour aider les pompiers.

En tout, il y eut 68 morts et les dégâts dépassèrent les 6 milliards de dollars. Le tremblement eut cependant un effet positif : l'autoroute Embarcadero, qui bouchait la vue orientale du front de mer, fut si endommagée qu'on décida de la faire disparaître, ce qui ouvrit la vue panoramique de la baie. ■

Scène de brume sur le Golden Gate, vu des Marin Headlands.

La brume

Le *fog* de San Francisco est un jeteur de sorts dont la magie blanche ensorcelle la ville. Quand les vents chargés d'humidité atteignent les terres de la Porte d'Or et rencontrent l'eau tourbillonnante et glacée de la baie, la condensation atteint son maximum, comme sur un verre de thé glacé. Résultat : le *fog*. Habituel en été, il se déverse sur le Golden Gate à une vitesse de 15 à 30 km/h, aspiré vers les terres de Central Valley par la différence de température. Inversement, les matins d'hiver, une brume dense et basse se forme dans les terres et dérive vers l'océan, déposant partout un épais manteau blanc. ■

POINTS DE VUE

Où que vous alliez à San Francisco, il existe un point de vue magnifique ou carrément à couper le souffle : le pont du Golden Gate suspendu dans les airs, ses tours disparaissant dans la brume ; les cerisiers en fleur du Japanese Tea Garden ; les rangées de maisons pastel sur fond de baie bleue… C'est du sommet des buildings et des collines, et depuis le front de mer que se déploient les plus belles vues sur la ville.

Au niveau de la mer

Croisière dans la baie (Bay Cruise) pour apercevoir Fisherman's Wharf et la ville avec l'avantage de passer sous le Golden Gate Bridge. De **l'île d'Alcatraz** (voir p. 106 à 111), on a une vue à tomber sur San Francisco (les prisonniers devaient en devenir dingues !). À **Fort Point** (voir p. 131), on voit le dessous du Golden Gate Bridge, tout d'acier et de boulons, et la Porte d'Or elle-même, avec ses puissants courants et ses tourbillons (attention aux véliplanchistes). De **Baker Beach** (voir p. 131), vous verrez Marin Headlands à distance, le Golden Gate Bridge, les vagues du Pacifique et probablement aussi quelques nudistes sur la plage.

Des collines et gratte-ciel

Coit Tower (voir p. 94 à 96) offre une vue à 360° sur le Financial District et Chinatown (au sud), Bay Bridge et East Bay (à l'est), Fisherman's Wharf et Alcatraz (au nord), et Russian Hill et le Golden Gate Bridge (à l'ouest). **Twin Peaks** (à l'est de Castro) permet de repérer les quartiers nord et est de la ville. La vue à un million de dollars (plus intérêts) s'admire depuis le building de la **Bank of America** (voir p. 51) dont le restaurant Carmelian Room du 52e étage surplombe tout, de la Pyramide Transamerica jusqu'à la baie. Pour un cocktail avec vue, essayez les *lounge bars* au sommet des hôtels de **Nob Hill** (voir p. 63), notamment le Mark Hopkins. Au Fairmont, l'expérience est encore plus époustouflante grâce aux ascenseurs extérieurs panoramiques. ■

Restaurants et bars

SAN FRANCISCO POSSÈDE QUELQUE 3 300 RESTAURANTS – PLUS PAR HABITANT QUE TOUTES LES autres villes des USA, et les sorties au restaurant y sont un véritable loisir. Presque une religion dont les fidèles se rassemblent chez *Gary Danko*, au *Slanted Door*, à la *Fleur de Lys* et au *Jardinière*. Mais les humbles échoppes de *tacos* et les trattorias italiennes offrent aussi de véritables festins, et bon marché. La ville apprécie la bonne nourriture depuis l'époque de la Ruée vers l'or. Si vous étiez l'un de « ceux de 49 » (*Forty-Niners*), les poches pleines de pépites, vous veniez déjà à San Francisco pour vous régaler d'huîtres et de champagne importé de France.

Aujourd'hui, la gastronomie san-franciscaine a trois caractéristiques qui la classent parmi les meilleures du monde : premièrement, les fruits et légumes, la viande, le fromage, les herbes et le vin y sont produits sur place ; deuxièmement, les immigrants ont fait de cette cité portuaire un creuset des cuisines du monde entier, notamment d'Italie, de Chine et d'Asie, du Mexique et d'Amérique Latine (et du Maroc, de Suisse et même de Croatie) ; troisièmement, une gastronomie nouvelle y est née, notamment celle de *Chez Panisse* à Berkeley, au début des années 1970, cuisinée à partir des ingrédients de saison les plus frais présentés avec art et imagination. Mais comme ce style se propageait, les clients finirent par réagir contre la petitesse des portions et l'excès de raffinement de la présentation. Résultat : l'apparition, à la fin des années 1980, de restaurants *country style* ou *new American*, qui servaient de solides portions de plats typiques, comme le poulet grillé et les cakes au crabe du Maryland.

À San Francisco, cette fertilisation croisée des gastronomies a produit de merveilleuses cuisines hybrides. Vous y trouvez aussi bien des raviolis de potiron au gingembre et de la salade Caesar au poulet épicé comme aux Caraïbes, que du curry rouge de saumon grillé. La cuisine Pacific Rim Fusion, qui mêle les saveurs de toute l'Asie, est particulièrement appréciée.

Les vallées Napa et Sonoma, au nord de San Francisco, produisent de grands vins de réputation mondiale et des vins de table tout à fait délicieux. Citons le cabernet-sauvignon et le pinot noir pour les rouges, le chardonnay et le sauvignon blanc pour les blancs. Les autres boissons proposées sont la bière (la marque locale Anchor Stream ou celles de microbrasseries), le café (expresso, cappuccino, latte) et l'eau minérale (Calistoga de Napa Valley).

Lors de votre séjour, essayez certaines des spécialités :

Cioppino, des poissons et fruits de mer italiens mijotés au bouillon de tomate.

Dim-sum, des bouchées chinoises, comme les boulettes farcies aux fruits de mer, à la viande ou aux légumes, servie (il n'y a pas de menu : renseignez-vous si vous ne voulez pas tomber sur un morceau de panse de porc ou de patte de canard). On fait l'addition en comptant les assiettes sur la table. Une bonne affaire à Chinatown.

Dungeness crab, du crabe léger et délicat, parfait avec du pain au levain et du vin blanc. De la mi-novembre jusqu'en juin.

Fortune cookies, des biscuits renfermant un dicton ou une prédiction (voir p. 78).

Chocolat Ghirardelli, du chocolat fabriqué à San Francisco depuis 1852, vendu sur l'ancien lieu de fabrication devenu un centre de magasins et restaurants, Ghirardelli Square, sur Fisherman's Wharf.

Hangtown fry, une omelette aux huîtres et au bacon comme à l'époque de la Ruée vers l'or. Au déjeuner, goûtez celle de John's Grill, la cantine préférée de l'écrivain policier Dashiel Hammet (*63 Ellis St, tel. 415/986-0069*).

Irish coffee, un chaleureux mélange de whisky irlandais, café et crème fouettée, introduit aux USA en 1952, au Buena Vista Café (voir p. 120).

Sourdough bread, du pain à la française croustillant, à la saveur aigrelette (voir p. 113). Parfois, les grosses boules sont évidées et servent de soupière pour le *clam chowder*, soupe de coquillages.

Cocktails de crabe à la sauce cocktail relevée, qu'on trouve sur Fisherman's Wharf depuis 1916 (voir p. 112) et qu'on déguste en marchant. ∎

Au restaurant Stinking Rose, spécialiste de l'ail.

Histoire

IL Y A 230 ANS, LA BAIE DE SAN FRANCISCO N'AVAIT PAS ENCORE ÉTÉ DÉCOUVERTE, DU MOINS par les Européens. C'était le domaine des Indiens : Coast Miwok, Wintun, Yokut et, les plus nombreux, les Ohlone au nombre de dix mille. Ils occupaient la péninsule de San Francisco, East Bay et le Sud jusqu'à Big Sur.

INDIENS ET PREMIERS EXPLORATEURS

Les Amérindiens se nourrissaient à profusion de fruits de mer, de cerfs et de bouillie de glands. Ils se servaient de scirpe, une plante des marais, pour tresser artistement des paniers

Le Père Francisco Palou supervise la construction d'une église d'*adobe* pour les Indiens convertis.

imperméables. Ils n'avaient jamais eu l'idée de la roue ni de l'agriculture, mais celle de la guerre non plus. Sur cette terre d'abondance, chaque tribu possédait son territoire propre et la paix régnait grâce aux échanges et aux mariages entre groupes.

Ce bel isolement n'allait pas durer. L'Espagne possédait un empire qui remontait jusqu'au Mexique et, en 1542, elle envoya le navigateur Juan Rodriguez Cabrillo explorer le nord de la

Californie : Alta California. (Il devait aussi chercher un passage au nord-ouest pour raccourcir la route du Pacifique à l'Atlantique et rapprocher l'Asie, finalement découvert tout au nord par Roald Amundsen, entre 1903 et 1906).

Cabrillo fit voile par-delà l'entrée de la baie de San Francisco, qui serait plus tard appelée Porte d'Or, mais ne la remarqua pas.

Le corsaire anglais Sir Francis Drake, à la barre de la *Golden Hind*, manqua lui aussi l'entrée de la baie en 1579. Il dirigea son bateau 40 km plus au nord, vraisemblablement dans la baie Drake, au-delà de Point Reyes. Il en prit possession au nom de la reine Elisabeth Ire et la baptisa Nouvelle Albion, en anglais poétique. Mais les Anglais ne firent pas grand-chose de ce territoire.

Deux siècles passèrent avant que l'Espagne ne comprenne que pour garder la mainmise sur l'Alta California, elle devait y établir des colonies. En 1769, une expédition commandée par le capitaine Gaspar de Portola quitta Baja California pour la baie de Monterrey. Pensant avoir dépassé son but, Portola débarqua le sergent José Ortega et son escouade en éclaireurs. Ortega escalada une crête et vit alors une grande étendue d'eau qui s'étalait du nord au sud. Curieusement, après des siècles d'exploration maritime, c'est donc une expédition terrestre qui découvrit la baie de San Francisco. Quant à Portola, il ne comprit pas ce que représentait cette découverte et s'en retourna à Monterey.

1775-1834 : LA COLONISATION ESPAGNOLE

Ce n'est qu'en 1775 que le premier Européen traversa la Golden Gate en bateau – Juan Manuel de Ayala sur le ravitailleur *San Carlos*. Il dessina la carte de la baie et baptisa les lieux Angel Island.

Entre-temps, l'expédition du capitaine Juan Bautista de Anza traversait la baie. En 1776, il délimita le site du futur *Presidio* espagnol, un poste militaire avancé à l'entrée de la baie, sur l'extrémité de la péninsule. Il installa la mission 5 km plus au sud. Le sabre et le goupillon, symboles du pouvoir et des aspirations espagnols, arrivaient ainsi en même temps.

Les colons célébrèrent la messe dans la mission située sur la Laguna de Los Dolores (lagune des Chagrins) le 29 juin 1776. Ainsi, San Francisco fut fondée avant la signature de la Déclaration d'indépendance. La mission actuelle fut construite en 1791. Baptisée Saint-François-d'Assise, elle fut communément appelée Mission Dolores. Les Indiens y subirent le double joug de la christianisation et des travaux des champs. En 1816, un voyageur français notait qu'au bout de quelques mois, les Indiens convertis «… commençaient à s'impatienter et à lorgner les montagnes d'un œil triste ». Certains s'échappèrent pour retrouver leur vie d'avant.

Après la prise d'indépendance du Mexique, en 1821, le gouvernement mexicain sécularisa les missions et rendit de nombreuses terres aux Indiens, que s'approprièrent aussitôt les propriétaires fonciers mexicains. Décimés par la variole et la rougeole arrivées d'Europe, les Indiens étaient condamnés. Ils dépérirent ou acceptèrent de travailler dans les *ranchos* – des élevages de bétail sur les terres que le gouvernement donnait aux colons et aux soldats à la retraite.

Les familles de ces privilégiés, les Californios, contrôlaient l'Alta California, donnant des fêtes tandis que des Indiens travaillaient pour elles comme des serfs.

Abandonné par le Mexique, le Presidio de San Francisco finit par tomber en ruine. La mission Dolorès ferma en 1834. Plus tard, elle servit de taverne, et on y organisa des combats d'ours et de taureaux. Pendant ce temps, un campement installé dans une anse voisine se développait en port de commerce, le futur San Francisco.

1835-1848 : LA VILLE AMÉRICAINE

Les ranchs californiens produisaient du suif et des peaux que les bateaux emportaient de San Francisco vers les tanneries de Nouvelle-Angleterre. Ce commerce mit fin à l'isolement des colons.

Les échanges commerciaux avaient principalement lieu dans une anse abritée de la côte nord-est de la péninsule.

Le principal négociant de l'époque était le marin anglais William Richardson. Il épousa la

13—John Sullivan's Residence.
14—Peter T. Sherback's do.
15—Juan C. Davis' do.
16—G. Reynolds do.
17—A. J. Ellis Boarding House.
18—Fitch & McKurley's building
19—Capt. Vioget's Residence.
20—John Fuller's Residence.
21—Jesus Noe's do.
22—Juan N. Padilla's do.
23—A. A. Andrew's do.
24—Capt. Antonia Ortega's Residence.
25—Francisco Cacere z's Residence.
26—Capt. Wm. Hinckley's do.
27—Gen. M. G. Vallejo's building
28—C. L. Ross' building
29—Mill.
30—Capt. John Patty's Adobe building.
31—Doctor E. P. Jones' Residence.
32—Robert Ridley's Residence.
33—Las Pochos de la Choco.
34—Lone Mountain.
35—Sill's Blacksmith Shop.
━━ Trail to Presidio.
┅┅ Trail to Mission Dolores.

San Francisco, petite ville frontalière.

fille du commandant du Presidio et organisa le premier service maritime commercial de la baie. En 1835, il installa la première « maison » de l'anse, une tente faite d'une voile et un poste de commerce.

Les baleinières et d'autres vaisseaux arrivèrent. Des constructions s'élevèrent le long d'une piste de terre solennellement baptisée Calle de la Fundacion (l'équivalent de Grand-Rue).

Richardson appela cet établissement Yerba Buena (la Bonne Herbe), d'après le nom d'un buisson aromatique apparenté à la menthe dont les colons faisaient une infusion. Les autorités mexicaines commissionnèrent un épicier suisse, Jean-Jacques Vioget, pour dessiner les rues de ce comptoir prospère.

Les officiels de Washington, qui s'étaient mis à lorgner vers ces vallées fertiles et le lucratif commerce californien, remarquèrent la faiblesse de la domination mexicaine sur cette possession lointaine. En 1846, la guerre éclata entre le Mexique, la Californie et le Texas. Le 9 juillet, le capitaine John B. Montgomery, du vaisseau *USS Portsmouth*, débarqua avec 70 marins et soldats. Sans rencontrer de résistance, il hissa la bannière étoilée sur la place de Yerba Buena (qu'il rebaptisa Portsmouth, du nom de son vaisseau).

Les Américains nommèrent la ville San Francisco en 1847. Le géomètre irlandais Jasper O'Farrell agrandit le quadrillage des rues et y ajouta Market St, large de 36 m, qui coupa la ville en diagonale – et rendit dès lors sa traversée infernale, jusqu'à aujourd'hui.

En 1847, John Augustus Sutter, responsable d'un comptoir et d'un fort à l'endroit qui deviendrait Sacramento, constata que l'expansion de la cité de San Francisco ne se ferait pas sans bois. Il engagea le charpentier James W. Marshall qui construisit une scierie au bord de l'American River, à Colonna, au pied de la Sierra Nevada. La guerre du Mexique se termina en 1848 et les États-Unis prirent possession de la Californie. C'est alors, le 24 janvier 1848, quelques jours avant de signer le traité, qu'eut lieu l'événement qui allait réveiller la Californie endormie. Marshall, qui inspectait les biefs de la scierie, vit briller quelque chose dans l'eau. « J'ai tendu la main pour le prendre, raconta-t-il. Mon cœur s'est mis à battre car j'étais certain que c'était de l'or. »

1848-1859 : LA VILLE CHAMPIGNON DE LA RUÉE VERS L'OR

Bien que San Francisco fût alors une ville en expansion, ce n'était qu'un petit établissement du Far West, à des milliers de kilomètres de la civilisation. Qui aurait pu prédire qu'en deux ans, elle exploserait et passerait de 500 à 20 000 habitants.

Peu après la découverte de Marshall, ses ouvriers passaient la majeure partie de leur temps à filtrer le gravier pour trouver des pépites. La nouvelle se répandit dans les journaux de San Francisco, mais les habitants restaient sceptiques. C'est Sam Brannan qui souffla sur l'étincelle pour enflammer la fièvre de l'or. Personnage haut en couleur, il avait amené 200 mormons à San Francisco où il était vite devenu entrepreneur. Il était propriétaire

L'attrait de l'or en incita beaucoup à se lancer dans le long voyage par mer depuis la côte Est.

du premier journal de la ville, le *California Star*, mais aussi de quincailleries à San Francisco et Sacramento. En mai, Brannan traversa Portsmouth Square en brandissant une fiole remplie de pépites et en criant : « De l'or ! De l'or ! Il y a de l'or dans l'American River ! » Alors San Francisco se vida comme un théâtre en flammes et toutes les personnes valides se précipitèrent vers les lieux de fouille. C'était le début de la Ruée vers l'or.

Les mineurs pleins d'espoir achetèrent toutes les pelles et pioches disponibles et partirent pour la Sierra. Et Sam Brannan devint le premier millionnaire californien : avant de répandre la nouvelle, il avait pris soin de faire des stocks de tout le matériel dont les mineurs allaient avoir besoin, pour leur revendre au prix fort.

Dès que le président James Polk eut confirmé la rumeur d'une « abondance d'or » en Californie, la nouvelle électrifia la côte Est et le reste du monde. En 1849, une incroyable foule de 100 000 chercheurs de fortune se dirigea vers la Californie. Elle survécut sous le sobriquet de « *Forty-Niners* » (« ceux de 49 »).

Parmi les troupes de mineurs, certaines massacrèrent et déplacèrent les tribus indiennes dont ils occupaient les terrains de chasse.

Certains prospectaient les montagnes et le désert. Un émigrant comptabilisa 469 chariots sur un simple tronçon de 15 km. La nuit, les feux de camps donnaient l'illusion des lumières d'une grande ville. D'autres, contaminés par la fièvre jaune, arrivaient par la mer, entassés sur des bateaux.

Quand les bateaux accostaient à San Francisco, les chercheurs d'or filaient directement vers les mines.

San Francisco fournissait la nourriture, l'équipement des mineurs et les services, mais à prix d'or. Jambon, œufs et café y coûtaient 6 $, une pelle 50 $. Le prix du terrain monta en flèche : un homme qui avait acheté son lot en échange d'un tonneau de whisky le revendit 18 000 $ deux ans plus tard. Dans la rue, les gens transportaient des sacs de poussière d'or.

En 1848, alors que le salaire moyen journalier s'élevait à 1 $ à l'est du Mississippi, le mineur de base gagnait 10 à 15 $ par jour en Californie. Le crime prospéra. Des voyous australiens, les Sydney Ducks, allumaient des incendies pour détourner l'attention pendant qu'ils pillaient. Sam Brannan, l'entrepreneur, réussit à mobiliser les autorités civiles pour qu'un comité de surveillance soit chargé de se débarrasser des voleurs. Les « vigilants » pendirent plusieurs hors-la-loi et assassins en 1851 et 1856, ce qui eut pour effet de dompter ces indésirables.

Environ la moitié des chercheurs d'or étaient américains, mais l'autre moitié fit de San Francisco une ville cosmopolite, bruissant de nombreuses langues et enrichie de diverses cultures venues du Mexique et du Chili, de France et d'Allemagne, d'Hawaï et d'Irlande, de Chine et d'Italie.

Au début, il était facile de récolter des pépites dans les rivières, et certains se vantaient d'en trouver 5 livres par jour. Les chercheurs ramassaient poussières et graviers dans une poêle à frire, puis ils rinçaient pour éliminer les

fond. Mais l'or de surface ne tarda pas à s'épuiser et il fallut bientôt un équipement de plus en plus lourd pour l'extraire du sol.

Les mineurs fouillèrent à l'aide de cribles appelés « berceaux » et de filtres des filons plus profonds, mais ceux-ci furent épuisés dès 1852. À ce point, un financement bancaire devenait indispensable, et de nombreux *Forty-Niners*

1859-1905 : DU FILON DE COMSTOCK AUX TEMPS DIFFICILES

En 1859, un filon d'une autre nature fut découvert au nord-est de Carson City, dans le Nevada. Site argentifère le plus important jamais découvert, la mine de Comstock produisit plus de 300 millions de dollars grâce à une seule veine de plus de 100 m de large

arrivés pleins d'espoir durent se placer comme simples ouvriers dans les mines. Il fallut utiliser des jets hydrauliques pour faire exploser le flanc des collines et atteindre les filons, ce qui eut des conséquences désastreuses sur l'environnement.

Entre 1848 et 1851, San Francisco fut balayée par six incendies graves. La ville réunissait alors toutes les conditions pour une catastrophe : maisons en bois et toile, vents océaniques, lampes à huile de baleine et cuisinières à bois. Après l'embrasement de 1851 qui détruisit 60 ha et plus de 1 500 logis, les habitants reconstruisirent en dur. On remblaya Yerba Buena Cove qui devint le nouveau quartier financier.

La production d'or déclinant au milieu des années 1850, l'économie se tourna vers la banque et l'industrie. Mais personne n'oublia la Ruée vers l'or qui, en un éclair, avait transformé San Francisco en une ville riche.

Chinois, Mexicains et Européens ont vite rejoint les rangs des chercheurs d'or américains.

et 3 km de long. Cette richesse fabuleuse profita à San Francisco dont les habitants, qui finançaient et exploitaient les mines, récoltèrent les profits de l'importation ou de la fabrication de 90 % du matériel nécessaire.

Les quatre « rois de la mine » qui dirigeaient la Consolidated Virginia empochaient plus de 500 000 $ par mois : John W. Mackay, James C. Fair, James L. Flood et William S. O'Brien. C'est William C. Ralston, de la Bank of California, qui fournissait le financement permettant de maintenir la mine à flot face à ses créances et malgré des inondations, en échange d'actions qui en firent un homme riche. Lui et ses associés décimèrent les arbres du lac Tahoe pour en faire des étais de mine.

**La majorité des nouveaux habitants
de San Francisco arrivait par la mer.**

Grâce au Comstock, San Francisco était inon-
dée de capitaux. Les nouvelles banques, les maisons de courtage et les immeubles de bureaux
s'élevant autour de Montgomery et California St
devinrent le centre financier de toute la côte
Ouest. Rien qu'en 1864, plus de mille nouveaux
immeubles furent construits. En 1873, l'invention du *cable-car* par Andrew Hallidie stimula le
développement des quartiers de Russian Hill et
Pacific Heights. Deux ans plus tard, le Palace
Hotel ouvrait 800 chambres sur Market St.

San Francisco participa aussi à la construction du chemin de fer transcontinental en 1869.
Les financiers californiens entendaient bien
profiter de ce lien avec les marchés de la côte
Est. L'Union Pacific construisit la voie vers
l'ouest et la Central Pacific vers l'est. C'est l'ingénieur Theodore Judah qui dessina l'itinéraire
pour la Central Pacific depuis Sacramento à

travers la Sierra Nevada, jusqu'au point de jonction de Promontory, dans l'Utah.

La Central Pacific était financée par quatre négociants malins de Sacramento : Leland Stanford, Mark Hopkins, Collins P. Huntington et Charles T. Croker, les « Big Four », qui firent d'énormes profits et acquirent quantité de biens immobiliers grâce à des concessions accordées par le gouvernement le long de la future voie ferrée. Ils bâtirent ainsi un monopole des transports (connu sous le nom de Southern Pacific

après 1884) qui surévaluait ses prix et menait sa propre politique en soudoyant ouvertement les politiciens californiens. La Southern Pacific était haïe de tous à cause de son emprise sur l'Ouest, et surnommée « la Pieuvre ».

Bien que les Californiens aient espéré des avantages financiers grâce au chemin de fer transcontinental, les prix du commerce local accusèrent une baisse due à l'afflux de marchandises bon marché en provenance de la côte Est. Une crise économique s'ensuivit dans le milieu des années 1870, avec fermetures d'usines et chômage en hausse. Les immigrants chinois, dont la main-d'œuvre avait été vitale pour la Central Pacific, se retrouvèrent au chômage lorsque la voie ferrée fut terminée.

Ils affluèrent par milliers à San Francisco et acceptèrent des postes mal payés, suscitant la colère des chômeurs blancs et provoquant des abus, des rixes et des lois injustes, comme le Chinese Exclusion Act de 1882 qui mit quasiment fin à l'immigration chinoise.

Malgré tout, les années 1880 représentèrent une sorte d'âge d'or et la ville fit alors figure de petit Paris ouest-américain. L'économie y fleurissait grâce à la pêche, à l'exploitation de la baleine et à l'exportation du blé des vallées de Californie vers l'Europe. Les restaurants proliféraient. Et en 1894, le Golden Gate Park hébergeait l'exposition California Midwinter.

Revers de la médaille, le quartier de *Barbary Coast*, au bas de Telegraph Hill, proposait des distractions inavouables à l'ère victorienne : le jeu et la prostitution. On venait y voir la sordide copulation d'une femme avec un porc et le spectacle de « Dirty Tom » avalant tout ce qu'on lui apportait de plus répugnant. C'était le quartier des malfaiteurs où les imprudents risquaient de se faire « shangaïer » (kidnapper) pour servir comme matelots sur les navires en partance. À l'époque, le maire Eugene Schmitz et le tout-puissant patron Abe Ruef corrompaient toute la vie politique.

En 1898, San Francisco devint la base des opérations militaires de la guerre hispano-américaine et connut alors un discret essor industriel et maritime. Le tout neuf Ferry Building ouvrait des lignes maritimes vers le comté de Marin et Oakland, et les premiers gratte-ciel poussaient dans le quartier des affaires. Les arts fleurissaient également. Des poètes avaient investi Russian Hill, Ambrose Bierce écrivait ses chroniques acerbes et Mark Twain décrivait la ville d'une plume amusée.

1906-1915 : SÉISME, INCENDIE ET RECONSTRUCTION

Les habitants racontèrent qu'on aurait dit la débandade d'un troupeau ou une locomotive lancée à toute allure. C'était le bruit de la pire catastrophe naturelle qu'ait connue une ville des USA. À 5 h 12, le 18 avril 1906, les San-Franciscains furent réveillés en sursaut par une secousse qui dura 65 secondes et développa l'énergie de 15 millions de tonnes de dynamite. Le tremblement de terre, estimé par la suite à 8,3° sur l'échelle de Richter, s'était produit le long de la fameuse faille de San Andreas (voir p. 18), une fracture de la croûte terrestre qui longe la côte de Californie au large de San Francisco. Si elle passait sous la ville, la catastrophe aurait été bien pire. Cette secousse fut ressentie de Los Angeles jusqu'à Coos Bay en Oregon.

Le séisme éventra les trottoirs, tordit les rails des tramways et fit dégringoler les cheminées à travers les toits. Les dégâts furent importants dans les marais asséchés, comme à Yerba Buena Cove où les fondations des immeubles étaient posées sur du remblai instable. En ville, des rangées entières d'immeubles s'écroulèrent dans les rues. Habitués aux tremblements de terre occasionnels, dans un premier temps les San-Franciscains ne paniquèrent pas. Puis ils virent de la fumée s'élever au-dessus de la ville : c'était les incendies allumés par les poêles à bois renversés, les conduites de gaz percées et le réseau électrique arrachés. Les secours furent retardés parce que le séisme avait détruit le système municipal d'alerte à l'incendie et tué le chef des pompiers, mais aussi parce que les conduites d'eau principales étaient rompues, ce qui empêchait d'acheminer vers les feux l'eau abondante des réservoirs. Enfin, les lignes de téléphone et de télégraphe avaient lâché, ralentissant les opérations de secours.

À la mi-journée, 52 incendies faisaient rage en ville. Les braises pleuvaient sur les toits en répandant le feu. Ce soir-là, un témoin rapporta : « Toute la ville était embrasée, les flammes s'élevaient vers le ciel… dans une explosion rougeoyante de haut fourneau ». La chaleur d'enfer atteignit les 1 500 °C, faisant fondre le marbre des immeubles et se liquéfier l'argenterie dans les cuisines. La fumée monta à plus de 8 km, et à 80 km alentour, les gens pouvaient distinguer la lueur de l'incendie et sa « désolante splendeur ».

Le général de brigade Frederick Funston dynamita des immeubles pour couper la route du feu à l'est, le long de Van Ness Avenue, mais les braises s'envolaient quand même de l'autre côté. Le feu ne cessa de se propager vers l'ouest que lorsque le vent tourna.

Au bout de trois nuits et deux jours, le feu se calma. Plus de 1 000 ha avaient disparu en fumée sur le front de mer, dans le quartier des affaires et le secteur industriel, soit 514 pâtés de maisons et 28 000 immeubles.

Une vue spectaculaire de La Porte d'Or photographiée par Ansel Adams.

On dénombra 674 morts et disparus. Les dommages matériels furent évalués à 500 millions de dollars.

La ville dut nourrir et protéger 250 000 citoyens sans abri qui campèrent au Golden Gate Park et au Presidio, avant d'être hébergés dans des milliers de baraquements alignés dans les parcs. Les dons arrivèrent du pays entier.

Malgré tout, les San-Franciscains réussirent à garder leur sens de l'humour. Sur un immeuble dévasté, un panneau annonçait : « La vache est dans le hamac/le chat est dans le lac/le bébé dans la poubelle/et alors ?/ Plus d'eau, encore moins de savon/plus de ville, mais on tient bon. »

Les San-Franciscains reconstruisirent leur ville avec énergie. Il fallut d'abord déblayer les rues de tonnes de débris que des cohortes de chariots allèrent jeter dans la baie ; 15 000 chevaux moururent à la tâche. Les trois quarts des immeubles furent reconstruits en moins de trois ans, avec de meilleures techniques et de meilleurs matériaux. Les édiles espéraient adopter le plan amélioré de l'architecte Daniel Burnham, imprégné du style de l'école des Beaux-Arts, mais les hommes d'affaires réinvestirent immédiatement leurs anciens locaux. Rien n'évolua vraiment, hormis les splendides bâtiments gouvernementaux construits sur Civic Center Plaza, notamment en 1915 le City Hall dont le dôme est plus grand que celui du Capitole à Washington.

1915-1941 : LA CROISSANCE

Après avoir ressuscité San Francisco, ses habitants étaient prêts à montrer ce phœnix au reste du monde. Un maire très populaire, « Sunny Jim » Rolph, fit la promotion de l'Exposition internationale Panama-Pacific de 1915 qui fêtait la récente ouverture du canal de Panama et la reconstruction de San Francisco après le tremblement de terre. Cette foire mondiale, qui se tenait à l'endroit de l'actuel Marina District, réunissait des pavillons de style Beaux-Arts superbement illuminés, présentant de nombreux États et Nations.

À cette époque, la ville était desservie par des tramways électriques. On construisait des immeubles d'habitation vers Richmond et Sunset. Pour créer des biens immobiliers, la ville fit évacuer des cimetières et déménager leurs cercueils à Colma.

San Francisco devint un centre financier d'importance et fournissait le capital de l'agriculture californienne en pleine expansion. Pour amener l'eau de la Sierra, la ville fit construire des barrages et des réservoirs sur la Tuolomme, du côté de Hetch Hetchy Canyon, au Yosemite Park. En 1934, un aqueduc de 250 km commença à livrer l'eau à San Francisco.

syndiqués s'opposaient à la conscription qu'ils trouvaient trop lourde dans la classe ouvrière. La justice condamna pour cet attentat les militants activistes Tom Mooney et Warren Billings qui devinrent des martyrs de la cause ouvrière. Par la suite, des photos contredirent les témoignages contre Mooney et sa peine de mort fut ajournée. Les deux hommes finirent par être relâchés. En

Survivants du séisme de 1906 au milieu des décombres.

Malgré la grande crise (*Great Depression*), la ville mena à bien de spectaculaires projets de construction comme le pont du Golden Gate, et celui d'Oakland qui s'appuyait sur la plus grande île artificielle jamais construite par l'homme. C'est là, sur Treasure Island, que la ville organisa en 1939 sa troisième foire internationale, la Golden Gate International Exposition, qui mettait l'accent sur les cultures de la ceinture Pacifique et les relations commerciales avec l'Asie et le Pacifique.

San Francisco se syndiqua massivement. Les associations d'ouvriers y remontaient à l'époque de la prospérité, quand l'orateur Dennis Kearney critiquait la rapacité des barons du rail. En 1916, une bombe fit 9 morts lors d'un défilé de promotion de l'entrée en guerre des USA. De nombreux

1930, les dockers organisèrent la plus grande grève de mémoire d'Américain. Leur syndicat y gagna de meilleures conditions de travail, mais seulement après que les briseurs de grève eurent provoqué des émeutes qui firent deux morts.

LA DEUXIÈME GUERRE MONDIALE ET APRÈS

Pendant la Deuxième Guerre mondiale, San Francisco prospéra. Environ 1,6 million de soldats et de marins embarquèrent à la Golden Gate pour le Pacifique. La Navy s'installa sur Treasure Island et y construisit un aérodrome. Les chantiers navals de Sausalito (comté de Marin) et de Richmond (East Bay) construisirent plus de mille bateaux, dont la moitié d'avitailleurs de 7 000 t appelés *liberty ships*.

Les diplomates internationaux rédigèrent la charte des Nations Unies à l'opéra du Civic Center, au printemps 1945. Cet été-là, le croiseur *Indianapolis* quittait la baie en emportant les bombes atomiques qui allaient être lâchées sur le Japon.

En temps de guerre, les postes d'ouvriers étaient souvent occupés par des femmes et attaquaient, entre autres, au racisme, et encourageaient les protestations pacifiques.

Mais en 1967, les idéaux des enfants du *Flower Power* qui voulaient partager de « bonnes vibrations », tournèrent à la désillusion quand les médias exploitèrent l'usage qu'on y faisait des drogues dures et la criminalité à Haight-Ashbury. L'Amérique en hérita malgré tout une plus gran-

Vestiges de l'autoroute Oakland's Cypress après le séisme de Loma Prieta en 1989.

des membres des minorités, comme les Hispaniques et les Noirs. La diversité prit forme lorsque ces travailleurs se mêlèrent au personnel militaire revenu de la guerre. Au cours des prospères années 1950, des marginaux déçus par le conformisme et la société de consommation s'installèrent à North Beach, là où la *Beat Generation* avait éclos autour d'écrivains comme Kerouac, Ferlinghetti et Ginsberg.

En 1965, un autre mouvement émergea avec les hippies de Haight-Ashbury qui bouleversèrent la vie américaine (drogues récréatives, amour libre) à travers leur musique (psychédélique et *acid-rock*) et leur style vestimentaire. De l'autre côté de la baie, à Berkeley, l'Université de Californie vivait en perpétuelle éruption. Les étudiants activistes et le mouvement Free Speach s'y

de tolérance sociale : les gens étaient plus ouverts aux femmes, aux homosexuels et aux minorités. Au cours des années 1970, San Francisco devint la capitale de la libération homosexuelle et, pour la première fois aux USA, on y élut des politiciens non issus du sérail.

En octobre 1989, le tremblement de terre de Loma Prieta fit 68 morts et provoqua des dégâts énormes dont la plupart furent vite réparés ; le Golden Gate Bridge ne mit qu'un mois à rouvrir. En 1991, les incendies envahirent les collines d'Oakland jusqu'à la baie, tuant 25 personnes et détruisant plus de 3 000 logements. Aujourd'hui, San Francisco est un lieu tourbillonnant où coexistent joyeusement les affaires, les arts, le tourisme et un certain esprit non conformiste. ■

Les arts

CE N'EST PAS UN HASARD SI LA VILLE NATALE DE JACK LONDON A ÉGALEMENT INSPIRÉ JACK Kerouac et les Grateful Dead. San Francisco semble attirer les aventuriers de l'art, les poseurs de questions et les amateurs de pensée alternative. La qualité de la production créative y provoque un déclic dans les têtes qui fait voir le monde sous un autre jour. Ouvertement, comme dans le poème *Howl* d'Allen Ginsberg, ou plus subtilement, comme dans les photographies d'Ansel Adams.

SAN FRANCISCO LITTÉRAIRE

Les San-Franciscains ont toujours aimé lire. La ville a possédé un journal dès janvier 1847, lorsque Sam Brennan, un pasteur mormon pas comme les autres, devenu entrepreneur, lança l'hebdomadaire *Californian Star* qui fusionna plus tard avec son concurrent, le *Californian*, pour devenir l'*Alta California*, premier quoti-

dien de l'Ouest. Ces journaux, pionniers du genre, étaient imprimés sur des presses à main avec des caractères souvent abîmés. Il arrivait qu'on manque de papier, on éditait alors sur n'importe quel support : papier à thé chinois ou papier kraft marron !

Certains écrivains développèrent leur talent dans les journaux littéraires de la ville. Le pré-

curseur fut le *Golden Era* (1852) qui publia les premiers poèmes et dessins de son typographe, Bret Harte, rendu célèbre par sa nouvelle *La Chance de Roaring Camp*.

Il romançait la vie dans les villes minières et brossait le portrait de joueurs ou de prostituées au grand cœur, qui finirent par devenir des personnages types. Le romantisme de Harte était contrebalancé par les satires amusées de Mark Twain, qui arriva à San Francisco en 1864 et y resta un peu plus de deux ans. Il se fit rapidement une réputation de raconteur d'histoires (*La célèbre grenouille sauteuse du comté de Calavéras*) et relata ses voyages dans l'Ouest dans *À la Dure*.

San Francisco partage l'affiche avec Kim Novak et James Stewart dans *Sueurs froides* d'Hitchcock.

La poétesse Ina Coolbrith (voir p. 100) faisait partie de la bohème et fréquentait les cercles littéraires de San Francisco. Elle encouragea de nombreux écrivains, en particulier le jeune Jack London (1876-1916). Fils illégitime d'un astrologue et d'une médium, London travailla dans une conserverie, devint pilleur d'huîtres et chercha l'aventure sur une goélette dans le Pacifique-Sud. Il écrivit plus de 50 livres dont *Le Loup des mers*, *L'Appel sauvage* et *Martin Eden*, et plus de cent nouvelles dans lesquelles il s'attaque à l'aventure et aux thèmes de la philosophie sociale.

Le poète Cincinnatus Heine Miller prit pour prénom Joaquin (comme le bandit Joaquin Murietta) et écrivit sur les personnages hauts en couleur du Far West. Il se promenait en bottes, chemise de flanelle rouge et sombrero. Surnommé le Poète de la Sierra, il était plus célèbre pour son excentricité que pour ses poésies.

À San Francisco dans les années 1880, la voix dominante de la littérature était Ambrose Bierce dont la chronique *Prattle* (« le Caquet ») matraquait événements et individus à coups d'humour noir. C'est lui qui publia l'acerbe *Dictionnaire du diable*. À cette époque, Robert Louis Stevenson et Rudyard Kipling séjournèrent à San Francisco et écrivirent à ce sujet. Plus léger, Gelett Burgess éditait *The Lark* (*L'Alouette*) au milieu des années 1890, un journal joyeusement anarchiste qui publiait des poèmes et des histoires absurdes. Sa *Vache pourpre* devint un classique de la poésie fantaisiste et pour se défendre de la célébrité involontaire qui en découla, il écrivit : « Oui, j'ai écrit la *Vache pourpre*/Je m'en repens, c'est sûr !/ Mais, je vous l'assure/Je vous tuerai si vous me citez. »

Au tournant du siècle, Frank Norris situait son roman réaliste *McTeague* à San Francisco et *The Octopus* dénonçait l'étranglement de la Californie par la Southern Pacific Railroad. Durant les années vingt, Dashiell Hammet habitait San Francisco dont il fit le décor du *Faucon Maltais*. Il termina ce dur roman policier devenu un classique dans un appartement de Leavenworth St. À partir de 1929, la romancière Gertrude Atherton tenait des réunions littéraires dans son appartement de Pacific Heights.

LA *BEAT GENERATION*

Le mouvement littéraire le plus connu prit naissance à San Francisco et se développa à North Beach dans la génération des années cin-

quante. Il est illustré par Jack Kerouac dans *Sur La Route* (1957), dactylographié en trois semaines d'un seul jet dans le style spontané du jazz, sur un long rouleau de papier.

Le triomphe de Kerouac répandit les idées *Beat* dans la culture américaine : l'errance sur les routes, la fête et la recherche de la liberté dans une société jusqu'alors dominée par le conformisme et la satisfaction de soi.

En poésie, un renouveau éclate en 1955 avec *Howl*, d'Allen Ginsberg, lu à la Galerie Six sur Fillmore St (la publication qu'en fit Lawrence Ferlinghetti fut suivie d'un procès pour obscénité). Les autres poètes locaux sont Kenneth Rexroth, Gary Snyder à l'inspiration zen, et Ferlinghetti, dont la librairie City Lights, à North Beach, était et reste un des centres de la vie littéraire.

Au milieu des années 1970, Armistead Maupin publia dans le *San Francisco Chronicle* un feuilleton sur la vie et l'amour parmi les jeunes hétéros et homosexuels de San Francisco,

édité par la suite dans *Les Chroniques de San Francisco*. Parmi les autres écrivains locaux, on peut citer Herbert Gold (*Pères*), Alice Walker (*La Couleur pourpre*) et Amy Tan dont *Le Club de la chance* se déroule en partie dans Chinatown.

AU CINÉMA

Comme une star de cinéma photogénique, San Francisco a servi de cadre ou de sujet à plus de 500 films, parmi lesquels *Frisco Kid* (1935, James Cagney), *San Francisco* (1936, Clark

Les Grateful Dead, qui se sont aussi appelés les Warlocks, furent un temps financés par le chimiste du LSD Owsley Stanley.

Gable), *Nick gentleman détective* (1936, William Powell), *Le Faucon maltais* (1941, Humphrey Bogart), *Le Monstre vient de la mer* (1955), *Sueurs froides* (1958), *Le Prisonnier d'Alcatraz* (1962), *Bullit* (1968), *Gimme Shelter* (1970), *L'Inspecteur Harry* (1971), *What's Up Doc* (1972), *Conversation secrète* (1974), *La Tour*

Visiteurs sur la passerelle aérienne du San Francisco Museum of Modern Art.

infernale (1974), *L'Évadé d'Alcatraz* (1979), *The Presidio* (1988), *Pacific Heights* (1990), *Sister Act* (1992), *Le Club de la chance* (1993), *Mrs Doubtfire* (1993), *Golden Gate* (1993), *The Rock* (1996) et *Bedazzled* (2000).

THÉÂTRE ET DANSE

L'amour de San Francisco pour les arts de la scène remonte à la Ruée vers l'or. En juin 1849, le premier événement théâtral y fut la prestation d'un acteur de New York qui chanta et fit des imitations à l'école de Portsmouth Square. En 1850, les pièces de Shakespeare faisaient concurrence aux spectacles moins nobles du cirque et des saloons. Illettré, le chauffeur de taxi Tony Maguire ouvrit le premier des théâtres Jenny Lind puis l'opéra Maguire. La danseuse espagnole Lola Montez arriva en ville avec sa *Danse de l'araignée* : elle se contorsionnait dans un costume étroit, faisant semblant de se débarrasser d'araignées (en os de baleine) et les écrasant du pied. La ville accueillit aussi des acteurs de la côte Est comme Edwin Booth.

De nos jours, les spectacles du quartier des théâtres, à l'est d'Union Square, vont de l'avant-garde à la comédie musicale. Les succès de Broadway sont donnés au Curran Theatre. Les autres salles sont le Golden Gate Theater (grands spectacles), le petit Cable Car Theater et On The Square (décalé). La revue *Beach Blanket Babylon* est jouée non-stop au Club Fugazi de North Beach. *San Francisco Mime Troup* donne d'amusants spectacles satiriques depuis 40 ans. Le San Francisco Shakespeare Festival et le San Francisco Fringe Festival ont lieu tous les ans.

Fondé en 1933, le San Francisco Ballet fait partie des meilleures compagnies du pays. Il fut le premier à représenter *Casse-Noisette* aux USA et le redonne régulièrement dans une production magnifique au moment des fêtes.

MUSIQUE

La bande-son des années 1960 a été en partie jouée par des groupes de San Francisco qui ont fleuri au temps des enfants du *Flower-Power* et de la marijuana. Le son san-franciscain (le rock psychédélique) fut créé par de grands groupes (Jefferson Airplanes, Grateful Dead, Big Brother and the Holding Company et Janis Joplin), de moins célèbres et d'autres totalement oubliés.

Leur caractéristique commune fut l'expérience du LSD et d'autres psychotropes, qui inspira des chansons plus longues avec plus d'improvisation et de longues sessions de jam.

Le public du magnifique War Memorial Opera House attend le début de l'ouverture.

L'électronique a renouvelé le rock avec ses échos, ses vibrations et ses effets wa-wa. Les concerts s'accompagnaient souvent de shows lumineux hallucinatoires.

À la fin des années 1960, la scène hippie était occupée par Scott McKenzie (*San Francisco, Be Sure to Wear Some Flowers…*), Eric Burdon et les Animals, et les Grateful Dead toujours branchés sexe, qui survécurent pendant des décennies en maintenant vivant l'esprit des *sixties*.

L'Opéra (au War Memorial Opera House) accueille de superbes représentations de musique classique et fait venir les meilleurs artistes (les paroles sont transcrites en anglais sur un écran). Le San Francisco Symphony Orchestra donne ses concerts au Louise M. Davies Symphony Hall (les violonistes Yehudi Menuhin et Isaac Stern y ont débuté). Le Herbst Theater propose de la musique de chambre et baroque. Un festival annuel de jazz à la programmation intelligente fait jouer les stars dans des lieux étonnants.

PEINTURE, PHOTOGRAPHIE ET SCULPTURE

À San Francisco, les arts visuels donnent une image composite de la vie et de l'histoire de la ville. La plus ancienne « œuvre d'art » y est la Mission Dolores (1791) dont les autels mexicains et les cloches de bronze illustrent l'ère des pères missionnaires, tandis que les peintures de la voûte évoquent les motifs de vannerie du peuple Ohlone.

Les influences et les cultures ont afflué pendant la Ruée vers l'or, et notamment d'Europe. Le peintre Charles C. Nahl représentait la vie des camps miniers dans un style classique. Avec leurs détails parlants et leur humour pointu, des toiles comme *Samedi matin à la mine* (1872) sont une image vivante de la Californie des débuts.

À la moitié du XIXe siècle naquit une école paysagiste dont Albert Bierstadt (1830-1902) est le plus célèbre représentant. Il voyageait dans l'Ouest en tant que géomètre et ses toiles monumentales représentent les gorges profondes et les hautes montagnes de ces paysages. Thomas Hill peignit le Yosemite et d'autres sites ; William Keith faisait des tableaux apaisants de chênaies, de collines et de ruisseaux.

Les clients nouveaux riches de San Francisco étaient plutôt conservateurs et rigides, et leurs choix se portaient sur des œuvres destinées à décorer leurs villas et à accroître leur prestige. Les millionnaires des chemins de fer et des mines, comme Mark Hopkins et James Flood, écumaient l'Europe pour se fournir en œuvres d'art, meubles et tapisseries.

Un groupe de peintres fut à l'initiative du Club de la bohème en 1872, à l'époque où la San Francisco Art Association ouvrait une galerie et une école. Par la suite, cette association occupa le Mark Hopkins Mansion sur Nob Hill puis déménagea à Russian Hill. Parmi ses membres, les peintres Bierstadt et Keith, et le photographe précurseur Eadweard Muybridge qui étudia le mouvement du galop d'un cheval à l'aide d'une série d'appareils fixes et fit sensation dans l'histoire de la photographie (1872).

Au tournant du XXᵉ siècle, Douglas Tilden sculpta des statues héroïques dont le *Monument à la mécanique* de Market St, qui représente des hommes musclés aux prises avec une roue et un levier. Son élève Robert Aitken créa la statue de *la Victoire* qui orne le monument Dewy sur Union Square. Pendant ce temps, Arthur Putnam sculptait de rugissants jaguars et des lions de montagne en bronze, ainsi que d'autres sujets animaliers tous soigneusement observés.

De nouvelles influences artistiques déferlèrent sur la ville après l'Exposition internationale Panama-Pacific de 1915 où furent exposées des toiles de Monet et de Degas. En passant à San Francisco, Henri Matisse fit des tableaux colorés des poissons tropicaux du Steinhart Aquarium. Le fresquiste mexicain Diego Rivera vint également peindre en ville, notamment au San Francisco Art Institute. Son style et sa technique allaient influencer les artistes subventionnés par l'État qui peignirent l'intérieur de Coit Tower au moment de la grande crise des années 1930.

L'aquarelliste Dong Kingman se servait de son éclatante palette pour représenter des scènes de San Francisco. En 1932, Ansel Adam, Edward Weston et d'autres photographes fondèrent le groupe f.64, très influent, dont les images acérées venaient en réaction contre le romantisme alors à la mode. Le sculpteur Benjamino Bufano dota les parcs et les squares de la ville de grandes statues stylisées, dont celle de *Sun Yat-Sen,* sur St Mary's Square (1938). Mais les San-Franciscains refusèrent son projet d'ériger sur Twin Peaks une statue de 48 m de haut représentant saint François d'Assise (le saint d'acier devait avoir les bras levés, ce qui lui aurait donné l'air, dit-on, d'être pris dans un hold-up !).

Après la Deuxième Guerre mondiale, l'art abstrait arriva en ville avec Mark Rohtko et Clyfford Still, du San Francisco Art Institute, où ils influencèrent leurs élèves Sam Francis et Robert Motherwell. En réaction, les peintres de Bay Area, comme Richard Diebenkorn, réalisèrent des œuvres figuratives (sa *Femme assise* fait partie de la collection M. H. de Young).

En art, les années 1960 sont marquées par des artistes comme Wayne Thiebaud, un représentant de la culture populaire. Les affiches psychédéliques dessinées pour annoncer les concerts rock furent élevées au rang d'œuvre d'art. Elles inspirèrent la publicité, les arts graphiques et la mode de toute l'Amérique par leurs couleurs vives et leur typographie qui semblaient tout droit sorties d'un trip au LSD. Aujourd'hui, ces affiches sont des *collectors.*

Les arts actuels sont essentiellement présentés dans les galeries privées et au MoMa, musée d'Art moderne de San Francisco, ainsi que dans les musées spécialisés et au Center for the Arts de Yerba Buena, plus spécialisé.

ARCHITECTURE

Les premiers bâtiments qui longeaient la baie de San Francisco ont disparu depuis longtemps : c'étaient les huttes des Ohlone et des Coast Miwok, faites d'une plante des marais appelée scirpe. L'architecture européenne fut introduite par les missionnaires franciscains à partir de 1776. Ils firent construire leurs missions californiennes selon les plans et les techniques de construction espagnols des XVIIᵉ et XVIIIᵉ siècles, adaptés aux moyens limités d'une frontière reculée : la boue et le bois. Le style des missions se caractérise par d'épais murs de torchis (boue stabilisée par de la paille), de grosses poutres, des sols carrelés et des toits de tuiles rouges. Le seul exemple restant est la Mission Dolores, l'édifice le plus ancien de San Francisco (1791), dont les murs d'un mètre d'épaisseur ont résisté aux tremblements de terre. Du Presidio originel, le poste militaire, rien ne reste à part un pan de mur de torchis intégré dans le club des officiers.

À l'époque de la Ruée vers l'or de 1848, les maisons étaient essentiellement construites en bois. Mais, après une série d'incendies qui ravagèrent ces constructions de toile et de bois qui composaient la ville, on reconstruisit en brique, souvent renforcée de panneaux de fer. Certains

Du haut de ses 237 m, l'immeuble de la Bank of America domine le quartier financier.

immeubles commerciaux subsistent sur Jackson Square dans le quartier financier, notamment le Golden Era Building (1852) et Hotaling Warehouse (1866).

C'est l'architecture victorienne qui domina la fin du XIXe siècle (voir p. 44-45).

Les architectes du mouvement Arts Crafts mettaient la nature en valeur en employant le bois de séquoia, la pierre et les bardeaux peints de couleurs foncées, et souvent en adaptant des matériaux décoratifs japonais.

Au début du XXe siècle, San Francisco fut balayée par la vague City Beautiful, un mouvement essayant de rendre l'environnement urbain plus esthétique. C'est le style Beaux-Arts, inspiré des principes enseignés à l'école parisienne du même nom, qui prédominait. Réminiscence des styles Renaissance et classique, il s'appliquait surtout aux bâtiments publics.

Parmi les plus beaux, la Bank of California et l'Hôtel Fairmont dont la reconstruction fut supervisée par Julia Morgan après le séisme de

1906. Le City Hall (1915) possède un dôme classique, des piliers doriques et des motifs de temple grec. En ville, le summum de l'architecture Beaux-Arts s'illustre dans le Palais des Beaux-Arts, seul survivant de l'exposition Panama-Pacific de 1915. Le California Palace of the Legion of Honor est l'œuvre de George Applegarth, qui avait fait ses études à l'École des beaux-arts de Paris.

En architecture, les innovations de l'âge moderne firent leur apparition dès les années

Les maisons victoriennes d'Alamo Square sur fond d'immeubles modernes.

1890, quand la poutrelle de métal permit d'édifier des immeubles plus hauts. En 1917, Willis Polk dessina des plans qui avaient quatre décennies d'avance sur leur époque pour l'immeuble Hallidie de huit étages, ancêtre des gratte-ciel modernes de verre et d'acier.

Son mur de verre était une véritable innovation. Parmi les premiers gratte-ciel, le siège de la

Les « dames peintes » de San Francisco

Au milieu du XIXᵉ siècle, l'exubérance san-franciscaine s'exprimait à plein dans l'architecture victorienne, avec ses ornementations originales à l'extrême. Les maisons de cette époque exhibaient des tours alambiquées, des *bow-windows*, des décorations de pain d'épices, des vitraux, des piliers et des pilastres chantournés, des bardeaux et des pignons décoratifs. Curieusement, elles furent construites en très grand nombre sur un plan identique occupant des parcelles étroites.

d'air et de lumière, tout en augmentant la surface habitable.

Il reste environ 15 000 maisons victoriennes à San Francisco, essentiellement à Pacific Heights, Western Addition, Haight-Ashbury, Mission District et Castro. Ces quartiers à l'ouest et au sud du centre-ville ont échappé aux incendies de 1906 et à la reconstruction qui s'est ensuivie.

Ces dernières années, de nombreuses maisons victoriennes ont été passionnément restaurées et, bien souvent, les modernisations

Gothique renaissant

Italianisant

Les éléments ornementaux et les structures étaient en bois – séquoia, pin, sapin –, un matériau bon marché car il existait à profusion dans les forêts environnant la ville.

Les plans s'adaptaient à l'étroitesse des parcelles, souvent de 7,50 m de large pour 30 m de long, un découpage qui permettait de construire le maximum de maisons sur un terrain... et de tirer le meilleur profit de celui-ci. Les *bow-windows* atténuaient la sensation d'étroitesse et laissaient entrer le maximum

maladroites du passé ont été corrigées. Leurs propriétaires aiment en peindre les façades et les ornements dans des tons chaleureux qui diffèrent des pâles tons de bleu en vogue au XIXᵉ siècle (on appelle cette époque « victorienne » car c'est celle où régna sur la Grande-Bretagne la vertueuse reine Victoria, de 1837 à 1901).

Quatre styles architecturaux principaux se sont succédé à San Francisco pendant l'époque victorienne.

Le Gothique renaissant, très apprécié dans les années 1850 et 1860, est également appelé le Gothique Carpenter et s'inspire de l'architecture médiévale gothique en se distinguant par des porches et les balcons spacieux, des arcs en ogive et surtout des frises décoratives sous les rebords des fenêtres et des pignons. Beaucoup de logements de ce style étaient de modestes cottages, le plus souvent peints en blanc (le *1978 Filbert St* en est un bon exemple).

Le style italianisant caractéristique des années 1870 évoque les villas et palais italiens avec leurs toits rectilignes rehaussés de hautes corniches moulurées. Les portes et fenêtres étaient entourées de décorations néoclassiques

neur de Charles Locke Eastlake, écrivain et designer qui influença le mobilier et l'architecture de la fin de l'époque victorienne. On l'identifie par sa verticalité soulignée de longues baguettes de bois ornementales. On y voit fréquemment des *bow-windows*, des cornières anguleuses, de faux pignons et des consoles décorées. Ces ornements étaient soit l'œuvre d'artisans sculpteurs de talent, soit fabriqués à l'aide des nouvelles scies et débiteuses à vapeur. Le *111-115 Liberty St* est un bel exemple de style Stick.

Le style Reine Anne excentrique et inventif, en grande vogue dans les années 1890, aimait jouer sur les contrastes de matières (bardeaux

Style Stick

Reine Anne

et les porches souvent surmontés de frontons triangulaires de style grec classique. Les façades cérémonieuses étaient sans relief, les fenêtres symétriques, ce qui donnait grande allure à ces petites maisons. Par la suite, on accrocha des *bow-windows* sur ce type de façades. Le Pacific Union Club, *1000 California St*, fut construit à l'origine dans le style italianisant (voir p. 68).

Le style Stick, à la mode dans les années 1880, est aussi appelé Stick Eastlake en l'hon-

décoratifs, pierre, panneaux de bois, brique, motifs en étoile et autres ornements) et de formes (tourelles, toits pointus, tours à l'angle d'un toit en chapeau de sorcière, frontons, fenêtres vénitiennes, hautes cheminées). Les plans en étaient asymétriques et les lignes horizontales plus marquées. Haas-Lilienthal House, *2007 Franklin St* (p. 146) et les rangées de maisons très photographiées d'Alamo Square, *710-720 Steiner St* (p. 42-43) sont de beaux exemples du style Reine Anne. ∎

« Éclipse » de Charles Perry, dans le vaste hall de l'Hôtel Hyatt Regency.

Pacific Telephone and Telegraph (1925) semblait s'élever vers le ciel, un effet obtenu par ses étages en escalier. Autres exemples intéressants, le *450 Sutter St*, immeuble Art déco de style Mayan, et le Russ Building, de style néogothique (1927), dont le socle en E permettait à l'air et à la lumière d'entrer dans les bureaux.

Aucun grand bâtiment ne fut plus construit pendant les trente ans qui suivirent à cause de la grande crise et de la Deuxième Guerre mondiale. Dans les années 1960, le quartier Western Addition bénéficia d'une modernisation. On y rasa des milliers de maisons, immeubles et boutiques datant d'avant 1906 pour y construire des résidences familiales. On réalisa alors qu'on avait perdu trop de bâtiments anciens et un mouvement pour la préservation de la ville historique se forma. La ligne d'horizon du centre-ville commençait à se hérisser de tours de bureaux, notamment celle du Crown Zellerbach (1959) qui repose sur des quais, et de l'Alcoa Building (1964) aux poutrelles entrecroisées. Par la suite, on vit apparaître le siège de la Bank of America (1971) sur California St, avec ses 186 000 m² de bureaux sur 52 étages, et l'Hôtel Hyatt Regency (1973) dont les étages en gradins forment le plus grand atrium du monde. Le Transamerica Pyramid (1972) s'élève à 260 m, ce qui en fait le plus haut bâtiment de la ville et un emblème facile à reconnaître.

Le musée d'Art moderne de SoMa (1995) est aussi un exemple d'architecture contemporaine avec ses blocs de brique et son cylindre de verre au sommet oblique. La Main Public Library (1995) est un exemple postmoderne de design aux éléments déconstructionnistes. ■

Le quartier financier, qui donne à la ville sa ligne d'horizon caractéristique, est délimité par Market Street, Kearny Street, Pacific Avenue et Embarcadero.

Financial District

Gratte-ciel surplombant le quartier financier.

Financial district

ON Y ENTENDRAIT PRESQUE LE SON DES BILLETS QUI BRUISSENT ET DES PIÈCES QUI CLAQUENT, cling ! Dans le puissant centre de la vie financière de San Francisco, les gratte-ciel de verre et d'acier des multinationales surplombent les bâtiments bancaires 1900 qui ressemblent à des temples antiques. Les premiers gratte-ciel des années 1920 se dressent gracieusement. Anciens ou modernes, ces immeubles matérialisent les progrès de la technique et sont parfois des modèles de l'architecture américaine. La blanche Transamerica Pyramid s'enveloppe de brume. Le soir, quand le soleil darde ses derniers rayons, la Bank of America, toute de granit rouge, brille comme une tour d'or, ce qu'elle est d'une certaine façon…

Ce quartier a poussé dans la Yerba Buena Cove des années 1830, à l'époque du petit comptoir commercial des origines. Les forces américaines commandées par le capitaine John Montgomery la prirent au Mexique en 1846. L'année suivante, Jasper O'Farrell agrandit le quadrillage des rues et dessina Market St, large boulevard qui coupe le centre-ville en deux à un angle de 36°, ce qui eut pour effet principal de compliquer définitivement la circulation. Market St allait devenir une sorte de ligne de démarcation sociale au nord de laquelle se trouvaient les institutions financières et les classes dirigeantes, et, au sud les usines et la classe ouvrière.

Pendant la Ruée vers l'or, l'arrivé massive de « ceux de 49 » (voir p. 25-27) transforma ce qui n'était qu'une bourgade du Far West de 500 habitants en une ville-champignon de 20 000 habitants. Il n'y eut pas d'autre solution que d'étendre la ville dont la limite orientale se situait au niveau de Montgomery St ; on construisit des quais le long de la baie, qui desservaient les entrepôts marchands. Très vite, les marais laissés entre les quais s'emplirent de sable, d'ordures et de bateaux abandonnés dont l'équipage avait filé à la recherche de l'or. Plus de cent furent ainsi ensevelis sous la cité, tandis que la ligne côtière se décalait de plus en plus vers l'est, jusqu'à l'Embarcadero actuel. De 1850 à 1870, alors que San Francisco s'enrichissait grâce à l'or et l'argent, de nouvelles banques et institutions financières s'élevèrent sur l'ancien front de mer, et la zone de Montgomery St fut surnommée la « Wall Street de l'Ouest ». Quand la Bank of California ouvrit sur California St, en 1866, ce quartier devint une adresse commerciale prestigieuse.

Vers 1890, le centre-ville grandit – au sens littéral du terme – avec les premiers gratte-ciel à structure d'acier comme le Mills Building, bâti selon les plans de style roman de Daniel Burham et toujours visible sur Montgomery St. Presque tout le quartier fut réduit en cendres et en gravats lors du séisme de 1906, mais il fut vite reconstruit. Aujourd'hui, hormis aux alentours de Jackson Square, il reste peu de chose de la cité de la Ruée vers l'or. Dans les années 1920, des immeubles de plus en plus hauts et innovants tutoyaient les nuages. Comme d'autres bâtiments Art déco, celui de la Shell avec ses tours aux étages en escaliers et son design vertical avait l'air d'une fusée prête à décoller. L'arrivée de la grande crise des années 1930 mit un frein à cet essor.

Ce n'est qu'à la fin des années 1950 que la construction reprit de plus belle. Elle débuta avec le Crown Zellerbach en 1959 et trouva son apogée dans les années 1970 avec le siège de la Bank of America et la Transamerica Pyramid qui dominaient l'horizon. De plus en plus de tours vinrent rejoindre ce défilé de haut vol dans les années 1980. Plus de 3 millions et demi de mètres carrés de bureaux ont été construits dans un espace de quelques pâtés de maisons, ce qui explique que le sud de Market St soit peu à peu devenu le quartier des nouvelles implantations (malgré les lois qui réduisent la hauteur et le volume des constructions). Mais le Financial District reste le cœur de la vie économique de la ville, avec Montgomery St pour artère principale.

Promenez-vous dans ce quartier à l'heure du déjeuner, au moment où les employés de bureau sortent prendre l'air. Écartez-vous au passage des puissants agents de change dans leur costume sobre. Jetez un œil sur les halls souvent exceptionnels des buildings. Arpentez les rues – ce quartier compact est facile à visiter à pied – et n'oubliez pas de regarder en l'air pour admirer l'architecture. Mais attention aux coursiers à vélo ! ∎

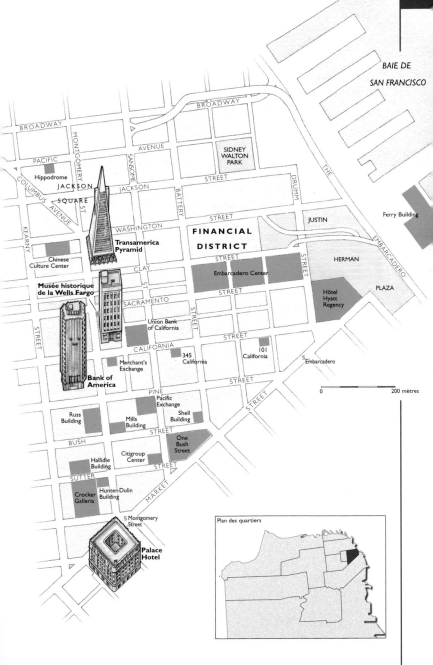

BAIE DE
SAN FRANCISCO

BROADWAY

BROADWAY

MONTGOMERY

PACIFIC

AVENUE

SANSOME

SIDNEY
WALTON
PARK

Hippodrome

JACKSON
SQUARE

JACKSON

JACKSON

BATTERY

STREET

DRUMM

THE

COLUMBUS AVENUE

KEARNY

WASHINGTON

Transamerica
Pyramid

STREET

JUSTIN

Ferry Building

FINANCIAL

DISTRICT

EMBARCADERO

Chinese
Culture Center

CLAY

STREET

HERMAN

Musée historique
de la Wells Fargo

SACRAMENTO

CLAY

Embarcadero Center

STREET

Hôtel
Hyatt
Regency

PLAZA

STREET

Union Bank
of California

STREET

CALIFORNIA

Bank of
America

Merchant's
Exchange

345
California

101
California

S Embarcadero

STREET

PINE

Pacific
Exchange

Russ
Building

Mills
Building

Shell
Building

STREET

BUSH

One
Bush
Street

Hallidie
Building

Citigroup
Center

STREET

SUTTER

MARKET

Crocker
Galleria

Hunter-Dulin
Building

S Montgomery
Street

Palace
Hotel

0   200 mètres

Plan des quartiers

Autour de Financial District

Transamerica Pyramid

✉ 600 Montgomery St

⊞ CC : California St ;

Bus : 1, 15, 42 ;

BART : Montgomery

Avec ses impressionnants gratte-ciel et ses magnifiques vieilles banques aux halls de style classique, le quartier financier est un véritable manuel d'architecture à ciel ouvert.

TRANSAMERICA PYRAMID

Sa silhouette est la plus facile à identifier parmi les bâtiments de San Francisco. Construite en 1972 sur 48 étages et surmontée d'une flèche, elle culmine à 260 m et domine tous les autres. Pourquoi une pyramide ? L'architecte William Pereira souhaitait que plus de lumière puisse atteindre la rue grâce à sa forme conique. La com-pagnie financière et d'assurances Transamerica comprit que cette pyramide allait lui servir de logo et lui permettre de se faire remarquer.

Quelques chiffres surprenants : sa base est constituée d'une dalle de 30 000 t de béton armé de 480 km de câbles d'acier.

Ses murs ont une inclinaison de 5°. Leurs 3 000 panneaux de quartz

aggloméré pèsent chacun 3,5 t et sont espacés de manière à supporter un tremblement de terre. La tour s'ouvre par 3 678 fenêtres qui pivotent vers l'intérieur pour être lavées (un travail qui prend un mois). Deux ailes sans fenêtre s'élèvent à partir du 29e étage : celle de l'est contient les ascenseurs et celle de l'ouest, les escaliers et la colonne d'incendie. L'étage le plus large est le 5e (44,20 m de côté) et le plus petit le 48e (13,70 m de côté). La flèche creuse de 64,60 m de haut est éclairée de l'intérieur. Le bosquet de séquoias planté à l'est de ce gratte-ciel gigantesque est un bon endroit pour pique-niquer.

La pyramide occupe tout le pâté du *1853 Montgomery St* et représente le plus gros immeuble à l'ouest du Mississippi. Avec ses bureaux de prestige pour hommes d'affaires, avocats et journalistes, elle a été visitée par tout le monde, de Mark Twain (qui y rencontra le vrai Tom Sawyer, un pompier) à Sun Yat-sen (qui y rédigea la proclamation de la République de Chine dans le bureau d'un avocat).

CALIFORNIA STREET

L'immeuble de la **Bank of America** monte à 237 m (52 étages) et contient presque 186 000 m² de bureaux où travaillent 5 000 personnes. Ses façades aux baies vitrées en quinconce sont revêtues d'un granit carnélien lisse de couleur rouge foncé qui lui donne sa particularité. Au dernier étage, la Carnelian Room agrémente les dîners et les apéritifs d'une vue à couper le souffle. Sur la place de California St, une massive statue en granit de Masayigi Nagare, *Transcendance* (1969), a été surnommée le « Cœur de Banquier ».

Le fondateur de la Bank of America, Amedeo P. Giannini, avait ouvert son établissement pour les immigrants italiens dont les autres banques ne voulaient pas. La Bank of Italy (son nom précédent) acceptait les tout petits dépôts, même ceux de 1 $. Pendant l'incendie de 1906, c'est Giannini lui-même qui mit les dépôts en sécurité en les cachant dans des caisses de fruits. C'est lui aussi qui créa le système des succursales. La Bank of America était devenue la plus grosse banque nationale en 1945 (elle ne l'est plus actuellement).

En 1864, William Ralston et Darius Mills fondèrent la **Bank of America** (désormais Union Bank of California, au *400 California St*). Ralston avait investi dans les mines Comstock du Nevada et utilisé sa fortune pour financer des projets comme la première fonderie de la

Bank of America

✉ 555 California St
☎ 415/433-7500
(Carnelian Room)
🕐 Carnelian Room
ouverte après 15 h.
🚇 CC : California St ;
Bus : 1, 15 ;
BART : Montgomery

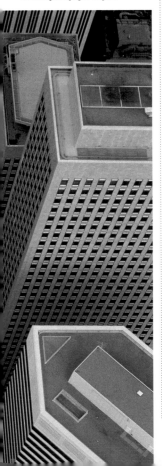

Market Street, vue des hauteurs vertigineuses du centre financier de la ville.

**Musée
des Monnaies de
l'Ouest américain**
- ✉ 400 California St
- 🕐 Fermé sam. et dim.
- 🚋 CC : California St ;
  Bus : 1, 42

**Musée historique
de la Wells Fargo**
- ✉ 420 Montgomery St
- ☎ 415/396-2619
- 🕐 Fermé sam. et dim.
- 🚋 CC : California St ;
  Bus : 1, 12, 15, 42

ville. Ce temple de la banque (1907, Bliss et Faville) orné de colonnes corinthiennes possède un intérieur de marbre et des étages qui peuvent atteindre 18 m de hauteur sous plafond. Le sous-sol du **musée des Monnaies de l'Ouest américain** célèbre la Ruée vers l'or et expose des objets des mines : pépites, billets et pièces frappées par des particuliers (sur l'une d'elle, on lit « *In God We Trust* », la devise nationale).

L'entrée du **345 California** (1987, Skidmore, Owing et Merrill) conserve les restes de deux immeubles historiques de 1919 et 1920 qui abritaient la compagnie maritime Dollar Lines. Les 11 étages supérieurs sont ceux de l'élégant Hôtel Mandarin Oriental aux deux tours jumelles reliées par une vertigineuse passerelle aérienne. Le **101 California** (1982, Johnson et Burgee) est un silo de verre rond. La galerie de verre en pente qui traverse les étages inférieurs donne de la légèreté à la tour.

MONTGOMERY STREET

Le **Russ Building** (*235 Montgomery St*, privé) de 31 étages fut dessiné en style Gothique en 1927 par George Kelham. Son plan en E permet à l'air et à la lumière de pénétrer dans les bureaux. Le hall possède des parquets, des voûtes de pierre et des portes d'ascenseurs en bronze. Premier immeuble de la ville à bénéficier d'une structure tout acier, le **Mills Building** (1891, *220 Montgomery St*, privé) a été dessiné par Daniel Burnham dans le style de l'École de Chicago et possède desmurs extérieurs de marbre, de brique polie et de terre cuite, ainsi qu'une arche romane à l'entrée. Sa tour de 21 étages a été ajoutée en 1931 par Lewis Hobart.

Dans le même quartier, le **musée historique de la Wells Fargo** raconte l'histoire de l'entreprise fondée par Henry Wells et William Fargo en 1852 pour assurer services bancaires, livraisons et courrier dans l'Ouest. Vous y verrez une diligence Concorde séculaire (et à l'étage sa reproduction, pour s'y asseoir), une reconstitution des bureaux de la Wells Fargo, un clavier de télégraphe, de l'or brut et des monnaies, ainsi qu'un coffre-fort de la Wells Fargo.

AUTRES IMMEUBLES

Dessiné par George Kelham en 1929, le building **Shell** (*100 Bush St*) est recouvert de terre cuite. Son entrée est surmontée d'une coquille Saint-Jacques et d'autres ornent l'intérieur de l'immeuble en l'honneur du constructeur (*shell* signifie coquille). Ses plans s'inspiraient de ceux d'Eliel Saarinen, second lauréat du prix Chicago Tribune Tower, qui ne furent jamais réalisés mais l'influencèrent.

Le meilleur exemple du style international, sur **One Bush St**, est constitué d'une tour de verre vert sur pilotis et d'un pavillon bas et circulaire. Dessiné en 1959 (Hertzka et Knowles/Skidmore, Owings et Merrill), il est posé sur une place en contrebas et sa tour d'ascenseur est en mosaïque.

Le **Citigroup Center** (1984, *1 Sansome St*) dont les plans sont de William Pereira, conserve une partie de la banque de 1910 de style Beaux-Arts. Devant l'immeuble, une copie de 1983 de la statue *Star Girl*, créée par A. Stirling Calder en 1870 pour l'exposition Panama Pacific, représente une femme en robe diaphane à diadème étoilé. Un pâté plus loin vers l'ouest, c'est dans le **Hunter-Dulin Building** (1926, *111 Sutter St*) que Sam Spade, héros des romans de Dashiell Hammett, avait son bureau.

Juste à côté, le toit de verre de la **Crocker Galleria** (1982, Skidmore, Owings et Merrill) forme un passage de boutiques et de cafés. Le 3e étage communique avec le jardin suspendu de la banque de 1908 du **One Montgomery** (Willis Polk). ∎

Jackson Square

À Jackson Square, on s'imagine être dans la zone commerciale à l'époque de la Ruée vers l'or à San Francisco. Les mineurs faisaient peser leurs pépites rutilantes dans Gold St et Balance St. Les diligences de la Wells Fargo brinquebalaient jusqu'aux écuries de Hotaling Place. Le quartier délimité par les quatre pâtés de Washington St, Columbus Ave, Pacific Ave et Sansome St a conservé ses hôtels particuliers et ses façades décorées de fer forgé des années 1850.

Jackson Square

🅰 Voir plan p. 49

🚌 Bus : 12, 15, 42, 83

Au XIXᵉ siècle, cette partie de la ville était malfamée, surtout Pacific Ave, et portait le nom de **Barbary Coast** (côte des Barbares, pirates de la Méditerranée). Dans le tohu-bohu de ce quartier, les hommes étaient... des hommes et les femmes des prostituées qui travaillaient par centaines dans de minuscules réduits. La dépravation y était un spectacle : les femmes s'accouplaient sur scène avec des chevaux, le nommé Oofty Goofty se faisait battre avec une batte de base-ball pour quelques piécettes, un autre homme avalait les choses les plus répugnantes. Les rues étaient pleines de saloons baptisés La Morgue ou La Cuisine du Diable. « Passez votre chemin si vous tenez à la vie », indiquait un guide touristique de 1878 qui n'hésitait pas à « décrire les lieux précisément afin que nos lecteurs puissent ne pas s'en approcher ». Parmi les entraîneuses, Little Lost Chicken (Petite Poulette Perdue) pleurait à la fin de chaque chanson puis allait faire les poches du public. Le groupe féminin Dancing Heifer and The Galloping Cow (La Génisse dansante et la Vache au Galop) faisait grincer le public et les planches de la scène ! L'ancien dancing **Hippodrome** (*555 Pacific Ave*, privé) a gardé ses bas-reliefs ornés de filles à la poitrine plantureuse.

Ici, les immeubles ont bien survécu au tremblement de terre et à l'incendie de 1906. En 1908, le premier bar gay de San Francisco, The Dash, ouvrit sur Pacific Ave et Kearny St. Mais le gouvernement commen-

ça à éradiquer le péché de la Barbary Coast dès 1913. La crise des années 1930 y fit baisser les loyers, ce qui attira les artistes. Vingt ans après, les décorateurs s'y installèrent, et aujourd'hui les antiquaires, les architectes, les agences de publicité et les studios de design. Il est devenu très agréable de se promener sous les arbres de ce quartier restauré et lumineux. L'axe principal est Montgomery St.

Superbes immeubles anciens du quartier historique de Jackson Square.

Le quartier des finances s'élève au cœur de la ville.

Au **722 Montgomery** (1851), il y avait autrefois une salle des ventes, un bain turc et un théâtre où se produisait la chanteuse du Far West Lotta Crabtree. Un avocat extraordinaire s'y installa dans les années 1950, Melvin Belli, qui hissait le pavillon noir des pirates chaque fois qu'il remportait un grand procès. L'immeuble en brique de trois étages du **728 Montgomery** (1854) occupe le site de la première loge franc-maçonne de Californie établie en 1849. On dit que c'est là que Bret Harte écrivit *La Chance de Roaring Camp* dans les années 1850. Par la suite, des artistes occupèrent les étages supérieurs, comme Oscar Wilde en 1882. La vie littéraire était encore plus intense au **730-732 Montgomery**, siège du *Golden Era*, l'hebdomadaire littéraire qui publia les premières œuvres de Harte et Twain.

Le pâté du **400 Jackson St** est bordé d'immeubles anciens dont beaucoup sont devenus des boutiques d'antiquités. Au **472 Jackson** (1852), l'ancien Consulat de France est bâti de simples briques et a gardé les volets de fer qui le protégeaient des incendies. De chaque côté de Hotaling Place, aux **445, 455 et 463 Jackson**, les immeubles classiques des années 1860 étaient propriété de la distillerie Anson Hotaling, fournisseur d'alcool de la Barbary Coast. Comme son entrepôt de style italien avait survécu aux flammes de 1906, un petit malin écrivit : « Si, comme on le dit, Dieu a puni la ville/Pour sa trop grande légèreté/Pourquoi brûla-t-il donc toutes les églises/et préserva le whisky de Hotaling ? » Réponse possible : les pompiers travaillèrent *vraiment* très dur à la sauvegarde de ce bâtiment précis. En 1893, Domingo Ghirardelli ouvrit une usine de chocolat innovante (voir p. 118-119) au **415 Jackson** (1853).

On aurait nommé **Balance St**, qui s'ouvre sur Jackson, d'après le nom d'un bateau qui y avait servi de remblai, pratique courante à l'époque de la Ruée vers l'or. ∎

Palace Hotel

ON AURAIT PU L'APPELER LE PHÉNIX, CAR LE BÂTIMENT ACTUEL A ÉTÉ BÂTI sur les cendres du précédent dont il a conservé un peu du style extraordinaire.

Occupant tout un pâté, le Palace Hotel original, très grand genre, fut financé en 1875 par William Ralston, de la Bank of California. Les clients entraient par une cour centrale bordée de balcons et surmontée d'une grande verrière. Avec ses sept étages et ses murs blancs, cet hôtel ressemblait à la fois à un bateau et à un gâteau de mariage. Il était équipé d'ascenseurs (les « chambres élévatrices », comme on disait), tout nouveaux à l'époque. Toutes les chambres pouvaient se targuer d'avoir leur cheminée et un WC discret « dans lequel l'eau circule sans les habituels bruits horribles ». Sa clientèle compta le président Ulysses Grant et l'actrice Sarah Bernhardt qui y débarqua en 1887 avec son bébé tigre.

En 1906, le ténor Enrico Caruso y descendit avec ses 40 paires de bottes et le même nombre de portraits de lui, mais il dut fuir vêtu d'une serviette de bain lors du tremblement de terre. Le Palace résista au séisme mais brûla dans l'incendie qui s'ensuivit. Surmené, le banquier Ralston se noya, volontairement semble-t-il.

L'hôtel ressuscita en 1909 sur les nouveaux plans des new-yorkais Trowbridge et Livingston (célèbres pour le St. Regis Hotel). L'ancienne entrée des équipages fut transformée et devint le restaurant **Garden Court** de style Beaux-Arts, au spectaculaire dôme en verre constitué de 70 000 pièces fixées au plomb. Des lustres de cristal autrichien scintillent au-dessus des palmiers en pot et des colonnes ioniques en marbre italien.

Comme le restaurant Garden Court, le bar **Maxfield's Cocktail Lounge** vaut une visite à lui tout seul. Derrière le bar, ne manquez pas la grande fresque de Maxfield Parish illustrant le conte *Le Joueur de flûte de Hamelin*.

L'hôtel a été entièrement restauré entre 1989 et 1991, ce qui l'a fait se reclasser parmi les meilleurs de la ville. Les meubles d'acajou ont été réassortis à des éléments modernes et on trouve toujours dans ce palace des chambres avec cheminée d'origine et des suites (nuptiale, du Gouverneur et présidentielle). ■

Palace Hotel

 2 New Montgomery St (angle Market St)

☎ 415/512-1111

🚌 Bus : 7, 9, 21, 31, 66, 71 ; Tramway : J, K, L, M, N

Note : voir p. 248 pour infos supplémentaires.

La vie sociale à San Francisco : une pause thé au superbe Garden Court du Palace Hotel.

L'entrée d'Embarcadero Center.

Autres lieux à visiter

EMBARCADERO CENTER

Embarcadero Center est un ensemble de quatre tours de bureaux de 35 à 40 étages reliées par des passerelles piétonnières. Il est délimité par Justin Herman Plaza, Clay St, Sacramento St et Battery St. Il fut partiellement financé, entre 1967 et 1982, par David Rockefeller sur des plans de John Portman et associés. C'est le plus gros projet de réhabilitation de San Francisco qui comprend plus de 150 restaurants et magasins.

Ne manquez pas le magnifique atrium de l'**Hôtel Hyatt Regency** (*California St*, angle *Drimm St*, 248) surplombé de 17 étages. C'est le plus vaste hall d'hôtel du monde, qui abrite des arbres, une « rivière », une immense sculpture sphérique de Charles Perry (*Éclipse*, 1973), des cafés et de grands ascenseurs de verre étincelant qui montent jusqu'à un bar à cocktails installé sur une plate-forme tournante. Côté baie, **Justin Herman Plaza** est très passante ; on y voit des *skaters* et les immenses tubes de la fontaine Villaincourt.

🅰 Plan p. 49 🚊 CC : California ; Bus : 1, 32, 42

IMMEUBLE HALLIDIE

L'architecte Willis Polk est entré dans l'histoire grâce à cet immeuble construit en 1917, qui possédait la première de façade en verre au monde, à une époque où les murs étaient censés être épais et solides. C'est un assemblage de panneaux de verre reposant sur une structure de 7 étages en béton, ce qui lui permet de ne supporter aucun poids. Très en avance sur son temps, ce système fut souvent repris en architecture commerciale. Les escaliers d'incendie en fer encadrent le verre d'une façon décorative. Cet immeuble porte le nom de l'inventeur du *cable-car*.

✉ 130–150 Sutter St 🚌 Bus : 4
🕐 Fermé au public

IMMEUBLE DU MERCHANT'S EXCHANGE

Dessiné par Willis Polk, ce bâtiment de 1903 fut un des hauts lieux du commerce san-franciscain. Dans cette Bourse de commerce, courtiers, investisseurs et armateurs négociaient les marchandises arrivant par les bateaux qu'on repérait depuis le toit de l'immeuble de 14 étages. Les visiteurs ont accès à la banque actuelle où de beaux tableaux de William Coulter font revivre l'histoire maritime de San Francisco.

✉ 465 California St ☎ 415/421-7730
🚌 Bus : 3, 4, 15

PACIFIC EXCHANGE

Autrefois occupé par la plus grande Bourse financière des USA après celle de New York, ce bâtiment devenu salle de sport fut, dès 1915, une succursale du Trésor américain. Son hall aux colonnes de granit a été rénové et agrandi en 1930 par Miller et Pfleuger. À l'entrée, on voit les statues monumentales de style social réaliste de Ralph Stackpole : *L'Homme et ses inventions* et *Terre nourricière*.

✉ 301 Pine St 🚊 CC : California St. ;
Bus : 3, 4, 15, 42 ∎

Union Square est aux amateurs de lèche-vitrines ce que Noël est aux enfants.
À côté, Nob Hill n'est qu'à 35 m au-dessus du niveau de la mer, mais elle offre une vue splendide sur la baie, le quartier financier et Russian et Telegraph Hills.

Union Square et Nob Hill

Un panneau typique au musée du Cable-Car.

Union Square et Nob Hill

Si San Francisco était un théâtre, sa plus belle scène serait Union Square. Et Nob Hill serait une loge d'où l'on surplomberait le spectacle de la géographie urbaine et de la vie sociale. Ces deux quartiers sont reliés par les lignes de *cable-cars* Powell et California.

UNION SQUARE

C'est le cœur de la San Francisco traditionnelle qui retentit des cloches des *cable-cars*, un vrai tourbillon de boutiques chics et de stands de fleuristes.

En 2002, on a dépensé 25 millions de dollars pour transformer Union Square Park en place de granit avec scène permettant d'installer un orchestre symphonique, un café, des pelouses en terrasses et d'étonnantes « sculptures de lumière ». C'est là que viennent se détendre les employés de bureau, les sans-abri et les lécheuses de vitrines exténuées. On y trouve, entre autres, Macy's, Neiman Marcus, Tiffany et Chanel. L'est du parc abrite quelques boutiques, l'ouest des hôtels et des théâtres.

Ce quartier n'a pas toujours été commerçant. Quand le maire John Geary le donna à la ville en 1850, il était bordé d'églises, de maisons victoriennes et de clubs masculins. Vers la fin du XIXe siècle, les résidents déménagèrent vers des quartiers plus à la mode et leurs maisons furent transformées en commerces. Le grand magasin City of Paris ouvrit en 1896 et l'Hôtel St Francis en 1904 : Union Square était devenu incontournable.

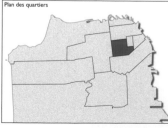

Plan des quartiers

NOB HILL

Après la conquête des collines grâce au *cable-car*, en 1873, Nob Hill intéressa les investisseurs immobiliers. En 1876, Leland Stanford, un des « Big Four » (voir p. 63), y construisit un hôtel particulier italianisant auquel vint rapidement faire de l'ombre une demeure très décorée, avec tours et pignons gothiques, construite à la demande pressante de sa femme par l'associé de Stanford, Mark Hopkins.

Collis Huntington et Charles Crocker, les deux autres « Big Four », possédaient également leur hôtel sur Nob Hill, comme une vitrine de leur réussite. Les résidences de James Fair et de James Flood, deux des « rois de la mine » (voir p. 27) étaient pleines d'antiquités européennes. Mais comme les maisons bâties sur cette colline étaient en bois, elles disparurent dans l'incendie de 1906. Seul résista l'hôtel particulier Flood construit en pierre. Au fil du temps, on rebâtit des maisons de style edwardien, des immeubles, de luxueux hôtels et la grande Grace cathedral. ■

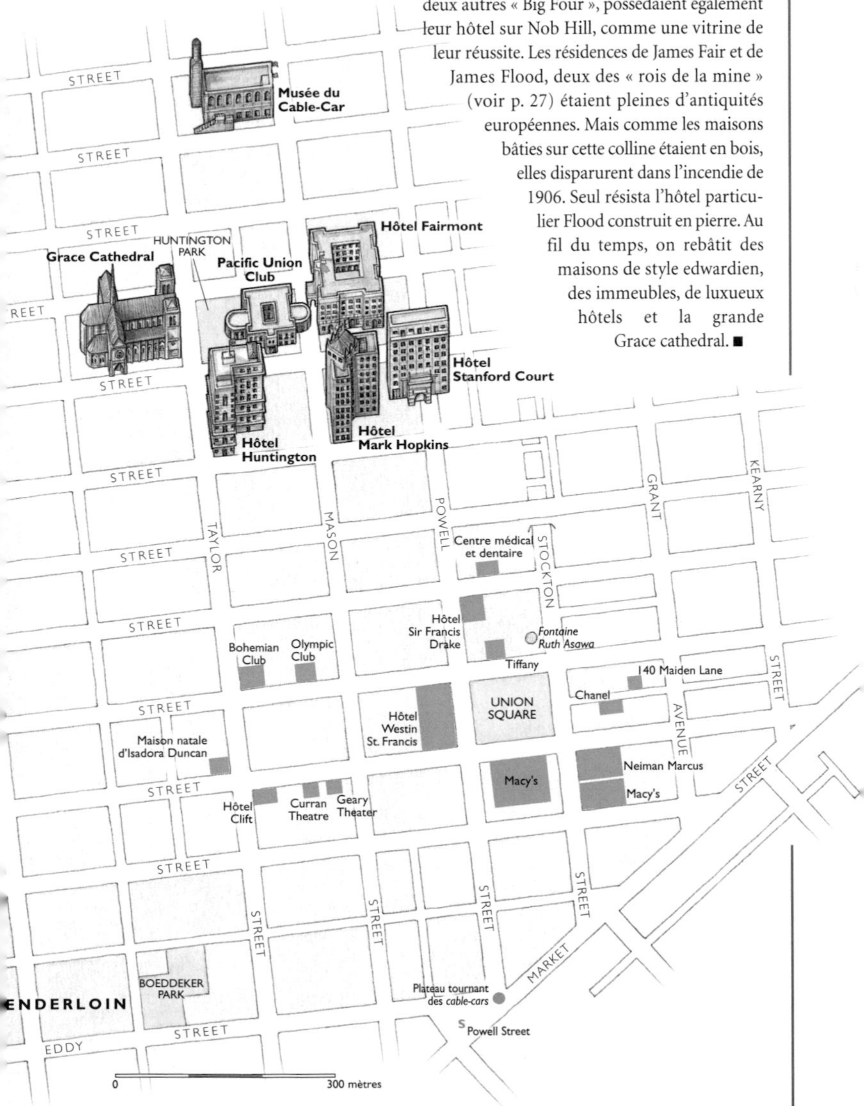

STREET

Musée du Cable-Car

STREET

STREET

HUNTINGTON PARK

Grace Cathedral

Pacific Union Club

Hôtel Fairmont

REET

STREET

Hôtel Stanford Court

STREET

Hôtel Huntington

Hôtel Mark Hopkins

STREET

TAYLOR

MASON

POWELL

GRANT

KEARNY

STREET

Centre médical et dentaire

STOCKTON

STREET

Hôtel Sir Francis Drake

Fontaine Ruth Asawa

Bohemian Club

Olympic Club

Tiffany

140 Maiden Lane

STREET

STREET

Chanel

UNION SQUARE

AVENUE

STREET

Maison natale d'Isadora Duncan

Hôtel Westin St. Francis

Macy's

Neiman Marcus

STREET

Macy's

STREET

Hôtel Clift

Curran Theatre

Geary Theater

STREET

STREET

STREET

STREET

MARKET

STREET

ENDERLOIN

BOEDDEKER PARK

Plateau tournant des *cable-cars*

S Powell Street

EDDY

STREET

0   300 mètres

Promenade à Union Square

Pour flâner parmi les grands hôtels et les théâtres, il faut vous frayer un chemin
dans la foule attirée par le plus grand quartier commerçant de la ville.
Sortez les cartes de crédit, c'est parti !

Débutez dans le hall de l'hôtel **Westin St. Francis ❶** *(335 Powell St, tel 415/397-7000)*. Ses dorures et ses marbres reflètent l'opulence du millionnaire des chemins de fer, Charles T. Crocker, qui voulait donner à sa ville un hôtel de classe internationale. Ouvert en 1904, le St. Francis a reçu des rois et des présidents américains (notamment Richard Nixon qui eut en pleine nuit une fringale de biscuits Oreo qu'on s'empressa de rassasier). L'horloge viennoise (1856) du hall sert de point de rendez-vous aux San-Franciscains. Faites-vous peur en prenant l'ascenseur de verre extérieur qui part du hall au fond.

Union Square récemment modernisé.

De l'autre côté de Powell Street, **Union Square Park ❷** est le lieu des rendez-vous entre amis. On s'y assied pour reposer ses pieds ou regarder les passants. Ce parc de plus d'un hectare repose sur un ancien banc de sable. Il a été conçu par Jasper O'Farrell dans le nouveau plan de la ville, en 1847. Il tire son nom des réunions unionistes qui s'y tenaient avant la guerre de Sécession. Une chaire d'expression publique s'y dressait encore lors des manifestations des années trente. En 1958, des *beatniks* barbus et en sandales y paradèrent au son des bongos, un Squaresville Tour qui exprimait leur protestation contre le fait d'être devenus les attractions touristiques de North Beach. En 1987, un groupe d'activistes homosexuels, les

Sœurs de la Perpétuelle Indulgence, y protesta contre la visite du pape Jean-Paul II.

Le monument Dewey commémore la victoire de l'amiral George Dewey dans la baie de Manille, en 1898, lors de la guerre hispano-américaine. Au sommet de sa colonne corinthienne de 30 m de haut se dresse une Victoire de bronze de Robert Aitken (1903) – son gracieux modèle fut une grande dame de San Francisco, Alma de Bretteville Spreckels, qui posa dans sa jeunesse. Près du parc, un des premiers parkings souterrains construit en 1942.

Sur Geary St s'étire l'immense magasin **Macy's**. Au coin de Stockton St, l'immeuble postmoderne **Neiman Marcus** ❸ (1982, Johnson et Burgee) exhibe sa façade de granit italien multicolore. Entrez dans sa rotonde pour voir le dôme fait de 2 600 pièces de verre doré et blanc, vestiges du magasin City of Paris démoli en 1909, qui se trouvait au même endroit. Le bateau représenté est l'emblème de Paris dont la devise est « *Fluctuat nec mergitur* »

(« Elle flotte mais ne coule pas »). Pourtant, en 1982, le joli *City of Paris* coula, à la grande tristesse des San-Franciscains.

Scène typique d'une promenade sur Stockton St : un sans-abri est assis près d'une valise pleine de chatons noirs. Derrière lui, dans une vitrine, un mannequin pose en petite robe noire. Empruntez **Maiden Lane**, dont le nom est ironique puisque *maiden* signifie « jeune fille », alors que cette rue étroite était bondée de

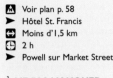

- 🔲 Voir plan p. 58
- ▶ Hôtel St. Francis
- ↔ Moins d'1,5 km
- 🕐 2 h
- ▶ Powell sur Market Street

À NE PAS MANQUER :
- Hôtel St. Francis
- 140 Maiden Lane

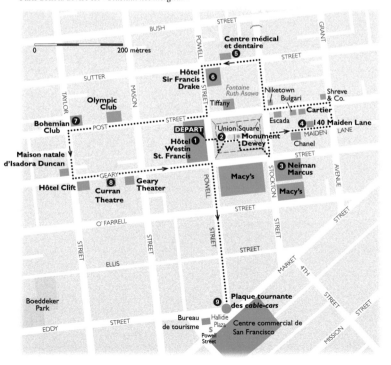

Le Tenderloin

Quartier louche de la prostitution et à forte criminalité, le Tenderloin est proche d'Union Square et délimité par les rues Larkin, O'Farrell, Mason et Market. Il vaut mieux ne pas s'y promener la nuit. ■

prostituées au début du XXᵉ siècle. La prostitution engendrant la violence, on y commettait un meurtre par semaine. Le séisme et l'incendie de 1906 y balayèrent toute criminalité. Aujourd'hui, ce sont les vitrines chics et les terrasses de café qui s'y succèdent.

L'immeuble le plus intéressant est au **140 Maiden St** ❹ (*Folk Art International Gallery, tél. 415/392-9999*), seul de la ville dessiné par Frank Lloyd Wright (1949). Il est considéré comme l'un des joyaux de l'architecture américaine du XXᵉ siècle. Sa façade de brique miel est ornée d'une arche évasée en verre et brique où les visiteurs s'engouffrent. La rampe en colimaçon qui monte à la mezzanine fait penser à celle que Wright a dessinée pour le musée Guggenheim de New York. Les niches rondes et autres éléments architecturaux courbes rappellent la destination originale du bâtiment qui était un magasin de porcelaine. L'architecte a signé son œuvre sur un carreau rouge, à gauche de l'entrée.

Prenez Grant Av., puis tournez à gauche dans Post St. Sur votre gauche, vous pouvez explorer une zone de magasins traditionnels ou chics, dont Shreve et Co, Cartier, Bulgari, Escada, Yves Saint-Laurent et Niketown.

Au coin de Post et de Stockton, la **fontaine Ruth Asawa** (1972) cascade derrière le Grand Hyatt d'Union Square. Elle fait partie du paysage san-franciscain, au même titre que Cliff House, la Transamerica Pyramid ou les façades victoriennes.

Remontez Stockton jusqu'à Sutter et tournez vers le **Centre médical et dentaire du 450 Sutter** ❺ (1928, Pflueger et Miller), un gratte-ciel Art déco dont la façade rutilante et l'entrée précédée d'un dais sont ornées de dessins mayas. Le hall des ascenseurs est un temple de fantaisie, avec un plafond en gradins et des suspensions ornées de visages mayas.

Powell St, tournez à gauche et descendez vers l'Hôtel **Sir Francis Drake** (1928) ❻ (*450 Powell St*). Le portier est célèbre pour son uniforme rouge de *beefeater*.

Tournez à droite dans Post St, longez deux pâtés de maisons et découvrez les clubs privés de l'élite san-franciscaine. L'**Olympic Club** (*524 Post St*), de style « palais renaissance », est le plus ancien club d'athlètes amateurs (1860). Le champion du monde poids lourds « Gentleman Jim » Corbett y fut autrefois moniteur de boxe. C'est là qu'eut lieu la première démonstration de crawl australien aux USA, dans la piscine sous verrière. Juste à côté, au coin de Taylor et de Post, le **Bohemian Club** est couvert de vigne ❼. Bien qu'il ait été fondé en 1872 par des artistes, des écrivains et des journalistes, et même s'il a été fréquenté à ses débuts par des célébrités comme Jack London et Ambrose Bierce, ce sont aujourd'hui de grands chefs d'entreprise qui en sont membres. Du côté de Post St, un bas-relief de bronze (1919, J. J. Mora) représente les personnages des légendes de Bret Harte.

Tournez à gauche et descendez Taylor où se trouve la **maison natale d'Isadora Duncan** (*601 Taylor St*), danseuse libertaire du début du XXᵉ siècle qui fut la première à monter sur scène pieds nus et à improviser sur la musique.

Au coin de Geary St, l'Hôtel Clift (*tél. 415/775-4700*) est un classique à San Francisco, réaménagé par l'hôtelier Ian Schrager. La **salle Redwood** (1933), entièrement lambrissée avec un seul séquoia vieux de 2 000 ans, contient désormais des écrans de télévision scintillant d'images numériques.

Vous voici dans le quartier des théâtres. Longez Geary St vers Union Square pour atteindre le **Curran Theatre** ❽ (*445 Geary St, tél. 415/551-2000*) au toit à la Mansard et aux arches romanes (1922, Alfred Henry Jacobs). Juste à côté se dresse la façade du **Geary Theater** (*415 Geary St, tél. 415/749-2228*) où des fruits en terre cuite colorée s'entrelacent sur les colonnes, et des masques de comédie et de tragédie indiquent la porte d'entrée. Dessiné par Bliss et Faville en 1909, ce théâtre a accueilli des stars comme Fanny Brice ou Helen Hayes (qui y a fait ses débuts). Maintenant, il accueille les belles productions de l'ACT (American Conservatory Theater).

Continuez jusqu'au coin de Powell St et Union Square. Si vous tournez à droite et continuez jusqu'à Market St, vous verrez la **plaque tournante** ❾ grâce à laquelle les *cable-cars*, qui ne fonctionnent que dans un sens, peuvent être retournés manuellement. ■

Les hôtels de Nob Hill

LES HÔTELS PARTICULIERS SONT PARTIS EN FUMÉE DANS L'INCENDIE DE 1906, mais de beaux établissements hôteliers ont été construits à leur place.

L'**Hôtel Stanford Court** occupe le site de la demeure de Leland Stanford, qui finança l'abrupte ligne de *cable-cars* California, notamment pour pouvoir rentrer chez lui plus facilement. Ses fresques murales représentent les hôtels particuliers de Nob Hill.

De la maison victorienne à 3 millions de dollars de **Mark Hopkins** à l'ornementation excessive, il ne reste plus que les murs de granit. Ils délimitent désormais l'Hôtel Mark Hopkins (1926), conçu par Weeks et Day. Dominant la ville, le bar Top of the Mark accueillait les appelés de la dernière guerre en partance pour le Pacifique.

L'**Hôtel Fairmont** occupe l'ancienne propriété de « Bonanza Jim » Fair, le roi des mines d'argent du Comstock. L'immeuble gothique renaissant fut détruit par l'incendie de 1906 avant même d'avoir été inauguré. L'architecte Julia Morgan supervisa sa résurrection. N'y manquez

pas le bar à cocktails Tonga, à l'ambiance bambou, lagon du pacifique et simulation d'orages tropicaux.

L'**Hôtel Huntington** en brique tapissée de lierre occupe un immeuble de 1924 dessiné par Weeks et Day. Connu pour sa discrétion et son service impeccable, il attire les personnalités qui fuient la publicité. Les tableaux XIXᵉ de son hall évoquent une maison de campagne anglaise. Le restaurant Big Four est décoré de souvenirs de la conquête du rail. ∎

Note : voir p. 248 pour d'autres informations sur ces hôtels.

Les « Big Four »

Quatre négociants de San Francisco – L. Stanford, M. Hopkins, C. T. Crocker et C. P. Huntington – firent l'affaire la plus rentable de toute l'histoire des États-Unis en finançant les chemins de fer de la Central Pacific Railroad qui construisit la ligne transcontinentale en 1869. Ces « Quatre Gros » ne tardèrent pas à contrôler les transports et la politique californiens. Tous possédaient des hôtels particuliers sur Nob Hill. ∎

Nob Hill

 Voir plan p. 58-59
🚋 CC : toutes les lignes ;
    Bus : 1

Hôtel Renaissance Stanford Court
✉ 905 California St
☎ 415/989-3500

InterContinental Mark Hopkins
✉ 1 Nob Hill
☎ 415/392-3434

Entrée de l'Hôtel **Mark Hopkins**.

Fairmont
✉ 950 Mason St
☎ 415/772-5000

Hôtel Huntington
✉ 1075 California St
☎ 415/474-5400

Grace Cathedral

Grace Cathedral

- Voir plan p. 59
- 1 100 California St, angle de Taylor St
- 415/749-6300
- CC : toutes lignes, bus : 1

AVEC SES 100 M DE LONG ET SA FLÈCHE DE 75 M DE HAUT, LA GRACE cathedral est le troisième plus grand évêché du pays. Elle a été conçue sur le modèle de Notre-Dame de Paris et, sa construction a été longue (1928-1964). Mais, à la différence de ses sœurs d'Europe, elle n'est pas en pierre mais en béton armé, un matériau qui répond aux normes antisismiques.

Au paradis et sur terre : bain de soleil à Huntington Park, près de Grace Cathedral.

l'Ancien Testament. La rosace au-dessus a été fabriquée à Chartres. Dans le clocher (**Singing Tower**), le carillon anglais est constitué de 44 cloches de bronze pesant de 5 kg à 6 t. La cathédrale s'emplit de joyeuse musique quand elles sonnent ou lorsqu'on joue sur l'orgue baroque aux 1 422 tuyaux (1930, Aeolian Skinner Co).

À gauche du maître-autel, dans la **chapelle de la Grâce**, l'autel français est en pierre blanche (1430). Dans la nef, les beaux *vitraux de l'Évangile* de Charles Connick (1930) sont faits de 20 000 pièces de verre aux riches couleurs. D'autres vitraux représentent Jésus-Christ, ainsi que des personnages inattendus dans ce lieu, comme Henry Ford et Albert Einstein.

Au sol, le **labyrinthe** est la copie de celui de la cathédrale de Chartres. Ce chemin tortueux symbolise un pèlerinage religieux. On le parcourt en méditant et, arrivé au centre, on peut parvenir à la sensation d'illumination, de révélation ou de communion.

Autrefois, entre la maison diocésaine et le presbytère se dressait le cottage de l'entrepreneur de pompes funèbres Nicolas Yung, qui refusait de vendre son terrain au baron du rail Charles Crocker. Rancunier et décidé à acheter tout le pâté de maisons, Crocker érigea une barrière de 9 m de haut sur trois côtés de la propriété de Yung. Ses héritiers réussirent à obtenir le terrain au décès de l'entrepreneur. Après l'incendie de 1906, la famille Crocker fit don du terrain à la cathédrale. ∎

Son architecture gothique à la française revue par Lewis Hobart montre quelques belles particularités. Le **portail est**, qui pèse 2,75 t, est orné de copies des *Portes du paradis* de Lorenzo Ghiberti, créées pour le baptistère de Florence en 1445, représentant des scènes de

Musée du Cable-Car

QUAND ON PENSE QUE LES CÂBLES D'ACIER QUI ENTRENT ET SORTENT DU musée entraînent ceux qui tractent tous les *cable-cars* de la ville, cela paraît impossible ! Le bâtiment de brique (1909) contient à la fois la centrale, l'atelier de réparation, les remises et un musée sur le premier et seul moyen de transport public à traction par câble.

Musée du Cable-Car
www.cablecarmuseum.com
🅜 voir plan p. 59
✉ 1201 Mason St
angle de
Washington St
☎ 415/474-1887
🚃 CC : Powell-Hyde,
Powell-Mason

Un *cable-car* n'a pas de moyen de locomotion propre : il est remorqué par un câble circulant en boucle sous les rues. En bas, dans la salle Sheave, on voit les câbles souterrains qui circulent et s'enroulent autour de bobines appelées *sheaves*. Les câbles remontent puis s'enroulent autour d'autres bobines actionnées par des moteurs électriques. Le fonctionnement en est expliqué.

Regardez le *cable-car* n° 8, seul rescapé de la première ligne de San Francisco, la Clay St Hill Railroad (1873). On dirait un tramway de dessin animé, avec ses bancs de bois rudimentaires et son système d'accrochage : un simple boulon et une vis reliés à un volant. Parmi les autres attractions du musée, quelques cabines anciennes, des photos, des objets d'époque (poinçonneuse, changeur de monnaie) et des maquettes. La nuit, les *cable-cars* sont remisés dans le garage. ■

La folie d'Hallidie

En 1869, le Londonien Andrew Smith Hallidie vit avec horreur un tramway surchargé glisser en arrière le long d'une colline de San Francisco, entraînant les deux chevaux qui essayaient vainement de le tirer.

Hallidie était un fabricant de câbles dont l'usine, proche de Fisherman's Wharf, produisait les câbles du pays de l'or, notamment un système destiné à saisir et lâcher les seaux dans les mines. Il imagina de faire circuler un câble en boucle sous les rues, sur lequel on pourrait attacher à volonté un véhicule sur roues.

Les gens rirent de la « folie d'Hallidie » pourtant, le 1ᵉʳ août 1873, le premier *cable-car* du monde faisait son trajet inaugural. Le conducteur avait si peur de grimper Clay St que Hallidie lui-même dut prendre les commandes.

D'immenses roues font fonctionner le système des *cable-cars*.

M. Hallidie à bord du tout premier de ses *cable-cars*.

La ligne Powell-Hyde devant le musée du Cable-Car.

Le *cable-car*

Symbole de San Francisco, le *cable-car* est un parfait exemple de l'ingéniosité du XIXe siècle. Au tintement de sa cloche, grimpez à bord d'un wagon victorien à double toit tout coloré et revenez au rythme du temps jadis, en prenant le temps d'admirer la vue sur la ville et la baie. Les *cable-cars* sont des stars de cinéma et de télévision, qu'on voit dans les publicités et même dans les albums photos des mariages.

Inventé par Andrew Hallidie en 1873 (voir p. 65), le *cable-car* remplaçait les tramways hippomobiles car leurs chevaux ne parvenaient pas à grimper certaines collines et laissaient des tonnes de crottin par terre. Au plus fort du système, 8 lignes sillonnaient la ville sur 180 km.

Au début des années 1890, le tramway électrique démoda le *cable-car* qui resta néanmoins dans le cœur des San-Franciscains. Aussi, quand les élus décidèrent son remplacement par l'autobus, les habitants manifestèrent et obtinrent satisfaction (« San Francisco sans *cable-car* serait comme un gamin sans son yo-yo », entendit-on à la radio).

Trois lignes (18 km) survécurent dans les rues Hyde, California, Mason et Powell. En 1964, ce système de véhicules était le seul à figurer au Patrimoine historique national. Il s'interrompit en 1982 pour restauration et rouvrit en 1984 lors d'un grand gala.

Parmi les 40 *cable-cars* actuels (dont 26 fonctionnent en même temps), il y a deux modèles : les non réversibles des deux lignes Powell, auxquels on doit faire faire demi-tour sur une plaque tournante en bout de ligne, et ceux à deux postes qui ne font pas demi-tour car ils se conduisent dans les deux sens.

COMMENT FONCTIONNE LE *CABLE-CAR* ?

Il n'a pas de moteur : c'est un câble circulant sous la rue qui tracte le wagon. Un réseau complexe de poulies soutient et guide les câbles dans les virages et aux carrefours.

Pour faire avancer un *cable-car*, le conducteur tire un levier qui entre dans la fente du revêtement de rue et pince ses mâchoires autour du câble. La vitesse du wagon dépend de la force avec laquelle la pince est serrée. Le câble lui-même avance à une vitesse constante de 15 km/h. Pour arrêter, le conducteur lâche le câble et son collègue actionne le frein. Tous deux se coordonnent à l'aide de tintements de cloche.

Les techniciens de wagon sont embauchés pour leur force physique, mais aussi leur force de caractère. Ce travail donne des frissons, surtout quand les wagons descendent les collines les plus abruptes. Le tronçon de Hyde St, entre Bay St et Francisco St, a la plus forte pente du réseau (21,3 %). Pas de panique : chaque *cable-car* a trois jeux de freins.

CÂBLES ET FREINS

Chaque câble d'acier de 3,8 cm de diamètre se compose de 6 torons de 19 câbles eux-mêmes toronnés autour d'un cœur de cordage en manille de sisal pour la souplesse. Les câbles usés sont remplacés pendant la nuit. Le vieux câble est coupé et attaché à une extrémité du neuf, puis tiré sur tout le circuit, jusqu'à la station électrique (le câble de la ligne California a 6,5 km de long). Ensuite, les extrémités du nouveau câble sont épissées sur près de 30 m par des techniciens chevronnés (il leur faut 5 h).

Un câble dure de 100 à 330 jours, suivant l'usure due aux frottements. Les mâchoires des pinces, quant à elles, sont remplacées tous les quatre jours. ■

Destinations

Trois lignes desservent la ville :
California line : de Market St à Van Ness Av. Vues sur le quartier financier, Chinatown et Nob Hill.

Powell-Hyde line : de Market St à Victorian Park près de Fisherman's Wharf. Vues sur Union Square, Nob Hill, le musée Barn, Russian Hill, et splendides panoramas sur la ville et la baie.

Powell-Mason Line : de Market St à Bay St près de Fisherman's Wharf. Vues sur Nob Hill, le musée du Cable-Car, North Beach, ainsi que sur la ville et la baie.

Voir « Se déplacer » p. 242-243 pour les informations pratiques sur le *cable-car*. ■

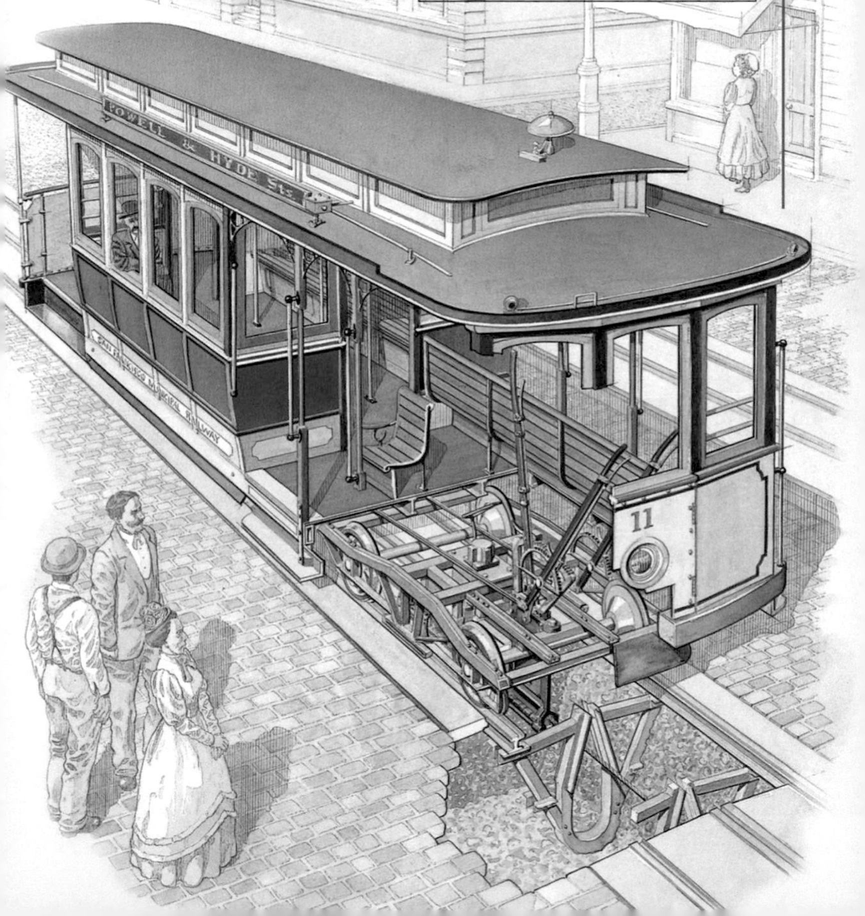

Autres lieux à voir

HUNTINGTON PARK

En face du Pacific Union Club, ce parc de 7 000 m² légèrement surélevé a été dessiné par John McLaren (superintendant du Golden Gate Park, voir p. 156) à l'emplacement de l'hôtel particulier de David Colton (1872), l'homme de loi des quatre millionnaires du rail. Par la suite, ce bâtiment néoclassique devint la propriété d'un des « Big Four », Collis P. Huntington. Sa veuve fit don du terrain à la Ville (la maison avait été détruite dans l'incendie de 1906). Au centre, la **fontaine des Tortues**, copie de celle de Rome, est faite de dauphins, de coquillages et de tortues de bronze. Le matin, on voit dans le parc des gens pratiquer le tai chi-chuan. Le soir, la rosace de la cathédrale de la Grâce s'illumine de l'intérieur, toute de vert émeraude et de bleu profond.

✉ Délimité par California St, Taylor St, Sacramento St et Cushman St 🚋 CC : toutes les lignes, bus : 1

PACIFIC UNION CLUB ET FLOOD MANSION

En 1886, le roi des mines d'argent James Flood (voir p. 27) fit construire un hôtel particulier de 1,5 million de dollars comprenant 42 pièces. Il fit ériger autour une grille en bronze ouvragé de 30 000 $ qui nécessitait un employé à plein-temps pour son entretien. Un contemporain racontait qu'elle « brillait le long de deux pâtés de maisons ». Les murs de cette maison de pierre brune résistèrent à l'incendie de 1906, alors que les autres palais de Nob Hill, construits en bois, brûlaient comme des fétus de paille. Le très sélect Pacific Union Club acheta cette propriété en 1907. L'architecte Willis Polk lui ajouta deux ailes en 1908, puis une piscine en sous-sol avec colonnes minoennes et verrière à vitraux lumineuse, dont l'historien Randolph Delehanty dira qu'elle « figure parmi les salles privées les plus impressionnantes de la ville ».

Ce club réunissait deux entités : le Pacific Club (premier club masculin de la ville, fondé en 1852 dans un saloon) et l'Union Club fondé en 1854. Le meilleur moment pour admirer de l'extérieur cet hôtel particulier à la sombre façade est le début de soirée, quand les fenêtres s'illuminent : on a alors l'impression que ses salles superbement décorées sont revenues à l'époque de l'éclairage au gaz.

✉ 1000 California St 🕐 Fermé au public 🚋 CC : toutes lignes, bus : 1 ∎

Seul rescapé sur Nob Hill de l'incendie de 1906, Flood Mansion est aujourd'hui un club privé masculin.

On dit souvent de Chinatown que
c'est une ville dans la ville.
C'est aussi le quartier le plus
peuplé de San Francisco,
qui se visite à pied.

Chinatown

La Chinatown traditionnelle, en bordure du quartier financier.

Chinatown

Passé les portes vert jade de Chinatown, sur Grant Avenue, vous arrivez dans un autre monde, un lieu exotique et équivoque. Devant vous s'étend une place du marché qu'on jurerait cantonaise, toute habillée de toits en pagode aux rebords retroussés vers le ciel (pour éloigner les mauvais esprits), de balcons colorés et d'affiches calligraphiées en chinois.

On perçoit un reste d'Amérique 1900 dans les immeubles edwardiens, même pendant le carnaval, malgré les pétards et les feux d'artifice, au milieu des magasins qui vendent toutes sortes de gadgets, d'armes de kung-fu en plastique et de « pièges à doigt » en osier. Ho Tai, la divinité ventrue du bonheur, offre son sourire de porcelaine et d'ivoire dans des centaines de vitrines.

Il existe plusieurs Chinatown dans le quartier originel délimité par les rues Bush, Broadway, Powell et Kearny. La première, parc d'attraction multicolore pour touristes, s'étire le long de Grant Avenue. Les visiteurs du monde entier viennent y goûter des nourritures typiques, comme la soupe aux boulettes de poisson (sans réaliser que *chop suey*, rien moins qu'exotique, n'est que le mot chinois pour « haché »). Les touristes y achètent aussi des babioles, des statuettes de jade, des bijoux en or et des robes de soie.

Mais Chinatown n'est pas qu'un parc à thème, c'est aussi une vraie communauté. Plus de 30 000 personnes y vivent dans seulement

Une partie serrée sur Portsmouth Square.

24 pâtés de maisons, ce qui fait de cette deuxième Chinatown non seulement le quartier le plus densément peuplé de San Francisco mais aussi la communauté la plus engorgée du pays. Les conditions de logement – trop de personnes par pièce, trop peu de sanitaires – l'ont fait qualifier de ghetto. Le revenu par tête y est bas et le nombre de gens qui n'y parlent pas anglais est élevé. La majorité des habitants n'est pas née aux USA. Les ouvrières des fabriques de vêtements travaillent de longues heures dans le vrombissement des machines à coudre pour des salaires très bas. Les habitants essaient de profiter au maximum du peu d'espace qu'ils ont. Les vieux se retrouvent à Portsmouth Square qui leur sert de salon communautaire pour bavarder et jouer aux échecs chinois. Les enfants cavalent dans les ruelles étroites. Sur Stockton St, les résidents fréquentent les épiceries locales et mangent des *dim-sum* tout en suivant les cours des universités de la ville.

La troisième Chinatown est le lieu privilégié des Américains d'origine chinoise qui habitent ailleurs dans la ville. Certains ont fui la foule du quartier. Beaucoup de jeunes qui ont fait des études et gagnent mieux leur vie n'ont jamais vécu là, mais plutôt vers Richmond ou Sunset. Ils y viennent juste pour acheter les perles de neige, le canard laqué, la sauce aux huîtres et les ingrédients des menus de fête. Ils y lisent des journaux chinois et vont y voir des films chinois. Ils y organisent de grands repas de famille dans les salles de banquet aux étages des restaurants. Sur Waverly Place, ils montent les marches des temples pour faire brûler de l'encens sur les autels et y déposer des offrandes d'oranges.

Ces trois Chinatown s'unissent pour de joyeux festivals et célébrations, comme celle du Nouvel An chinois. Les tambours battent alors en cadence et les costumes de soie brodée sortent des placards.

Marchez ! c'est le meilleur moyen d'explorer ce quartier labyrinthique et de comprendre les trois aspects de Chinatown. ■

BROADWAY

COLUMBUS

AVENUE

PACIFIC

AVENUE

**Fabrique de cookies
Golden Gate Fortune**

STREET

KEARNY

JACKSON

POWELL

STOCKTON

ROSS ALLEY

GRANT

Ten Ren
Tea Company

**Temple
Tin How**

STREET

Centre
culturel
chinois

WASHINGTON

WAVERLY

Old Chinese
Telephone
Exchange

PORTSMOUTH
SQUARE

Temple Norras

Musée
historique
de la Société
chinoise

STREET

STREET

COMMERCIAL

CLAY

Temple
Kong Chow

Chinese Six
Companies

JOICE

PLACE

Église
Baptiste
chinoise

STREET

SACRAMENTO

Far East Café

**Église
Old St. Mary's**

STREET

AVENUE

CHINATOWN

STREET

CALIFORNIA

ST. MARY'S
SQUARE

STREET

STREET

PINE

STREET

**Porte de
Chinatown**

BUSH

STREET

0   100 mètres

La San Francisco chinoise

Les chercheurs d'or chinois arrivèrent en Californie à la fin des années 1840 pour travailler dans les mines. Ils appelaient la Californie « Gum San », la Montagne d'Or. La plupart passèrent par San Francisco où le premier restaurant chinois ouvrit en 1849, suivi par les blanchisseries. Environ 35 ans plus tard, il y avait 7 500 blanchisseries chinoises à San Francisco.

À la fin des années 1850, les Chinois se regroupèrent autour de Portsmouth Square que les commerçants américains avaient délaissé pour s'établir dans les nouveaux quartiers. La plupart étaient des ouvriers célibataires qui avaient fui les inondations et la famine de la province méridionale de Guangdong (capitale Canton, actuelle Guangzhou). Les Cantonais portaient des culottes au genou, des gilets matelassés et de larges chapeaux de bambou. En arrivant en Californie, ils pensaient rester le temps nécessaire pour économiser puis rentrer chez eux.

La plupart de ces ouvriers étaient littéralement asservis au courtier asiatique auquel ils avaient emprunté l'argent de leur voyage en bateau. Ils étaient obligés de travailler pour rembourser. Ils se groupèrent en associations qui leur donnaient des emplois, remboursaient leur voyage, organisaient leur vie sociale et, quand ils mouraient, renvoyaient même leur corps en Chine pour les obsèques. En échange, les membres cotisaient. Ces associations de quartier recrutaient les hommes à leur arrivée puis les assemblaient en fonction de leur nom de famille. Les réseaux d'immigration furent vite contrôlés par de puissants marchands qui fondèrent la Canton Company ou la Sam Yup Association. Ils envoyaient les paysans chinois dans les mines, au chemin de fer et dans les usines. En 1869, environ 12 000 d'entre eux travaillaient sur la voie transcontinentale. Les ouvriers fondèrent leur propre fédération nommée Sze Yup Association.

Un troisième type d'associations existait, constitué de sociétés secrètes appelées Tong. Certaines avaient des objectifs légitimes, d'autres, criminels. Les Tongs de Chinatown géraient le jeu et les paris, les fumeries d'opium et la prostitution – vices inévitables dans un monde d'hommes célibataires et solitaires.

Les Tongs protégeaient leurs hommes et vengeaient le tort qu'on leur faisait. Les guerres de gangs explosèrent, les hommes de main et les tueurs à gages se mirent à éliminer leurs rivaux en affaires illicites. Chinatown devint un repaire de ruelles sombres où la violence régnait. Pour arbitrer les conflits et promouvoir les activités sociales, plusieurs associations de quartier se réunirent et constituèrent, vers 1850, la puissante Chinese Six Association.

À la fin du chantier de la ligne transcontinentale, les ouvriers chinois inondèrent le marché du travail. Ils se firent embaucher à bas prix par les industriels, mécontentant les Blancs qui estimaient qu'on leur volait leurs emplois. Le ressentiment et la xénophobie faisaient rage. Les journaux provoquèrent une hystérie autour du « péril jaune ». Mais les Chinois étaient déjà très isolés de la société américaine. Ils gardaient leur langue, leurs coutumes et leurs vêtements. L'hostilité croissante des Blancs entraîna des affrontements et des meurtres et, en 1877, la foule tenta de brûler Chinatown. En 1882, le racisme atteignit un sommet avec le Chinese Exclusion Act, loi qui interdisait aux ouvriers chinois d'émigrer aux USA. Une autre loi empêcha l'immigration des femmes chinoises, ce qui condamnait les ouvriers de Chinatown au célibat à vie. L'absence de femmes signait l'impossibilité de fonder une famille. La population de Chinatown diminua.

Le tremblement de terre et l'incendie de 1906 détruisirent presque tout Chinatown, ainsi que le registre de citoyenneté de l'Ouest américain, empêchant le gouvernement de contredire les déclarations de citoyenneté des Chinois. Des « enfants de papier » commencèrent alors à affluer de Chine, se réclamant de liens de famille plus ou moins probables avec des résidents américains.

Après 1906, les élus municipaux commencèrent à parler de déplacer Chinatown, mais les commerçants locaux argumentèrent qu'il serait préférable d'y créer un quartier qui attirerait les touristes. Dans les années 1920, un nouveau style architectural unique en son genre apparut à San Francisco, avec l'ajout de toits en pagode, de balcons peints. Les magasins et les restaurants commencèrent à proliférer et continuent d'attirer les touristes et les Chinois. ■

La vie à Chinatown, c'est à la fois le Nouvel An chinois et la médecine traditionnelle (ci-dessous).

La médecine chinoise

Des tiroirs de bois remplis de feuilles, d'écorce, de graines, de fleurs et de racines. Le pharmacien maîtrise un art vieux de 5 000 ans. On y trouve aussi bien des feuilles de chrysanthème (pour la vue), des limaces de mer séchées (pour la virilité) et de la racine de ginseng (pour la vitalité). Les médecins et les pharmaciens herbologistes sont autorisés à exercer. ■

Les funérailles

Touriste ou résident, chacun s'arrête respectueusement au passage d'un convoi funéraire. Le fourgon qui exhibe une grande photo du décédé est suivi par une fanfare qui a l'air de venir de la Nouvelle-Orléans plutôt que de Nankin ! Cet ultime tour du quartier permet aux amis de voir le défunt une dernière fois. ■

Grant Avenue

À L'ENTRÉE DE CHINATOWN, VOUS ÊTES SÛR DE FIGURER SUR LES CLICHÉS de quelques touristes tant la porte est photographiée ! Également appelée porte du Dragon, elle se trouve sur Grant Avenue, l'artère commerçante principale.

Porte de Chinatown

🗺 Voir plan p. 71

✉ Grant Ave, angle de Bush St

🚋 CC : California, Powell-Hyde, Powell-Mason ; Bus : 1, 9X, 15, 30, 41, 45, 83

La porte de Chinatown ouvre sur Union Square et sépare deux mondes.

CHINATOWN GATE

Ce portail a été dessiné par l'architecte Clayton Lee en 1970. Les dragons et poissons couronnés imitent ceux des portails de cérémonie des villages chinois. La tradition réserve le passage de cette porte aux personnes de haut rang (typique en Californie : ce sont les voitures qui ont cet honneur). Les deux portails latéraux sont gardés par des chiens *fou* (statues de chiens-dragons) en pierre. La femelle est à droite (le chiot sous sa patte symbolise le renouvellement de la vie) et le mâle à gauche, surveillant une perle dont la perte, dit-on, amènerait des catastrophes sur le village.

Ce portail respecte les principes du *feng shui*, un système de divination et d'équilibrage qui vise à positionner les structures en fonction des énergies naturelles. Le portail fait face au sud, la direction la plus favorable pour entrer dans un bâtiment ou une ville.

GRANT AVENUE

Cette avenue a un riche passé historique : à l'origine, c'était la Calle de la Fundacion, la rue principale de Yerba Buena, comptoir des Mexicains dans les années 1830. Plus tard, elle devint Dupont St à Chinatown, réservée aux joueurs et aux prostituées. Après l'incendie de 1906, les élus municipaux lui donnèrent le nom du président Ulysses Grant, dans l'espoir de lui rendre sa respectabilité.

Les immeubles simples de cette rue sont ornés de décors chinois colorés. Sur les poteaux des réverbères, on voit des dragons entrelacés tenant une lanterne dans la gueule. Cet éclairage urbain fut installé en 1925 pour ajouter à l'exotisme ambiant, lorsque les touristes commencèrent à affluer.

Entre les Bush et Broadway St, il y a de nombreux restaurants et boutiques pour touristes. Les plus jolis magasins vendent des œuvres d'art et des bijoux d'or, de jade et d'ambre. ∎

Le symbolisme des couleurs

Le rouge vif (bonheur et vitalité), le vert (longévité) et le jaune (santé) sont omniprésents à Chinatown pour leur valeur symbolique. ∎

Waverly Place

Le temple Tin How, typique de la « rue des balcons peints ».

On l'appelle la rue des balcons peints. Regardez en l'air et vous comprendrez pourquoi ! Waverly Place est sensuelle et exotique. Ses balcons de fer forgé rouges, jaunes et verts évoquent le quartier français de La Nouvelle-Orléans… version psychédélique. L'air transporte souvent les effluves de l'encens ou des pétards qui viennent d'exploser. Des roulements de tambours invisibles indiquent que les jeunes s'entraînent pour la danse du lion.

Autrefois, cette courte voie s'appelait « la rue à 15 cents » : c'était le coût d'une coupe de cheveux chez les barbiers chinois. Après l'incendie de 1906, on y construisit des immeubles edwardiens qui furent ensuite redécorés à la chinoise. Le rez-de-chaussée est souvent occupé par un commerce, les étages intermédiaires servent d'habitation ou de local associatif et le dernier accueille les temples.

LE TEMPLE TIN HOW

Il faut grimper trois étages pour parvenir au plus vieux temple des USA (fondé en 1852) dans un immeuble qui date de 1911. Au plafond sont accrochées des lanternes d'où pendent des papiers rouges calligraphiés en noir portant chacun le nom d'une famille membre du temple. Les bâtons d'encens piqués dans des urnes diffusent leur parfum. Les papiers pliés autour de carrés dorés sont des offrandes aux défunts.

Sur l'autel se trouve Tin How, déesse du ciel et de la mer, que des millions de Chinois vénèrent. Cette statue d'or est censée être arrivée de Chine en 1848. Tin How naquit en 960, commença la méditation à l'âge de 11 ans, devint une disciple taoïste et fut investie du pouvoir de chevaucher sur les mers pour sauver les personnes en danger. Protectrice des marins, Tin How jouait un grand rôle pour les immigrants chinois qui devaient traverser l'océan avant de débarquer à San Francisco. Elle veille aussi sur les voyageurs, les acteurs, les écrivains et les prostituées – un éclectisme qui prête à toutes les conjectures…

Les sculptures de l'autel principal décrivent la vie de Confucius. Parmi les autres statues du temple, vous verrez le dieu à trois yeux Wah Kwong, Madame Golden Lotus et les 18 anges gardiens. À l'extérieur, l'encens embaume Chinatown. ∎

Temple Tin How

Voir plan p. 71

125 Waverly Pl

Bus : 1, 15, 30, 45

Un choix de woks à Chinatown.

Promenade à Chinatown

Cet itinéraire traverse des rues et ruelles qui révèlent les facettes publiques et privées de Chinatown.

Partez de la **porte de Chinatown ❶** (voir p. 74) et remontez **Grant Avenue ❷**. Au coin de California St, la vue sur les toits en pagode de Chinatown, les *cable-cars* qui grimpent vers Nob Hill et les gratte-ciel de Financial district est un classique de San Francisco.

Près de l'angle de Grant et de Pine, **St. Mary's Square ❸** s'orne d'une statue de Beniamino Buffano (1938) qui représente Sun Yat-sen (1866-1925). Son visage et ses mains sont en granit rose et sa robe en acier. Un des fondateurs du Parti nationaliste, Sun leva des fonds à San Francisco et y publia un journal pour encourager la lutte contre la dynastie manchoue. Il fut le premier président de la nouvelle république.

Sortez du parc par California St. En face, **Dai Choong Low** (la tour de la Grosse Cloche) est plus simplement nommée **St. Mary's ❹** (*600 California St*). Consacrée en 1854, elle fut la première cathédrale de la ville et le plus grand bâtiment de Californie. Réplique d'une église gothique espagnole de Vich, ses fondations de granit viennent de Chine et ses briques servaient de ballast sur les bateaux qui passaient le cap Horn. San Francisco grossissant, la catholique St. Mary fut bientôt submergée de fumeries d'opium et de lanternes rouges. Remarquez la devise victorienne sur le clocher : « Fils, respecte le temps et éloigne-toi du mal. » En 1891, on construisit une nouvelle cathédrale dans un quartier moins agité et St. Mary's devint Old St. Mary's (Sainte-Marie l'ancienne). L'incendie de 1906 détruisit le sanctuaire mais épargna les murs et le clocher. À l'arrière de l'église, on peut voir des photos anciennes de Chinatown.

Tournez à droite sur Grant pour jeter un coup œil dans le **Far East Café** (*631 Grant Ave, tel 415/982-3245*), restaurant typique de la Chinatown des années vingt avec ses lanternes à pompons et ses paravents sculptés.

Sur Clay, tournez à droite dans **Portsmouth Square ❺**, salon de plein air

Les enseignes lumineuses de Chinatown.

En mai 1848, l'entrepreneur Sam Brannan y exposa l'or de l'American River et donna le coup d'envoi de la Ruée vers l'or californienne. La vaste place était bordée de saloons et de salles de jeu. Bizarrement, c'est là qu'on ouvrit la première école publique de la ville en 1848. Dans les années 1860, les commerces se déplacèrent vers les quartiers neufs qui poussaient là où on remblayait la baie, et les Chinois prirent leur place.

Au nord de la place, un petit galion surmonte une colonne de granit. C'est la maquette imaginaire de l'*Hispaniola* de *l'Île au Trésor*, un monument en l'honneur de l'auteur écossais Robert Louis Stevenson qui vécut près de là en 1879 et venait sur la place pour regarder les passants et les bateaux. Une statue de la *Déesse de la Démocratie*, commémorant le massacre de la place Tien'anmen, se trouve également dans le square.

Passez le pont en direction du Holiday Inn dont la tour de béton gris d'un style discutable a été érigée en 1971 sans révision de sa conception. Au **Centre culturel chinois**, le troisième étage abrite de discrètes expositions d'art et d'instruments de musique (*750 Kearny St, 3ᵉ étage, tél. 415/986-1822, réserver ; www.c-c-c.org, histoire €€€ ; cuisine €€€€€, fermé lundi*).

En quittant la place par Washington St, prenez à gauche vers l'**Old Chinese Telephone Exchange 6** (*ancien central téléphonique chinois, 743 Washington St*), une pagode rouge et noir aux toits en pointe très chargés. Cette banque fut en 1909 le premier standard de la Pacific Telephone and Telegraph. Les opératrices y parlaient anglais et cinq dialectes chinois. Elles devaient retenir les noms et les numéros de tous leurs clients.

M Voir plan de quartier p. 71

▶ Porte de Chinatown

⬌ Moins d'1,6 km

🕐 2 h

▶ Musée historique de la Société chinoise

NE PAS MANQUER :

- Grant Avenue
- Portsmouth Square
- Waverly Place
- Temple Tin How

pour la communauté chinoise surpeuplée, où les enfants courent pendant que les vieux jouent aux échecs et au go.

C'est aussi une place chargée d'histoire. Aménagée en 1839 sur la Yerba Buena mexicaine, elle se situait à un pâté de maisons du front de mer, à l'époque au niveau actuel de Montgomery St. Les cargaisons étaient enregistrées dans le bâtiment de brique de la douane. Le 9 juillet 1846, le drapeau américain y fut hissé pour la première fois par le capitaine John B. Montgomery de *l'USS Portsmouth*, le vaisseau qui donna son nom à la place. Un mémorial marque ce lieu.

Le marché de Grocery est un rituel social.

Sur Grant Avenue, entrez à droite chez **The Ten Ren Tea Company** (*949 Grant Ave 415/362-0656*). On peut y acheter 50 thés différents et les goûter.

Dans Jackson St, prenez à gauche la Ross Alley et pénétrez dans le labyrinthe des rues retirées de Chinatown dont l'atmosphère sombre évoque la mauvaise période du quartier. C'est là qu'au XIXᵉ siècle les prostituées et les joueurs tenaient leurs petits commerces.

Tournez à gauche vers la minuscule fabrique de cookies **Golden Gate Fortune** (*56 Ross Alley, tél. 415/781-3956*) où les femmes versent de la pâte sur de petites plaques. Il en sort des biscuits tout chauds qu'elles enroulent dans un papier imprimé d'un proverbe.

Suivez la ruelle jusqu'à Washington St et traversez vers **Waverly Place** ❼ (voir p. 75). C'est la « rue des Balcons peints » qui abrite des associations bénévoles et des **temples** comme ceux de **Tin How** et de **Norras** (*109 Waverly St, 3ᵉ étage*) dont l'autel accueille des bouddhas dorés.

Continuez sur Waverly Place jusqu'à l'angle de Sacramento St où l'église chinoise baptiste fut construite en briques vitrifiées en 1908. Tournez à droite dans Sacramento et encore à droite dans Stockton pour voir les vitrines des épiciers chinois.

En face, **Chinese Six Companies** (*843 Stockton St*) regroupe des associations de quartier depuis 1850 et exerce toujours un certain pouvoir dans les affaires de Chinatown. Son bâtiment de 1908 est décoré de dragons et de poissons.

Continuez vers le **temple Kong Chow** ❽ (*855 Stockton St, 4ᵉ étage*). Ses autels sculptés et dorés sont consacrés à Kuan Ti, un général du IIIᵉ siècle qui appréciait la poésie et veille aussi bien sur les soldats et les poètes, les criminels et la police. Tournez à gauche dans Clay pour découvrir le **Chinese Historical Society Museum** ❾ (*musée historique de la Société chinoise, 965 Clay St, tel 415/391-1188, www.chsa.org, fermé lundi*). Bâti sur l'ancienne YMCA (1932) de l'architecte Julia Morgan, sa structure en brique intègre superbement trois tours pagodes, les carrelages décoratifs et les caissons peints du plafond. Le musée décrit la vie chinoise à San Francisco et propose régulièrement des expositions artistiques. ■

North Beach est un des quartiers les plus authentiques de la ville. Il se situe entre des collines que les écrivains et les artistes ont découvertes il y a bien longtemps.

North Beach, Telegraph Hill, et Russian Hill

Les néons de Broadway.

North Beach, Telegraph Hill et Russian Hill

DANS CETTE VILLE AUX QUARTIERS ÉTONNANTS, NORTH BEACH FAIT PARTIE DES PRÉFÉRÉS DES San-Franciscains eux-mêmes. Dans cette vallée ensoleillée, on peut se lâcher sans problème. Elle est encadrée par Telegraph Hill et Russian Hill, avec leurs rues escarpées, leurs vues splendides et leurs maisons ravissantes.

North Beach est célèbre pour sa musique, ses arts, sa conversation et surtout sa cuisine. Ce sont les Italiens qui ont apporté d'Europe ce sens de la vie qui tourne autour du bon vin, des petits plats et de la bonne compagnie. Il suffit de humer les arômes des *trattorias*, des cafés, des boulangeries et des brûleries de café pour se croire en Italie. Prélassez-vous dans la chaude ambiance méditerranéenne du Caffé Trieste où les propriétaires chantent l'opéra le samedi après-midi. À cet amour de la vie tout italien, North Beach ajoute la philosophie du « vivre et laisser vivre » héritée des *Beats* qui traînaient par ici dans les années cinquante. Faites un détour par l'univers asiatique : Chinatown est juste à côté. Le résultat est un remarquable mélange de nationalités et de styles de vie. Au parc de Washington Square, vous verrez peut-être un boulanger italien partager un banc avec un poète devant une vieille dame chinoise qui fait ses exercices méditatifs de taï chi-chuan.

Les premiers cercles d'écrivains et d'artistes bohèmes ont vécu tout près, sur Russian Hill dans les années 1890 et sur Telegraph Hill dans les années 1920. Les deux collines offraient des vues favorables à l'inspiration et des loyers modérés. Sur Russian Hill, un groupe qui s'appelait « Les Jeunes » comptait dans ses membres l'architecte Willis Polk et le poète Gelett Burgess (celui du poème *La Vache pourpre*, voir p. 35). Ils se réunissaient chez Catherine Atkinson et accueillaient les écrivains de passage, comme Mark Twain et Robert Louis Stevenson. Un salon du même style s'épanouissait chez la poétesse, éditrice et libraire Ina Coolbrith (voir p. 100).

En 1952, Jack Kerouac séjourna sur Russian Hill avec son ami Neal Cassidy, le temps de terminer *Sur la route*. Aujourd'hui il ne reste guère d'artistes bohèmes sur ces collines tranquilles. Les maisons, les cottages et les immeubles ont été pris d'assaut par les classes sociales élevées. Mais la vue y est toujours aussi favorable à l'inspiration. Promenez-vous dans les allées et grimpez les raides escaliers des deux collines. Ne manquez surtout pas de monter sur Coit Tower, symbole de Telegraph Hill offert par une excentrique qui aimait les pompiers. ■

Plan des quartiers

Fresque de Diego Rivera au
San Francisco Art Institute.

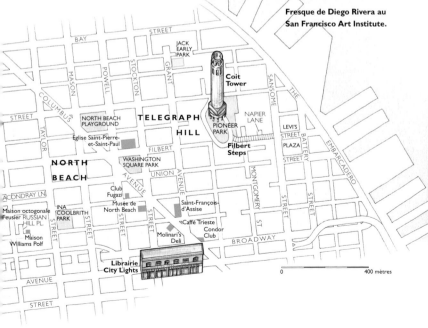

L'une des salles communautaires de North Beach : le North End café (ci-dessus). La vie communautaire s'exprime dans le parc où les Italiens se retrouvent pour prendre le soleil (ci-dessous).

North Beach

Curieusement, North Beach n'a pas de plage. Le bord de mer originel a été remblayé vers 1870 pour y installer des industries. En 1872, l'artère principale, Columbus Ave, a été ouverte en diagonale entre le quartier financier et le front de mer au nord, créant des coins de rue en triangle et dotant les immeubles de North Beach d'un petit air parisien.

Le quartier tire son caractère de sa proximité avec le port où affluaient les immigrants de 1850. Dans les rues, on parlait tous les idiomes d'Irlande, France, Allemagne, Chili, Pérou, Espagne et Portugal. C'était un genre de Quartier latin. Mais vers 1900, un afflux d'immigrants italiens transforma ce secteur en Little Italy.

Au début des années vingt, les Italiens commencèrent à partir vers Marina District ou à la campagne, ce qui laissa un vide à North Beach où les loyers dégringolèrent, attirant le cercle bohème désormais célèbre qu'on a appelé les *Beats*. Ils vivaient de poésie, de vin rouge, de jazz be-bop et de conversation entretenue par des *espressos*. Les *Beats* méprisaient l'autorité et le conformisme, prônaient la variété raciale et sexuelle et idéalisaient l'errance en marge de la société. Avec son ouverture d'esprit et sa tolérance, San Francisco était pour eux le refuge idéal.

Le soir, baladez-vous dans North Beach, tout animée de restaurants, de musique et de passants évoluant dans des effluves d'ail, d'huile d'olive et de tomate.

LIBRAIRIE CITY LIGHTS

« Un genre de bibliothèque où l'on vend des livres », disait un panneau sur la vitrine de cette librairie, pionnière du genre, fondée en 1953 par le poète Lawrence Ferlinghetti et Peter Martin. Première librairie des USA à ne vendre que des livres de poche (mais on y trouve désormais des grands formats), City Lights (*261 Columbus Av., tél. 415/362-8193*) était le point de ralliement littéraire des *Beats*. On y sent encore la présence de Kerouac et du poète Gregory Corso, du poète « zen » Gary Snyder et d'Allen Ginsberg. À l'étage, dans la salle de poésie, de simples étagères et un linoléum vert démodé sont restés là comme un rappel du vœu de pauvreté (involontaire) des *Beats*.

Ferlinghetti donna à son magasin le nom d'un film de Charlie Chaplin (*Les Lumières de la ville*) en souvenir du petit bonhomme perdu dans la grande ville impersonnelle. Les Éditions

Lawrence Ferlinghetti lisant de la poésie dans sa librairie City Lights.

City Lights ont publié plus de cent titres, dont la série des Pockets Poets (Poètes de poche) qui comprend *Howl* d'Allen Ginsberg (voir ci-dessous). Le recueil des poésies de Ferlinghetti lui-même, *A Coney Island of the Mind*, qui s'est déjà vendu à plus d'un million d'exemplaires, est un best-seller aux USA.

En 1999, Ferlinghetti, qui avait passé sa vie à provoquer les officiels, fut pour un temps le poète lauréat de San Francisco. Pour se moquer du sérieux de cette fonction, il distribuait des cartes de visite de poète lauréat. ■

Un « hurlement » qui s'entend dans tout le pays

Quand le poète new-yorkais Allen Ginsberg vint s'installer à North Beach (*1 010 Montgomery St*) au début de 1955, il écrivit un long réquisitoire qu'il appela *Howl* (« hurlement »). En octobre, il lut ce poème devant une foule d'écrivains et d'artistes *Beats* à la **Six Gallery** (*3 119 Fillmore St*), un ancien garage reconverti en galerie. Sa diction ressemblait à du jazz improvisé, tout en rythme et en risque : « J'ai vu les plus beaux esprits de ma génération détruits par la folie », tempêtait-il. Pressé par les « Vas-y, vas-y ! » de Kerouac, Ginsberg s'inscrivit dans l'histoire de la littérature, surtout lors de la publication de son poème par Ferlinghetti en 1956, qui provoqua son arrestation pour obscénité.

Ce poème plein de grossièreté, de perversion et de blasphèmes suggérait des images troublantes et détestables. Ginsberg jura que son œuvre entrait dans la tradition des Hébreux de l'Ancien Testament qui hurlaient face au désert. Il se justifia en disant qu'il « hurlait contre une civilisation de folie ». On l'acquitta sur la base du Premier Amendement à la Constitution (sur la liberté de parole) et le procès attira l'attention du pays tout entier sur les *Beats*. ■

Broadway

À Broadway se
côtoient les cafés et
les spectacles de nu.

LE TRONÇON DE BROADWAY QUI VA DE COLOMBUS AVENUE À MONTGOMERY Street s'appelle le Strip (« tronçon de route » ou « déshabiller »… et bizarrement, c'est là que les strip-teaseuses s'effeuillent). Nombre de bars sexy et de librairies pour adultes perpétuent plus calmement la tradition pécheresse de la Barbary Coast datant de l'époque de la Ruée vers l'or, lorsque saloons, tripots et bordels occupaient Pacific Avenue. Ces distractions osées ont atterri à Broadway, surtout après le nettoyage de la « Terrific Pacific Avenue » après le tremblement de terre de 1906.

Broadway
- Voir plan p. 80-81
- Bus : 15, 30, 39, 45

Condor Club
- 300 Columbus Ave
- 415/781-8222

hungry i
- 546 Broadway
- 415/362-7763

Carol Doda entra dans l'histoire en 1964 en dansant nue au **Condor Club**. Devenu lounge-bar et night-club rétro, le Condor a conservé le piano sur lequel Carol Doda descendait en tournoyant depuis le plafond, ainsi que des photos et des anecdotes sur la danseuse exotique. « N'importe qui peut enlever ses vêtements, mais moi je les faisais d'abord rire avant de me déshabiller », disait Mlle Doda. Le panneau publicitaire callipyge du Condor fut retiré en 1991.

Le **hungry i** (*à l'origine au 599 Jackson St*) était un lieu incontournable des spectacles *live* au début des années soixante. Ses murs de brique nue résonnaient des rires que provoquaient les pièces des Smothers Brothers, de Lenny Bruce et Bill Cosby, sans parler de Richard Pryor et Woody Allen. Billie Holliday et Barbara Streisand y ont chanté. Maintenant, ce club propose des spectacles de strip-tease, comme tant d'autres sur cette rue. Leurs aboyeurs essaient d'attirer les touristes, les marins et les étudiants.

Le meilleur de Broadway est à l'**Enrico's Sidewalk Café** (voir p. 258) où vous pouvez vous asseoir pour boire un verre ou dîner en regardant les gens. Il y a du jazz le soir. ∎

Washington Square Park

Souvent considéré comme le cœur de North Beach, ce parc en est aussi l'âme de verdure. De vieux Italiens viennent y bavarder à l'ombre des sycomores et des cyprès. Lawrence Ferlinghetti écrivait sur eux : « On les voit nourrir les pigeons/tranchant le vieux pain au couteau contre leur pouce/ils ont de vieilles montres dans la poche/leurs mains sont noueuses et leurs sourcils broussailleux »… Tôt le matin, les pelouses ensoleillées attirent les adeptes du tai chi-chuan. Les pique-niqueurs apparaissent vers midi. Ce square est fréquenté par toutes sortes de gens.

Washington Square Park
 Voir plan p. 80-81
Bus : 15, 30, 39, 45

Église Saint-Pierre-et-Saint-Paul
666 Filbert St
415/421-0809
Bus : 15, 30, 41, 45

Flanquant ce havre urbain, il y a les façades claires des maisons edwardiennes et la flèche de l'église Saint-Pierre-et-Saint-Paul (que Ferlinghetti appelait l'église en pâte d'amande). Le parc existe depuis 1847 mais a été rétréci au sud-ouest par l'ouverture de Columbus avenue en 1872, créant un triangle à part, avec des statues.

Au centre du parc, la statue de bronze représente *Benjamin Franklin* (1879). Dessous, une capsule à n'ouvrir qu'en 2079 contient une bouteille de vin, un poème de Ferlinghetti et une paire de jeans Levi's. Une autre statue (1933) représentant les *Pompiers volontaires* est un legs de Lillie Hitchcock Coit (voir p. 96).

ÉGLISE SAINT-PIERRE-ET-SAINT-PAUL

Cette église romane de couleur crème bâtie en 1924 est particulièrement jolie la nuit quand elle est illuminée. Sur la façade, un verset du *Paradis* de Dante en mosaïque dit : « La Gloire de Celui qui connaît toute chose atteint et illumine tout l'univers. » Les quatre Évangélistes sont représentés selon la tradition : Matthieu ailé, Marc avec un lion, Luc avec un bœuf et Jean avec un aigle.

Le samedi, l'église bourdonne souvent de mariages. Ses vitraux colorent l'intérieur chaleureux, très orné de statues. Son autel remarquable de 13 m 50 de large rappelle une ville de la Renaissance italienne avec ses flèches, ses dômes et ses colonnes de marbre et onyx. En octobre, la procession annuelle de Bénédiction des pêcheurs va de l'église jusqu'à Fisherman's Wharf. ■

L'église Saint-Pierre-et-Saint-Paul est souvent appelée la cathédrale des Italiens.

La *Beat generation*

C'est une image qui fait partie intégrante de l'histoire culturelle des années 1950 : un *beatnik* vêtu de noir, coiffé d'un béret, avec des lunettes noires et une barbiche pointue, vêtu d'un col roulé et de sandales. C'est le souvenir qu'en a l'Amérique.

Dans les années cinquante, la plupart des Américains vivaient au calme et dans la prospérité, avec maison moderne, emploi et famille, dans le conformisme social. Les *Beats* étaient bohèmes, sans illusions. Ils trouvaient étouffants les comportements convenus. Ils méprisaient le mode de vie à l'américaine et détestaient le consensus tacite sur le racisme et les armes atomiques. Ils se sentaient chez eux à North Beach.

Le mouvement *Beat* de San Francisco se cristallisa autour d'Allen Ginsberg en 1955, lorsqu'il lit *Howl* (voir p. 83). Jack Kerouac fut

le premier à utiliser le mot *Beat* (*to beat* signifie « battre ») pour décrire cette génération abattue, privée de son combat pour l'indépendance personnelle. Les *Beats* voulaient comprendre la vie et rester conscients – ils se sont parfois fait traiter de « béats ».

En 1958, le chroniqueur Herb Caen inventa le terme *beatnik* en combinant les mots *beat* et Spoutnik, d'après le satellite artificiel que venait de lancer la Russie – car il trouvait que tous allaient « loin, très loin ». Caen n'aimait pas beaucoup le style de vie des *Beats* et se voulait péjoratif.

Les *Beats* parlaient une langue branchée qui leur venait surtout des Noirs et des musiciens de jazz. Ce vocabulaire passa progressivement dans le langage général (et même dans le français, comme *cool*, *bug* ou *hype*). Il s'approchait du rap avec sa poésie saccadée – et la poésie était le *top* de la créativité aux yeux des

Beats. Un de leurs vieux mentors, Kenneth Rexroth, avait été parmi les premiers à lire des poèmes sur un accompagnement de jazz. Les *Beats* se retrouvaient dans les cafés et les bars pour des lectures de poésie sur fond de jazz ou de simple bongo. Ils s'adonnaient volontiers au vin rouge et au café, ainsi qu'à la marijuana.

En un rien de temps, les médias nationaux s'emparèrent du phénomène. À North Beach, on vit débarquer par cars entiers des touristes espérant rencontrer de vrais *Beatniks*. Involontaires attractions, ceux-ci réagirent en 1958 et défilèrent autour d'Union Square, barbus et en sandales, en dévisageant les *squares* (bourgeois). C'est ce qu'ils appelèrent le Squaresville Tour.

Les écrivains *beats* gagnant en célébrité, d'autres arrivèrent à North Beach pour approfondir à leur côté le sens de la vie. Puis, dans tous les USA, les adolescents se laissèrent pousser la barbe et se mirent à jouer du bongo. Mais comme les loyers explosaient à North Beach sous l'effet du tourisme, les *Beats* partirent. Certains allèrent à Haight-Ashbury où leur esprit bohème inspira les tout premiers hippies. Porte-drapeau des *Beats*, Jack Kerouac mourut alcoolique, dans un lotissement en Floride, en 1969. ■

La librairie *City Lights* d'aujourd'hui (ci-contre) était le rendez-vous des *Beats*. Les écrivains légendaires du mouvement (ci-dessous de gauche à droite : Bob Donlin, Neal Cassady, Allen Ginsberg, Robert LaVinge et Lawrence Ferlinghetti) devant la devanture en 1956.

North Beach cafés

Columbus Avenue
- Voir plan p. 80-81
- Bus : 15, 30, 39, 45

Vesuvio Café
- 255 Columbus Ave
- 415/362-3370

Tosca Café
- 242 Columbus Ave
- 415/986-9651

Caffé Greco
- 423 Columbus Ave
- 415/397-6261

Le Vesuvio Café un repaire des *Beats*.

À NORTH BEACH, LE CAFÉ EST LE FLUIDE VITAL QUI CRÉE LE LIEN SOCIAL. Entrez dans quelques cafés, pas seulement pour devenir « accro » au *cappuccino*, mais aussi pour commencer à saisir l'âme de San Francisco.

En traversant Jack Kerouac Alley, en face de la librairie City Lights (voir p. 83), le **Vesuvio Café** est célèbre car il était fréquenté par Ferlinghetti, Kerouac, Ginsberg et d'autres *Beats*. Ouvert en 1949, il occupe un immeuble dont la façade à structure métallique a été construite après le séisme. Un de ses murs extérieurs est peint d'un poème qui dit à peu près : « Quand l'ombre de la sauterelle/croise les pas de la souris verte/quand le soleil rougit/et descend sur l'horizon/quand l'ombre du guerrier indien/pointe la flèche de son arc sur vous/C'est l'heure de commander un autre Martini. » Les *Beats* aimaient les mots et l'alcool.

Ce café ne sert pas de repas, mais vous pouvez sans problème y apporter le vôtre et commander une boisson. Le décor est fait de photos d'écrivains et tableaux d'artistes locaux. En haut, une des salles s'appelle John Wilkes Booth (la baraque de John Wilkes) et une autre, Lady Psychiatrists.

ANCIENS ET MODERNES

Est-ce à cause des banquettes de vinyle rouge, des tableaux italiens et des machines à *espresso* argentées qu'on a l'impression que rien n'a changé au **Tosca Café** depuis son ouverture en 1917 ? Point de ralliement discret de North Beach, Tosca a toujours son juke-box plein d'airs d'opéra. C'était un des lieux où se retrouvaient les *Beats*, surtout après la colonisation du Vesuvio tout proche par les aspirants *beatniks*. Comme dans tous les cafés de North Beach, vous y venez pour bavarder, bouquiner ou écrire. Vous pouvez aussi commander un *cappuccino* « rectifié » au brandy ou au chocolat.

Toujours bondé, le **Caffé Greco** est assez récent (1988). Il propose des desserts hypercaloriques et toute une gamme de boissons au café. Les tables sont installées parmi de vieilles affiches européennes. On peut aussi s'asseoir en terrasse pour regarder les gens passer. Juste à côté, le **Caffé Puccini** a de grandes baies ouvertes sur la vie de North Beach.

Familial, le **Caffé Trieste**, ouvert en 1956, est un des préférés à North Beach car tous les sens y sont à la fête :

Tout sur le café

Espresso : café fort et moelleux, très torréfié, passé dans un filtre à pression et servi noir.

Cappuccino : espresso recouvert d'une couche de lait mousseux et saupoudré de chocolat.

Caffé latte : espresso mélangé à du lait chaud.

Mocha : espresso mélangé avec du chocolat et recouvert de crème fouettée.

Caffé americano : café filtre à l'américaine que l'on peut mélanger avec du lait. ∎

vapeurs d'*espresso*, conversations sympas, vieilles fresques italiennes et, le samedi après-midi, opéra « live » par les patrons et quelques résidents locaux.

Le **Caffé Roma** torréfie lui-même son café et le vend à la livre, on peut donc savourer son café sur place ou chez soi.

Mario's Bohemian Cigar Store Café est sympathique et sans prétention. C'est un bon plan pour vous plonger dans la vraie vie de North Beach. On y sert de fabuleux *cappuccinos* et des sandwiches *foccacia* (boulettes de viande, aubergine et autres garnitures originales et délicieuses) réputés. ∎

Caffé Puccini
⊠ 411 Columbus Ave
☎ 415/989-7033

Caffé Trieste
⊠ 601 Vallejo St
☎ 415/392-6739

Caffé Roma
⊠ 526 Columbus Ave
☎ 415/296-7942

Mario's Bohemian Cigar Store Café
⊠ 566 Columbus Ave
☎ 415/362-0536

J'adore ce que vous avez fait à vos cheveux !, un des spectacles de Beach Blanket Babylon.

Autres lieux à visiter

CLUB FUGAZI

John Fugazi, un Milanais, fit fortune aux USA en vendant un onguent pour les cheveux puis devint banquier (son entreprise fut rachetée par la Transamerica). En 1912, il fit don de cet immeuble de brique et terre cuite à la communauté italienne, pour en faire un lieu de rencontre. Le musée italien du 3e étage expose des photos. Mais ce qui attire les foules, c'est le **Théâtre Club Fugazi**, qui donne un spectacle comique de San Francisco nommé *Beach Blanket Babylon*.

Cette revue énergique et très enlevée met en scène des personnages aussi variés que Blanche-Neige ou Snoopy. Ses coiffures colossales sont célèbres pour leur excentricité : elles représentent tout ce qui caractérise San Francisco, comme une pagode de Chinatown et le pont du Golden Gate. Ce spectacle qui a débuté en 1974 s'inspire du Rent-A-Freak d'autrefois, où les spectateurs trouvaient sur place de quoi se costumer de manière extravagante pour ajouter à l'humour.

✉ 678 Green St 🚌 Bus : 15, 30, 39, 45

MOLINARI'S DELI

De ce traiteur qui existe depuis 1896 émanent les délicieux effluves du *pesto* et de la *mozzarella*, des ravioli faits maison et du salami affiné. Choisissez votre sandwich et allez le déguster à Washington Square (voir p. 85) ou au Vesuvio Café (voir p. 88).

✉ 373 Columbus Ave ☎ 415/421-2337
🚌 Bus : 15, 30, 39, 45

MUSÉE DE NORTH BEACH

Dans ce petit musée intéressant situé sur la mezzanine de l'US Bank, San Francisco et la communauté italienne des débuts prennent vie. On y voit les photos de Telegraph Hill en 1855 (sans la tour Coit) et un déjeuner d'hommes d'affaires en 1914 au Fior d'Italia, plus ancien restaurant italien des USA (1886). Parmi les objets exposés, des chasubles brodées d'or de Saint-Pierre-et-Saint-Paul et le premier journal italien de Californie, *La Parola*, de mars 1865. Mais les témoins les plus émouvants sont les photos des suites du tremblement de terre et de l'incendie de 1906. Un cliché pris par W. E. Worden montre des hommes penchés sur les décombres à la recherche de coffres-forts et d'objets de valeur. Le manuscrit d'un poème de Lawrence Ferlinghetti, *The Old Italians Dying* (les *Vieux Italiens Mourants*) illustre la période *beat*. Sa calligraphie atypique révèle les talents artistiques de l'auteur. Ce poète de North Beach a vécu à Paris et continue à éditer des œuvres et des lithographies.

✉ U.S. Bank, 1435 Stockton St
☎ 415/391-6210 🕐 Fermé dim.
🚌 Bus : 15, 30, 39, 45

SAINT-FRANÇOIS-D'ASSISE

Cette claire église gothique date de 1860 mais la congrégation se réunissait déjà dans une chapelle de brique en 1849. Ce fut la première église catholique romaine de la côte ouest. Saint François (1182-1226 environ), le saint patron de la ville, renonça aux biens de son père et adopta l'idéal de pauvreté. Il vivait en ermite et était gratifié d'illuminations. Il donne le bon exemple aux San-Franciscains qui vivent non loin de lieux silencieux.

✉ 610 Vallejo St 🚌 Bus : 15, 30, 39, 45

UPPER GRANT AVENUE

En allant au nord vers Broadway, les immeubles edwardiens sont occupés par des magasins et des pubs surmontés d'appartements. Le **Saloon** (*1 232 Grant Ave*) sert de la bière depuis 1861. C'est le plus ancien débit de boisson de la ville, qui n'a jamais cessé son activité. Autrefois, il y avait une maison close prospère à l'étage, est-ce pour cela que les pompiers ont sauvé l'immeuble lors de l'embrasement de 1906 ? Jadis, le bar du *1 353 Grant Avenue* était un lieu de réunion *beat* appelé The Coffee Gallery. À quelques pas de Grant, le **101 Basement** (*513 Green St*) conserve 50 000 disques vinyles non classés (c'est la chasse au trésor !), de beaux appareils stéréo vintage et des instruments de musique. L'excentrique **Aria** (*1 522 Grant Ave*) vend des objets choisis, du vestige architectural au saint sculpté.

Après Chestnut St, trottoir est de Grant Avenue, un escalier monte au **parc Jack Early** qui offre une belle vue du Golden Gate jusqu'à Bay Bridge. Les quais sont juste au-dessous. Quand Coit Tower est trop encombrée de voitures et de touristes, la vue est belle aussi depuis ce parc.

🗺 Plan p. 80-81 🚌 Bus : 15, 30, 39, 45 ∎

Cela sent bon chez Molinari Deli, où les gens du quartier trouvent de tout, du basilic au salami.

Telegraph Hill

North Beach grimpe à pic vers Telegraph Hill où soudain la vue s'ouvre sur toute la baie. C'est ce panorama qui poussait les San-Franciscains d'autrefois à escalader cette colline de 86 m pour voir les bateaux passer la Porte d'Or. Après 1850, les arrivées étaient annoncées aux marchands de la ville par un système de drapeaux et sémaphores qui donna son nom à la colline.

La vue spectaculaire explique pourquoi Telegraph Hill fait aujourd'hui partie des quartiers les plus recherchés. Mais jusqu'à ce que la voiture permette aux gens aisés d'y monter, c'était les « cols bleus » immigrés du Chili, du Pérou, d'Irlande et l'Italie qui y logeaient. L'incendie de 1906 détruisit la plupart des maisons, sauf celles du coteau est car les Italiens protégèrent leurs toits de couvertures imbibées de vin rouge pour combattre les flammes.

Coit Tower au sommet de Telegraph Hill.

Jusqu'en 1914, une partie du coteau servait de carrière de ballast, de remblai et de pavés, y creusant une falaise. Dans les années 1920, écrivains et artistes bohèmes s'installèrent à Telegraph Hill, attirés par la vue et les loyers alors bon marché. La construction de la tour Coit, en 1933, fit monter le standing du quartier et les prix grimpèrent, décourageant les artistes.

Au pied de la colline, juste avant Embarcadero, Levi's Plaza a trouvé sa place sur le remblai datant de la Ruée vers l'or, qui renferme au moins l'épave d'un bateau. ■

Filbert Steps

À SAN FRANCISCO, QUAND LE SOL DEVIENT TROP PENTU, LES ESCALIERS remplacent les rues. Il n'en est guère de plus charmants que ceux de Filbert, à l'est de Telegraph Hill.

Filbert Steps

 Voir plan p. 80-81

Bus : 39

La première volée de marches descend de Telegraph Hill Bd à Montgomery St. Les mordus de cinéma reconnaîtront l'**immeuble Art déco de 1936** (*1 360 Montgomery St*) où se cachaient Humphrey Bogart et Lauren Bacall dans *Les Passagers de la nuit* (1947). Notez les bas-reliefs, dont celui d'un marin espagnol à longue-vue.

Arrivé là, vous avez deux possibilités. Soit vous tournez à gauche jusqu'au bout de Montgomery St pour jeter un coup d'œil au **Julius' Castel**, un restaurant à tourelle, rempart et vue romantique. Autrefois, les voitures faisaient demi-tour sur une plaque tournante au bout de cette rue étroite. Soit vous continuez de l'autre côté, jusque Alta St, en tournant à gauche vers l'ancienne **maison d'Armistead Maupin** (*60-62 Alta St, privé*), l'auteur gay des *Chroniques de San Francisco* (1970). Ses histoires se passent dans l'imaginaire Barbara Lane dont certains disent qu'elle est inspirée par Napier Lane (voir ci-dessous) et d'autres par Macondray Lane sur Russian Hill (voir p. 100). Le bout d'Alta St offre une vue vertigineuse.

Sous Montgomery, les Filbert Steps en bois vous conduisent le long des jardins de fougères, de vignes vierges et de fleurs qui ornent les maisons victoriennes. Parmi celles-ci, le 224 Filbert Steps date de 1863 et le 22 était un bar à filles.

Napier Lane est un simple trottoir de bois, l'un des derniers de la ville, bordé de cottages et d'immeubles de la fin du XIXᵉ siècle, où il y a plein de chats. On se demande comment les habitants font pour y descendre les réfrigérateurs et les objets encombrants jusqu'à leurs maisons. Au bas de Filbert, remarquez l'ancienne carrière. On continua d'y extraire des pierres jusqu'à ce que des maisons s'effondrent, après 1906. ■

Les escaliers de Filbert gardent un air rustique dans la ville trépidante.

Coit Tower

UN DES POINTS DE REPÈRE MAJEURS DE SAN FRANSISCO, LA TOUR COIT SE dresse au sommet de Telegraph Hill, au-dessus du Pioneer Park récemment rénové. Ce sont des habitants soucieux de leurs conci-toyens qui achetèrent ce terrain pour 12 000 $ en pièces d'or, en 1876, pour préserver un coin de verdure. La statue de Christophe Colomb qui se dresse au centre du parking a été donnée par la communauté italienne de la ville.

Coit Tower

- Voir plan p. 80-81
- Sommet de Telegraph Hill sur Telegraph Hill Bd
- 415/362-0808
- € (ascenceur)
- Bus : 39

Cette tour de 1933 provenait aussi du legs généreux de 125 000 $ de Lillie Hitchcock Coit (voir p. 96). C'est Arthur Brown Jr, l'architecte en chef de l'hôtel de ville et de l'opéra, qui remporta le concours pour ce mémorial. Il dessina une tour cylindrique de 64 m de haut dotée d'une loggia panoramique au sommet. Lillie Coit admirait particulièrement les pompiers mais, contrairement à ce que dit la légende populaire, cette tour ne représente pas le bout d'une lance à incendie.

Un ascenseur et un escalier mènent au sommet qui offre un panorama splendide sur la ville et la baie, de Marin à Bay Bridge et du Golden Gate au centre-ville. À voir absolument !

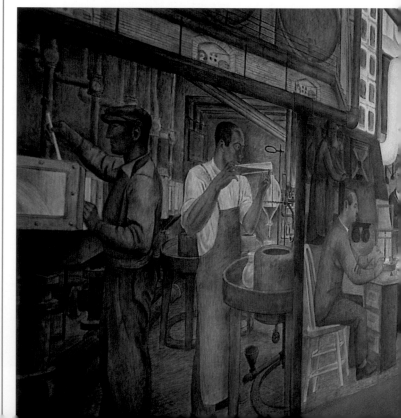

LES FRESQUES

Les murs du hall sont couverts de fresques représentant la vie en Californie en 1934. Elles faisaient partie d'un projet pilote de commandes publiques aux artistes (PWAP) dans le cadre du New Deal, la politique économique qui essayait de sortir le pays de la grande crise. Payés environ 1 $ de l'heure, 25 peintres et leurs 19 assistants reçurent carte blanche pour orner les murs de la tour. Ils firent revivre l'art de la fresque qui s'exécute sur une fine couche de plâtre encore humide qu'on recouvre au pinceau de pigments secs. C'est un travail harassant, un artiste ne pouvant peindre que 1/5e de m^2 par jour, et en cas d'erreur, il faut faire sauter l'enduit.

Les fresques sont d'un style si homogène qu'on les dirait toutes réalisées par le même peintre. Les artistes ont réussi cet effet d'harmonie en utilisant la même palette de tons de terre, dans le style Diego Rivera qui aimait enchevêtrer les sujets.

Elles furent sujettes à controverse car elles n'illustraient pas que des scènes idéales de la vie dans la cité, ses usines et ses champs, mais aussi des symboles politiques de gauche. Sur l'une, un homme lit le *Daily Worker*, un journal communiste. Une autre montre une faucille et un marteau. Ces symboles créèrent une tension particulière à cette époque où une longue grève des débardeurs avait fait deux morts parmi les manifestants syndiqués. Les officiels fermèrent la tour jusqu'à ce que les passions s'atténuent. Finalement, la faucille et le marteau furent retirés.

Une des 19 fresques de la tour Coit, peinte par une équipe d'artistes en 1934, illustre la vie en Californie.

La statue de Christophe Colomb, au pied de la tour Coit, a été offerte par les Italo-Américains en 1957.

Les fresques les plus remarquables sont : *City Life* de Victor Arnautoff, riche de détails : un kiosque à journaux à gauche, un banquier lisant les cours de la Bourse, un homme bien vêtu se faisant voler sous la menace d'une arme dans l'indifférence générale, un agent de la circulation ; *California* de Maxine Albro montre l'abondance agricole de cet État : des horticulteurs, une laiterie, des vergers d'amandiers en fleur et des vignes ; *Library* (*Bibliothèque*) de Bernard Zackeim, représente une salle de lecture où un homme (c'est l'artiste John Langley Howard qui a posé) se saisit du *Capital* de Karl Marx ; *Department Store* de Frede Vidar est l'image du grand magasin typique des années trente, avec ses rayons de vêtements et de jouets, ses vendeurs et deux clientes devant un menu qui propose à déjeuner pour 25 cents ; *California Industrial Scenes* de John Langley Howard représente l'entreprise, notamment celle des puits de pétrole et de la mine, dans ses contrastes les plus cruels de la société technologique : dans leur limousine, les riches automobilistes regardent, pour se distraire, de pauvres immigrants mal fagotés. ■

Lillie Hitchcock Coit

À l'époque des jupons et des dentelles, Lillie Coit fumait le cigare et portait des vêtements d'homme. Loyale supportrice des pompiers, elle aimait jouer au poker et boire du bourbon en leur compagnie. Elle se déplaçait à chaque incendie (et il y en avait souvent à San Francisco). Bref, Lillie était une excentrique comme on les aime.

Elle était encore enfant lorsque sa famille arriva en ville en 1951. Un jour, à 15 ans, elle vit les pompiers volontaires de la Knockerbocker Engine Company n° 5 s'escrimer à faire monter une pompe sur Telegraph Hill pour éteindre un incendie. Sans réfléchir, elle jeta ses livres de classe et courut prendre place dans la cordée en criant aux badauds : « Allez, venez tirer cette corde, tous ! » Cette pompe fut la première à atteindre les flammes.

Les pompiers lui décernèrent le titre de membre honorifique d'Engine Company n° 5. Elle portait un 5 brodé sur tous ses vêtements (sans doute aussi sur ses sous-vêtements). Et elle fut enterrée avec la broche « 5 » qu'elle ne quittait jamais.

Lillie épousa Howard Coit, influent homme d'affaires et banquier. Bien que fortunée, elle se garda de tout snobisme. Elle était très aimée pour son humour et sa tournure d'esprit. Veuve, elle vécut longtemps en Europe puis revint à San Francisco. À sa mort en 1924 – elle avait 87 ans – Lillie légua un tiers de sa fortune à la cité « dans le but d'ajouter à la beauté de cette ville que j'ai toujours aimée ». C'est ce don qui permit d'ériger Coit Tower. ■

Levi's Plaza

LE SIÈGE DE LEVI STRAUSS ET CO FUT CONSTRUIT EN 1982 SUR LE REMBLAI datant de la Ruée vers l'or. Le design de la place rappelle les liens de cette société avec l'industrie minière des canyons californiens.

La disposition en quinconce de ce complexe s'inscrit harmonieusement dans l'étagement des maisons de Telegraph Hill, juste derrière. Sur la place, il y a une jolie fontaine de granit de la Sierra Nevada. Le long de Battery St, l'ancien entrepôt à vin construit en 1903 pour la colonie italo-helvétique est devenu un restaurant.

C'est à San Francisco qu'ont été inventés les jeans Levi's dont les rivets portent les initiales de la ville. Ceux-ci servent à renforcer les poches et furent brevetés par Levi Strauss et Jacob Davis en 1873. Les solides pantalons de denim plaisaient aux mineurs qui, sans doute, surchargeaient leurs poches du précieux minerai.

Dans le hall du siège est présentée l'histoire de la société, ses innovations et sa place dans la culture populaire, notamment grâce aux publicités télévisées diffusées dans le monde entiers. ■

Levi's Plaza et Visitor Center

Voir plan p. 80-81

Filbert St au niveau de Sansome St/Battery St, 1155 Battery St

Bus : 42, 82X

Les résidents du quartier aiment prendre le soleil sur Levi's Plaza (ci-dessus), un complexe au design géométrique (ci-dessous).

Russian Hill

Surplombant les quartiers résidentiels de San Francisco, la sereine Russian Hill (90 m de haut) domine les contreforts de North Beach et de Fisherman's Wharf, ainsi que le front de mer, la tour Coit et le paysage urbain. En fait, Russian Hill possède deux sommets : Hyde St à l'angle de Lombard St, et Vallejo St entre Taylor St et Jones St.

On dit que la colline a été baptisée « des Russes » parce que des chasseurs d'otaries russes sont enterrés à son sommet. En 1847, Jasper O'Farrell y dessina le quadrillage des voies, parmi lesquelles se trouve la rue pavée la plus pentue de la ville (à 31,5 %) : Filbert St, entre Leavenworth et Hyde. D'autres rues qui avaient bonne allure sur le papier étaient trop raides pour être asphaltées. On les aménagea en escaliers, comme Vallejo.

La pente pénible des rues principales, comme Macondray Lane, explique pourquoi si peu de gens habitaient là avant la mise en service du *cable-car* en 1880. Mais Russian Hill n'est pas devenue une enclave réservée à l'élite : ses habitants avaient plus de goût que d'argent pour créer leurs jolies maisons et leurs jardins. En 1890, le pasteur swedenborgien Joseph Worcester y construisit un cottage de bois brut d'une simplicité qui n'avait rien de victorien. Les maisons à bardeaux suivirent et donnèrent à Russian Hill son allure à part.

Dans la deuxième moitié du XIXᵉ siècle, Catherine Atkinson ouvrit chez elle (*1032 Broadway*) un salon littéraire fréquenté par de grands esprits comme Mark Twain, Robert Louis Stevenson et Ambrose Bierce. Elle accueillait également « Les Jeunes », un groupe qui avait pour membres Gelett (*La Vache pourpre*), Burgess et Willis Polk. La poétesse Ina Coolbrith (*1604 Taylor St*) hébergeait des cercles littéraires. Un demi-siècle plus tard, dans la tradition bohème, Jack Kerouac atterrit chez Neal Cassidy (*29 Russel St*) et y écrivit le classique beat *Sur la Route* où Dean Moriarty personnifie l'énergique Cassidy.

Le quartier fut reconstruit après l'incendie de 1906 durant lequel un habitant se mit au piano dans la rue et joua la *Danse macabre*. Par la suite on construisit des immeubles qui obstruaient la vue et firent l'objet de telles protestations qu'en 1974, on aboutit à un moratoire sur les bâtiments dépassant 12 m de haut. Aujourd'hui, Russian Hill est calme et bien entretenue. ■

Un endroit serein où habiter : Macondray Lane sur Russian Hill.

Lombard Street

UNE FARANDOLE DE VOITURES ZIGZAGUE LE LONG DE LA RUE LA PLUS
tortueuse du monde, Lombard St, qui décrit huit virages en épingle
à cheveux en descendant de Hyde St à Leavenworth St.

Les virages serrés aménagés en 1922
réduisaient à 16 % la pente de
Lombard St qui était jusque-là de
27 %. Prenez des photos, comme tout
le monde. Le problème, c'est que
chaque touriste de San Francisco a
envie de descendre cette rue en voiture, créant un embouteillage permanent. Environ 750 000 véhicules par
an font la descente.

On peut aussi emprunter à pied le
trottoir en escalier qui longe la rue
pavée. Comme il ne zigzague pas, on a
tout son temps pour admirer, les maisons et les immeubles qui le bordent.
Au sommet de Lombard St, le carrefour avec Hyde St offre une vue classique de San Francisco qui surplombe
le tracé du *cable-car* jusqu'au front de
mer et Alcatraz.

À ce carrefour, la maison de style
méditerranéen (*1 100 Lombard St*) fut
construite en 1900 par l'architecte
Willis Polk pour la veuve de Robert
Louis Stevenson, Fannie Osbourne
Stevenson. ■

**Des voitures
négocient les
virages de
Lombard St.**

Lombard Street

🅰 Voir carte p. 80-81

🅿 CC : Powell-Hyde,
Powell-Mason ; Bus :
30, 41, 45

Autres lieux à visiter

GREEN STREET

La **maison octogonale Feusier** (*1067 Green St*), commencée en 1859, fut dessinée suivant la recommandation d'un phrénologue qui affirmait que la forme octogonale favorisait la santé (voir p. 151). Le négociant Louis Feusier lui ajouta un étage et un toit à la Mansard vingt ans après. Le bâtiment néo-Tudor de l'ancienne **Engine Company n° 31** (*1088 Green St*) fut construit en 1907.

🅰 Plan p. 80-81 🚌 Bus : 30, 45

MACONDRAY LANE

Seuls les piétons se promènent sur l'étroite Macondray Lane qui est bordée d'arbres, de fleurs et de fougères. Certains disent que c'est la rue qui a inspiré la Barbary Lane d'Armistead Maupin dans les *Chroniques de San Francisco*. Beaucoup de ces maisons datent de la reconstruction après l'incendie de 1906. La seule qui lui ait survécu se trouve au 15-17 Macondray Lane.

🅰 Plan p. 80-81 ✉ Off Jones St, between Green St and Union St 🚠 CC : Powell-Hyde, Powell-Mason ; Bus : 30, 41, 45

SAN FRANCISCO ART INSTITUTE

Perchée à flanc de colline, la plus ancienne école artistique de l'Ouest (fondée en 1871) occupe ce qui ressemble à un monastère espagnol autour d'une cour, dessiné par Bakewell et Brown en 1926.

La **Diego Rivera Gallery** expose une fresque de 1931 où l'artiste mexicain s'est représenté lui-même en train de peindre la fresque des ouvriers américains. Le café de l'école est ouvert aux visiteurs. Il sert des repas bon marché devant une vue à un million de dollars. On a également une jolie vue depuis le toit-terrasse en béton brut de l'annexe.

✉ 800 Chestnut St ☎ 415/771-7020
🚠 CC : Powell-Hyde, Powell-Mason ; Bus : 30

VALLEJO STREET

Sur **Russian Hill Place** (*au bout de Vallejo St*) s'élève une rangée de cottages méditerranéens aux toits de tuiles et décorés de fer forgé, bâtis en 1915 par Willis Polk. En haut des escaliers de la rue, la **maison Williams Polk** (*1013-19 Vallejo St*, privée) s'accroche à la colline. Deux de ses étages donnent sur Vallejo et six derrière. Polk dessina ce duplex à bardeaux en 1892 pour la veuve du fondateur du San Francisco Art Institute.

L'étroit **Ina Coolbrith Park** (*angle Vallejo St et Taylor St*) honore la mémoire d'Ina Coolbrith (1841-1928, voir ci-dessous), la première poétesse lauréate de Californie. Ce petit parc offre une vue sur les collines, la mer et le ciel.

🅰 Map p. 80-81 🚌 Bus : 30, 45 ◼

Ina Coolbrith

Très aimée de deux générations d'écrivains californiens, Ina Coolbrith inspira des admirateurs, tels Mark Twain ou Bret Harte qui laissait entendre qu'il aurait volontiers quitté sa femme pour elle. Le flamboyant poète Joaquin Miller la disait « fille des dieux, divinement grande et encore plus divinement blonde ». Elle entretint une correspondance entre autres avec Henry Wadsworth Longfellow et Lord Tennyson.

Ses amis l'appelaient « la poétesse vierge » car aucun ne savait qu'elle avait été mariée à un acteur. Née Joséphine Smith, nièce du prophète mormon Joseph Smith, elle arriva dans l'Ouest en chariot, en 1852, premier enfant à entrer en Californie par Beckwourth Pass. Elle publia ses premiers poèmes à 11 ans et, un peu avant la trentaine, elle aida Bret Harte à éditer l'*Overland Monthly*. En 1874, elle prit un travail à la bibliothèque publique d'Oakland. Un jour, elle aida un garçon de 12 ans à trouver de la lecture. « J'ai adoré Ina Coolbrith et la Femme à travers elle », raconta-t-il bien plus tard : « Je lui dois ce que je suis et tout ce que j'ai fait de bien ». Il s'appelait Jack London. Isadora Duncan, la danseuse moderne, fit aussi partie de ses protégés. Le salon littéraire d'Ina Coolbrith eut une longue vie et attira bien des écrivains de talent. ◼

Le très populaire Fisherman's Wharf possède quelques « pépites » d'un grand intérêt, comme ses docks et ses bateaux anciens. C'est aussi le point de départ des croisières dans la baie et des visites d'Alcatraz.

Fisherman's Wharf et Alcatraz

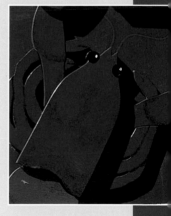

Les fruits de mer sont une des meilleures raisons d'aller à Fisherman's Wharf.

Fisherman's Wharf et Alcatraz

Bien que ce ne soit pas encore écrit dans la loi de l'État, tous les touristes de San Francisco vont à Fisherman's Wharf (*http://www.fishermanswharf.org*) ! Ce sont 11,7 millions de personnes – plus de 35 000 par jour – qui visitent ce tronçon de front de mer très commercial, qui s'étend sur 1,5 km entre le Pier 39 et le parc aquatique. Il y a trois bonnes raisons d'y aller : l'océan, la fascination du mauvais goût et les restaurants de fruits de mer. La nourriture, le shopping et les attractions familiales font de Fisherman's Wharf le lieu touristique le plus populaire, mais aussi le plus vulgaire, de San Francisco.

Les transports en commun vous éviteront les problèmes de stationnement. La ligne de *cable-car* Powell-Mason arrive Bay St, à l'est du quai. Après une promenade en direction de l'ouest, retournez en ville en prenant la ligne Powell-Hyde à l'arrêt Victorian Park.

Vers le milieu du quai, le long de Jefferson St, on trouve les habituels magasins de souvenirs, de t-shirts et de copies d'objets de musée, ainsi que des galeries d'art hors de prix et des vendeurs à la sauvette. Les artistes de rue guettent les passants : un chanteur peut improviser une chanson rap sur vous, ou les statues s'animer si vous jetez un dollar dans leur chapeau.

Mais en regardant au-delà de ce bazar commercial, vous trouverez le *vrai* Fisherman's Wharf : bateaux colorés remisés après la pêche, étals de crabes à déguster en marchant, voiliers anciens amarrés au quai…

L'activité du quai commença en 1853 devant Powell St, lorsque Harry Meiggs fit bâtir le quai Meiggs long de 500 m. Conseiller municipal mais couvert de dettes, « Honest Harry » détourna 350 000 $ et s'enfuit en Amérique du Sud. Il y fit construire la voie de chemin de fer qui traverse les Andes, amassa une fortune de 100 millions de dollars et revint payer ses dettes à San Francisco.

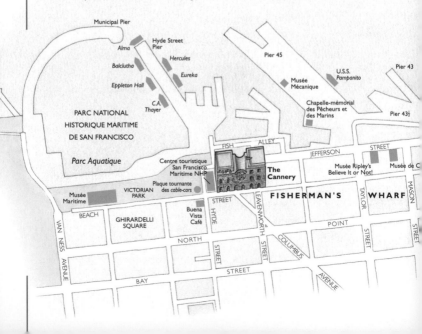

Autour du quai Meiggs, une scierie s'installa puis d'autres entreprises. Les habitants y fréquentaient les bains publics et les saloons, comme le Abe Warner's Cobweb Palace où ils dégustaient leur soupe de crabe sous un plafond festonné de toiles d'araignées : Abe, superstitieux, refusait de faire du mal aux araignées. Il avait un singe qui dérangeait les clients pour obtenir des cacahuètes et un célèbre perroquet qui disait : « Je prends un rhum, et vous ? » Sur Fisherman's Wharf, les attractions pour touristes ne datent pas d'hier !

Ce front de mer vit aussi passer de vrais méchants, comme Scabhouse Johnny et Three Finger Curtin qui « shangaïent » les hommes, c'est-à-dire les enrôlaient de force comme matelots, le plus souvent après un bon coup sur la tête. Les victimes se réveillaient en mer. Les capitaines manquaient désespérément de marins car beaucoup débarquaient à San Francisco pour tenter leur chance au pays de l'or.

La flotte de pêche ne s'amarra à Fisherman's Wharf qu'à partir de 1900. Auparavant, les capitaines préféraient les quais mieux abrités face à Green, Union et Filbert St. Le front de mer se développant, ils prirent leurs habitudes au bas de Taylor St. La pêche était dominée par les immigrants italiens, d'abord arrivés de Gênes, qui avaient couvert la baie de felouques – des bateaux étroits de 5 m, pointus aux extrémités et à voile triangulaire. Les Siciliens prirent le dessus dans les années 1890. Puis, avec l'invention du moteur et des grands filets, la baie et l'océan proche commencèrent à moins donner. Dans les années 1950, la flotte de pêche de San Francisco n'était plus que l'ombre d'elle-même.

Mais le tourisme offrait de belles perspectives. Sur les quais, les étrangers appréciaient les scènes pittoresques des pêcheurs en salopette et marinière réparant les filets avec leurs aiguilles à ramander en bois, ou des goélands dodus volant au-dessus des bateaux aux ponts chargés de poissons et de crabes. Les clients dînaient chez Alioto, le premier vrai restaurant du quai fondé par l'immigrant sicilien Nunzio Alioto en 1938. En 1964, la transformation de l'ancienne chocolaterie Ghirardelli en centre commercial accueillant des restaurants attira encore plus de monde, tout comme son équivalent au Pier 39.

En octobre, les touristes aiment le spectacle de la bénédiction de la flotte de pêche. Juste avant, le portrait de la Madona del Lume (Madone de la Lumière), sainte patronne des pêcheurs, est porté en procession selon la coutume sicilienne, en partant de Saint-Pierre-et-Saint-Paul, l'église des Italiens de North Beach. Ce rite rappelle les traditions profondes qui perdurent derrière le clinquant commercial. En face, l'île d'Alcatraz est accessible en bateau. De 1934 à 1963, elle abritait une prison dont il était impossible de s'échapper. ■

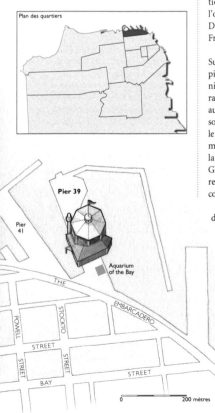

Plan des quartiers

Pier 39

Pier 41

Aquarium of the Bay

THE EMBARCADERO

POWELL STREET

STOCKTO STREET

STREET BAY

STREET

0   200 mètres

Pier 39

Les lions de mer ballottés par l'eau sont l'attraction du Pier 39.

CE COMPLEXE DE MAGASINS, RESTAURANTS ET DIVERTISSEMENTS EST UNE des principales attractions pour touristes de San Francisco, idéalement située au cœur de Fisherman's Wharf.

Pier 39
www.pier39.com

 Voir plan p. 102-103

Beach St sur Embarcadero

415/981-7437

Bus : 15, 39, 42
Tramway : ligne F

The Great San Francisco Adventure

Quai (Pier) 39

415/956-3456

€€

Aquarium of the Bay
www.aquariumofthebay.com

Quai (Pier) 39

415/623-5300

€€€

Construite sur un quai de chargement de 1905, cette simulation d'un village de pêcheurs (1978, Walker and Moody) utilise le bois récupéré sur d'autres quais. Parmi ses attractions, le **San Francisco Carousel** est un manège de chevaux et de chariots à bascule, décoré de 1 800 ampoules clignotantes et de scènes peintes des vues marquantes de la ville. Un film sur grand écran, *The Great San Francisco Adventure,* retrace l'histoire, les paysages et les personnages locaux.

À **l'Aquarium of the Bay**, on passe au milieu des créatures océanes de la baie de San Francisco et de la Californie du Nord dans un tunnel long de 92 m, transparent, traversant des bassins de plus de 3 millions de litres d'eau. On y voit des requins, des raies et d'autres animaux marins. Instructif mais cher.

Certaines attractions sont gratuites. Le **théâtre de plein air** donne un spectacle de jongleurs et de magiciens. ■

Le lion qui aboie

Sur le Pier 39, suivez le bruit vers l'ouest : il vous mène à une colonie de lions de mer qui a élu domicile vers 1990 dans la marina toute proche. Ils se prélassent sur les quais, se roulent les uns sur les autres et c'est un vrai spectacle.

Le week-end, un employé du Marine Mammal Interpretive Center, qui fait des expositions sur le Pier 39, vient parler des lions de mer californiens (*Zalophus californianus*) qui, à la différence des phoques, ont des pavillons auriculaires externes. Ces créatures replètes vivent le long de la côte pacifique et se nourrissent de poisson et de seiches. Elles se réunissent en colonies sur les côtes pour s'accoupler et se reproduire. Les mâles peuvent atteindre 2,50 m de long et se disputent leur territoire en aboyant et en secouant la tête. ■

Croisières dans la baie et ailleurs

POUR VOIR SAN FRANCISCO D'UN REGARD NEUF, FAITES UNE EXCURSION en bateau. Du large, votre regard englobe Fisherman's Wharf, les collines et l'activité du port, et vous observez les îles de près.

La Red and White Fleet de la Golden Gate Bay Cruise écume le front de mer et offre de splendides panoramas sur l'horizon urbain. Elle passe sous le pont du Golden Gate et approche Alcatraz. Les passagers peuvent écouter des informations audio dans six langues différentes.

La Blue and Gold Fleet de la Golden Gate Bay Cruise passe également sous le pont du Golden Gate et va à Sausalito dans le Marin District, à Angel Island ainsi qu'à Alcatraz. Le commentaire arrive en anglais par des haut-parleurs. Cette compagnie fournit un service de ferry pour Sausalito, Tiburon, Alameda/Oakland, Vallejo et Angel Island.

U.S.S. PAMPANITO

Ce sous-marin de classe Balao (1943) effectuait des trajets longue distance dans le Pacifique. En missions de chasse au cours de la deuxième guerre mondiale, il a coulé 6 bateaux japonais et en a touché 4 autres, tout en esquivant les torpilles et en résistant à de lourdes attaques.

Ses 80 hommes d'équipage devaient souffrir de claustrophobie : ce sous-marin opérait à près de 200 m de profondeur. Il était si bondé que certains hommes dormaient dans la salle des torpilles. Imaginez 80 hommes ensemble en mer pendant 2 mois et demi… sans douche.

Un tour audio guidé avec effets sonores, bruits d'époque et récits de vétérans du *Pampanito* vous emmène par les sas étroits et les raides échelles du vaisseau, dans la cambuse (la photo de pin-up qui rappelait leur foyer aux marins U.S. représente Betty Garble), les moteurs et la salle de contrôle, les quartiers des officiers et les logements à torpilles.

Ce sous-marin participa à la bataille de la Mer de Chine et fit couler des bateaux japonais sans savoir qu'ils transportaient des prisonniers de guerre australiens et britanniques. Le *Pampanito* sauva 73 d'entre eux. ■

Red & White Fleet
www.redandwhite.com
✉ Quai (Pier) 43¹/₂
☎ 415/673-2900
€ €€€€
🚡 CC : Powell-Hyde,
Powell-Mason
Bus : 30, 41, 45
Tramway : ligne F

Blue & Gold Fleet
www.blueandgoldfleet.com
✉ Quais (Piers) 39 &
41
☎ 415/705-8200
€ €€€€
🚡 CC: Powell-Hyde,
Powell-Mason
Bus : 30, 41, 45
Tramway : ligne F

U.S.S. *Pampanito*
www.maritime.org/
pamphome.htm
✉ Quai (Pier) 45
☎ 415/775-1943
€ €€
🚡 CC: Powell-Hyde,
Powell-Mason
Bus : 30, 41, 45
Tramway : ligne F

Alcatraz

Alcatraz

⛰ Voir plan
p. 102-103

Ferry de la Blue & Gold Fleet et promenade à pied
www.blueandgoldfleet.com

✉ Quai (Pier) 41
☎ 415/705-8200
€ €€€ (la journée, sans guide)
€€€€ (le soir, avec guide)

L'ÎLE D'ALCATRAZ, DITE « LE ROC », EST LA PRISON FÉDÉRALE DE HAUTE sécurité où étaient détenues les superstars du crime, les délinquants incorrigibles tels qu'Al Capone, George « Machine Gun » Kelly ou le tueur pervers Robert « Birdman » Stroud. Depuis l'île, les prisonniers avaient une vue à transpercer le cœur sur San Francisco l'insouciante. La liberté était à 2 km. Ce pénitencier donne froid dans le dos, mais pas seulement à cause de ses courants d'air glacés.

L'île d'Alcatraz a vécu plusieurs vies : forteresse, prison militaire et pénitencier fédéral de 1934 à 1963, elle a été habitée par des Indiens pendant les années soixante. Aujourd'hui elle n'abrite plus de gibier de potence mais des oiseaux marins, dont des milliers de goélands.

AUTREFOIS

En 1775, le marin espagnol Juan Manuel de Ayala fut le premier Européen à découvrir cette île de 9 ha. Il la baptisa Isla de los Alcatraces (l'île des Pélicans), mais les oiseaux qu'il y avait vus pourraient bien avoir été des cormorans.

À l'embouchure de la baie de San Francisco, la situation stratégique de l'île était idéale pour y placer un fort militaire, ce qui fut entrepris en 1853. On y éleva le premier phare de la côte pacifique l'année suivante. Puis Alcatraz devint une prison militaire pour les sympathisants à la cause confédérée lors de la guerre de Sécession et les Indiens captifs des guerres des années 1870. Après le tremblement de terre de 1906 qui rasa les prisons de San Francisco, les prisonniers civils furent également logés sur l'île.

Gardiens et miradors empêchaient les évasions, tout comme les forts courants glacés de la baie.

PÉNITENCIER FÉDÉRAL

En 1934, l'île fut confiée au nouveau Bureau fédéral des prisons qui souhaitait isoler les plus féroces criminels du pays sous très haute surveillance. La nation combattait alors la vague de forte criminalité qui résultait de la prohibition, de la grande crise de 1929 et des émeutes.

Pour renforcer la sécurité, il y avait du fil de fer barbelé, des miradors, des éclairages, des barreaux d'acier à l'épreuve des outils aux fenêtres, et les portes ne s'ouvraient que par télécommande. Mais la meilleure garantie contre les évasions était l'isolement

À gauche : Alcatraz l'isolée a abrité plus de 1 500 escrocs et gangsters.

de l'île au milieu de la baie, car aucun prisonnier n'aurait survécu aux courants (jusqu'à 9 nœuds) glacés (10°).

Les prisonniers d'Alcatraz rêvaient, bien sûr, d'évasion. Mais sur les 1 545 hommes qui y ont été enfermés, seulement 36 on essayé. Tous furent abattus, repris ou présumés noyés dans la baie glaciale. En 1939, le célèbre « Doc » Barker et quatre acolytes réussirent à quitter leurs cel-

lules. Surpris sur la plage par les gardiens, certains se rendirent, mais Barker s'enfuit dans la brume et fut tué par balles.

En 1962, Frank Morris et les frères John et Clarence Anglin trompèrent les gardiens en faisant croire qu'ils dormaient grâce à des mannequins dans leurs lits (ils avaient modelé les têtes en savon et en béton, et les avaient garnies de cheveux volés chez

Un pont mène au centre des visiteurs, dans les vieux casernements.

Phare

Maison du directeur

Chemin des Agaves

le coiffeur de la prison). Ils s'évadèrent et essayèrent de traverser la baie avec de pauvres gilets de sauvetage faits en imperméables gonflés. On n'en retrouva pas d'autre trace que le portefeuille d'Anglin échoué sur les rives d'Angel Island. Ces hommes, qui se sont vraisemblablement noyés, ont inspiré le film de Clint Eastwood, *l'Évadé d'Alcatraz*, en 1979.

Lors de la dernière tentative d'évasion, deux prisonniers avaient gonflé des gants chirurgicaux volés à l'hôpital de la prison pour essayer de traverser la baie en flottant. L'un d'eux réussit à rejoindre San Francisco où il perdit connaissance devant des enfants qui appelèrent la police.

En 1963, on ferma le pénitencier à cause du coût trop élevé du transport des fournitures et du personnel.

Cellules

Terrain de sport

Château d'eau

Bureau des gardiens

Le corridor de l'enfer : cellules du quartier de haute sécurité.

Maison des gardiens

Casernements

Jetée d'Alcatraz

Six ans plus tard, l'île désertée fut occupée pendant 19 mois par le mouvement « Indiens de toutes les tribus » qui faisaient valoir un traité de 1868 leur attribuant la propriété d'Alcatraz. Ils partirent en 1971, laissant des graffiti « Indian Power » sur la cheminée de la centrale électrique.

VISITER ALCATRAZ

Les ferries de la Blue and Gold Fleet font la navette. Le prix du billet comprend la visite guidée (six langues disponibles) par d'anciens prisonniers et d'anciens surveillants d'Alcatraz. En été et les week-ends de vacances, réservez au moins une semaine à l'avance. Vêtez-vous chaudement. Il y a des visites le soir.

Sur place, une promenade est guidée par le National Park Service avec orientation par vidéo. L'**Agave Trail** (chemin des Agaves) permet de se promener à pied depuis le quai de débarquement sud. Il passe le long d'eucalyptus où nichent des hérons nocturnes à huppe noire, puis longe une colline parsemée d'agaves et redescend vers le rivage où l'on voit des oiseaux de mer. Ce chemin qui traverse une réserve d'oiseaux est fermé au public à la saison de nidification (de mi-février à fin septembre).

DANS LE GRAND BÂTIMENT

Vous découvrez les tristes rangées de cellules, le quartier D (isolement) et la galerie surélevée d'où les surveillants armés montaient la garde, le réfectoire (appelé « chambre à gaz ») et une cellule typique de 4,5 m sur 8.

Les prisonniers étaient enfermés dans les cellules entre 16 et 23 heures par jour et ne devaient pas se parler. Pour communiquer, ils tapaient un code, une sorte de morse, ou mettaient la tête dans les toilettes, se

Prisonniers célèbres

"Scarface" Al Capone
(1899–1947) En 1934, l'arrivée du fameux gangster fit les gros titres. Capone s'installe dans un hôtel des environs et continua de mener ses affaires criminelles à Chicago. Mentalement dérangé à cause de la syphilis, il passa une grande partie de ses quatre ans et demi à Alcatraz dans une cellule d'isolement.

Alvin "Creepy" Karpis
(mort en 1979) Partenaire de la célèbre Ma Barker dans le Midwest, ses impressionnants cambriolages et kidnappings firent des ravages entre 1931 et 1936. Déclaré Ennemi public n° 1, il passa 26 ans à Alcatraz. Il travaillait à la boulangerie de la prison où il chipait de la levure pour brasser de la bière illégale.

couvraient d'une couverture et parlaient par les conduites d'eau. Les prisonniers qui posaient des problèmes allaient en cellule d'isolement et ne la quittaient qu'une fois par semaine pour une douche de 10 minutes. Aller au terrain de sport était une faveur vite refusée. ∎

La cellule typique contenait une couchette et sa couverture, une table pliante et sa chaise, des toilettes, un lavabo et deux étagères.

« J'ai bien l'impression qu'Alcatraz m'a eu » - Alphonse « Al » Capone

George "Machine Gun" Kelly
(1895–1954) Réputé le plus dangereux prisonnier du pénitencier, il fut contrebandier, voleur de banques et kidnappeur. Son procès pour la séquestration d'un riche producteur de pétrole de l'Oklahoma fut le premier à tomber sous la loi Lindbergh et lui valut la condamnation à perpétuité (il fit 17 ans). Kelly fut un prisonnier modèle.

Robert Stroud (1890–1963)
Surnommé l'homme aux oiseaux, il n'eut jamais, en fait, l'autorisation de posséder des oiseaux pendant ses 17 ans à Alcatraz. Il avait étudié l'ornithologie auparavant, au pénitencier de Leavenworth, où il avait assassiné un surveillant devant plus de 2000 autres détenus. Pervers rebelle, Stroud était en isolement. ∎

Pour fuir la ville, partez en bateau de pêche sur la baie.

Autour de Fish Alley

AU CŒUR DE FISHERMAN'S WHARF, LES RESTAURANTS DE FRUITS DE MER de Taylor St et Jefferson St donnent sur les bateaux de pêche colorés amarrés aux quais. Entre les étals de poisson et de soupe, les chaudrons fumants débordent de crabes gros dormeurs (Dungeness) qui seront cassés avant d'être vendus par des commerçants hauts en couleur. Autrefois, pêcheurs et ouvriers venaient à ces étals pour se restaurer d'une soupe à manger sur place. Le cocktail de crabe à emporter fut inventé par Tomaso Castagnola en 1916. La saison du crabe va de mi-novembre à fin juin.

Pêche professionnelle

 Jefferson St entre Taylor & Hyde Sts

CC : Powell-Hyde, Powell-Mason

Bus : 30, 41, 45

Tramway : ligne F

BATEAUX DE PÊCHE

Ce qui reste de la flotte de pêche d'autrefois – des vestiges – est amarré au nord de Jefferson St. La grille entre Taylor et Jefferson laisse voir Jefferson St Lagoon et ses bateaux de style Monterey qui ressemblent aux felouques pointues aux deux bouts que les pêcheurs italiens utilisaient sur cette baie au XIXᵉ siècle, mais qui ont été motorisées et agrandies depuis. Leurs coques blanches rehaussées de frises bariolées font des effets d'aquarelle sur l'eau verte de la baie, comme des taches impressionnistes.

Les bateaux sont chargés de filets, de rouleaux de cordages, de poulies, de seaux de plastique et de gréements variés : on pêche vraiment, ici. La plupart du temps, l'activité se déploie à l'aube, quand les pêcheurs débarquent leurs prises. Ils rapportent 10 000 t par an de calamar, limande, sole, bar, lieu, maquereau et flétan. Le crabe, le saumon, les crevettes et la perche océane sont saisonniers.

EN COULISSES

Pour mieux voir, allez jusqu'au bout de Taylor St puis à gauche, au bout du quai 45. Vous remarquerez la **chapelle-mémorial des Pêcheurs et des Marins**, une simple structure de bois brun.

En plus de la messe catholique du dimanche (la plupart des

Pain au levain

Pour accompagner votre en-cas, votre cocktail de fruits de mer ou votre soupe de clams chaude, prenez du pain au levain (*surdough bread*) – bon plan : la Boudin Bakery (*156 Jefferson St*). En 1849, le Français Isidore Boudin fit le premier pain au levain de San Francisco avec de la farine non raffinée, de l'eau, du sel et un ferment de départ. Le ferment que cette boulangerie utilise encore aujourd'hui provient de la première fournée de Boudin. Tous les jours, on ajoute à la pâte du levain de la fournée de la veille, ce qui la fait lever et l'acidifie sans avoir besoin de levure. Les San-Franciscains disent que les micro-organismes de ce levain ne peuvent s'épanouir que dans leur cité brumeuse et que le *vrai* pain ne peut provenir que de chez eux. Quoi qu'il en soit, ce croustillant pain au levain appartient à San Francisco au même titre que le *cable-car* ou le pont du Golden Gate. ■

pêcheurs sont d'ascendance italienne), des offices sont dits pour les autres nationalités et obédiences. Profitez d'être par là et jetez un coup d'œil au Pier 45 où les gros bateaux sont amarrés. Vous y verrez aussi des lions de mer affamés et des goélands.

Pour mieux explorer cette zone active de Fisherman's Wharf, retournez à Jefferson St et marchez vers l'ouest. Juste après Castagnola, tournez à droite (en face de Jones St), puis prenez à gauche au bord de l'eau : vous verrez d'autres bateaux de pêche. Au bout de ce pâté, **Fish Alley** recueille chaque matin la pêche du jour. Regardez puis tournez à gauche vers Richard Henry Dana Place et Jefferson St : vous êtes de retour dans le grand bazar touristique. ■

Plus très nombreuse mais toujours pittoresque, la flotte de pêche est amarrée aux quais.

Les musées de Jefferson Street

À JEFFERSON ST, DEUX MUSÉES ONT ÉTÉ CONÇUS POUR L'AMUSEMENT DE toute la famille. Seuls ceux qui aiment ça y trouveront leur compte…

Jefferson Street
🗺 Voir plan
p. 102-103
🚌 Bus: 32
Tramway : ligne F

Musée Ripley's Believe It or Not!
www.ripleysf.com
✉ 175 Jefferson St
☎ 415/771-6188
💶 €€€

Wax Museum
www.waxmuseum.com
✉ 145 Jefferson St
☎ 800/439-4305
💶 €€€

Robert Hugues pesait 486 kg quand il mourut à 32 ans. Son personnage (ci-dessus) est visible au musée de Cire (ci-contre).

Le musée **Ripley's Believe It Or Not!** reprend l'idée de base de la célèbre bande dessinée commencée par Robert Ripley en 1918 et montre des curiosités du genre « incroyable mais vrai ».

Environ 300 objets y sont exposés ou reproduits, dont un dinosaure fait en pare-chocs de voitures, une tête réduite d'Indien de l'Équateur, un tunnel rotatif à traverser, un portrait de Van Gogh fait de 63 tranches de pain grillées, des sauterelles habillées jouant au billard, la statue de cire d'un Chinois qui avait deux pupilles à chaque œil, ainsi qu'un *cable-car* laborieusement fabriqué avec 270 836 allumettes – et 21 flacons de colle – par un homme atteint d'arthrose aiguë. Le dessinateur Ripley était lui aussi une curiosité : il possédait plusieurs automobiles de luxe mais ne savait pas conduire. Il portait toujours un peignoir chinois pour dessiner et laissait les écureuils s'ébattre sur sa planche à dessin.

Au **Wax Museum** (musée de Cire), Mohammed Ali croise John Lennon parmi les 250 mannequins de cire représentant des héros du sport, de la politique, de la religion et du cinéma (Marilyn Monroe et Leonardo DiCaprio). Frankenstein hante la salle des horreurs à côté du Palais des arts vivants qui reconstitue des tableaux célèbres. ∎

The Cannery

Ce complexe de restaurants et de magasins a été parmi les premiers à émerger du mouvement de réhabilitation d'anciens bâtiments industriels. À l'origine une des usines de la California Fruit Canners Association (conserverie de fruits), sa marque Del Monte occupait la plus grosse entreprise de pêches en conserve du monde avec 200 000 boîtes soudées à la main vendues par jour. Cette usine ferma lors de la grande crise de 1929. En 1968, le projet conserva la structure de brique et redessina l'espace pour y aménager magasins, escaliers et passerelles extérieures.

The Cannery
www.thecannery.com
🅰 Voir plan
   p. 102-103
✉ 2801 Leavenworth St
☎ 415/771-3112
🚋 CC : Powell-Hyde,
   Powell-Mason
Bus: 30, 47
Tramway : ligne F

Au premier niveau du bâtiment restauré, vous trouvez des vêtements chics, des cadeaux, du cristal, le meilleur de la musique du monde entier, de l'artisanat russe, des chocolats fins, des nounours et autres objets amusants.

Vous pouvez boire un verre dans la cour en regardant les artistes de rue qui jouent la comédie, font de la musique ou jonglent. L'étage du haut offre un large panorama sur la baie. L'intérieur du **Jack's Cannery Bar** est décoré de boiseries anglaises en chêne du XVIIᵉ siècle et d'une cheminée sculptée qui proviennent d'un manoir conçu par l'architecte anglais Inigo Jones (1573-1652). Ces éléments faisaient partie de la collection de Randolph Hearst.

Il y a désormais un marché paysan à Cannery (*ven. et sam.*), qui imite les places de marché européennes. Sous des toiles bariolées, les marchands proposent fruits et légumes bio, poisson, fromage et pain tout frais.

Certains dimanches, une foire aux antiquités qui rappelle les Puces de Paris réunit des marchands de meubles, de tableaux anciens et d'objets haut de gamme. En été, un festival de cinéma a lieu dans la cour dont la scène est souvent occupée, le reste du temps, par des artistes de rue. ∎

Un extérieur restauré de Cannery.

Les artistes de rue

Comme le reste de Fisherman's Wharf, The Cannery est une succession de musiciens, jongleurs, magiciens, mimes et autres amuseurs (mais les mimes sont-ils *vraiment* amusants ?). Un des pionniers du genre fut le « Juke-box humain » dans les années soixante-dix : les promeneurs passaient devant un gros carton et, s'ils glissaient une pièce dans la fente, un type ébouriffé en jaillissait, sortait sa trompette et jouait la chanson demandée. C'était plus cher si l'on demandait *I Left My Heart in San Francisco* parce que l'artiste en avait assez de la jouer sans arrêt ! ∎

Hyde Street Pier

L'ÉPOQUE ROMANTIQUE DE LA MARINE À VOILE RETROUVE VIE GRÂCE AUX bateaux amarrés au quai en bois de Hyde St. Autrefois, il servait d'embarcadère, mais il fait désormais partie du Parc historique maritime national de San Francisco. Les vaisseaux sont la fierté du Maritime Museum, dont le bâtiment principal se trouve deux pâtés de maisons plus loin vers l'ouest, à Aquatic Park.

Centre touristique
www.nps.gov/safr

🗺 Voir plan
p. 102-103

✉ 499 Jefferson St
angle de Hyde,
dans Hôtel
Argonaute

☎ 415/447-5000

🚋 CC : Powell-Hyde,
Powell-Mason
Bus : 15, 30, 41, 45
Tramway : ligne F

Hyde Street Pier

🗺 Voir plan
p. 102-103

✉ Au pied de Hyde St

☎ 415/447-5000
www.nps.gov/safr

€ €€ (pour visiter les
bateaux anciens)

🚋 CC : Powell-Hyde,
Powell-Mason
Bus : 15, 30, 41, 45
Tramway : ligne F

Musée maritime
www.nps.gov/safr

✉ Aquatix Park, 900
Beach St angle
Polk St

☎ 415/561-7100

🚋 CC : Powell-Hyde,
Powell-Mason
Bus : 15, 30, 41, 45
Tramway : ligne F

Aux premiers temps de San Francisco, tout et tout le monde arrivait par la mer. Pendant la Ruée vers l'or, les grands voiliers passaient la Porte d'Or, chargés de passagers pleins d'espoir arrivant de la côte Est après un voyage de 27 000 km par le cap Horn. En 1850, le record de vitesse était de 89 jours pour le voyage depuis New York. Dans les années 1870, les bateaux chargés de blé partaient de San Francisco pour l'Europe. Pour traverser la baie vers ses points est et nord, les voyageurs prenaient le ferry, seule possibilité avant la construction de Bay Bridge et du Golden Gate Bridge.

LE *BALCLUTHA*

Parmi les cinq vaisseaux d'époque qui se visitent, la principale attraction de ce quai est le *Balclutha*, un navire gréé en carré et à coque d'acier. Sa fière coque, ses trois mâts et ses accessoires en laiton évoquent la période glorieuse de la marine à voile. Construit en Écosse en 1886, ce bateau de 92 m de long était un cargo qui, en 17 voyages autour du cap Horn, amena du charbon et du whisky d'Europe et y emporta du blé de Californie. De 1902 à 1930, il servit pour la pêche au saumon d'Alaska, transportant hommes et marchandises vers le nord et ramenant le poisson en conserve. Ses affectations suivantes furent tragicomiques : après avoir participé au film *Les Mutinés du Bounty* en 1934, il fut employé comme bateau pirate par un organisateur de croisières sur la côte Ouest. Finalement, le *Balclutha* termina sur la vase de Sausalito, de

l'autre côté du Golden Gate Bridge. Le musée maritime de San Francisco le sauva en 1954 et le restaura grâce à 13 000 h de travail bénévole.

La cabine du capitaine est très XIXᵉ siècle, avec ses placards d'érable, son bar à alcools suspendu au plafond et ses sièges confortables qui contrastent avec les couchettes de bois dur du château avant, destinées aux simples matelots. Sur le bateau, vous découvrirez du matériel nautique et une évocation historique. Dans la cale, un diaporama fait revivre une conserverie de saumon en Alaska.

AUTRES BATEAUX D'ÉPOQUE

Ne manquez pas la plus grande structure flottante en bois du monde : l'*Eureka*, un ferry à roue latérale de 1890, de plus de 90 m de long. Il avait un moteur à vapeur haut comme 4 étages et pouvait transporter jusqu'à 120 automobiles et 2 300 passagers entre San Francisco et Sausalito. Sur le pont inférieur sont exposées des autos des années vingt et trente, époque où le ferry était le seul moyen de traverser la baie car on n'avait pas encore construit de pont.

On peut aussi visiter l'*Alma* (1891), la dernière goélette de la baie de San Francisco, qui transportait du foin et du bois, ainsi que le remorqueur à vapeur *Hercules* de 1907. L'*Eppleton Hall* est un remorqueur à aube anglais de 1914, un bateau à roue latérale et à vapeur qui remorquait les vaisseaux chargés de charbon. Revenu de restauration au début de 2006, le *C.A. Thayer* est la

dernière goélette commerciale de la côte Ouest (1895).

MUSÉE MARITIME ET CENTRE TOURISTIQUE

(*Fermé jusqu'en 2009 pour travaux.*) Réputé pour sa ligne moderne, ce musée ressemble à un paquebot des années trente ancré à Aquatic Park : il a trois ponts, ses fenêtres sont des hublots et ses verrières, des panneaux d'écoutilles. Il a été construit par le Works Projects Administration pour servir de casino à l'Aquatic Park (1939) et d'établissement de bains avec plage artificielle. De cette époque, il reste des fresques représentant la vie sous-marine (Hilaire Hiler)

et des décorations d'ardoise verte sculptée autour de l'entrée (Sargent Johnson).

Parmi ses trésors, des figures de proue sculptées, des maquettes de bateaux à voile et à vapeur, un harpon à baleine explosif, des objets sculptés dans l'ivoire ou l'os de baleine, l'ancre du premier vaisseau de guerre américain (l'*Independance*, 1812) et la plus ancienne photo connue de San Francisco, un cliché de 1849 représentant des bateaux à l'ancre.

Le **centre touristique**, dans l'entrepôt en brique Haslett (1907), donne des renseignements et expose des objets. ■

Vue vertigineuse du haut d'un des mâts du Balclutha, magnifique vaisseau de la collection maritime du Hyde Street Pier.

Ghirardelli Square
www.ghirardellisq.com

 Voir plan
p. 102-103

✉ Entre Polk St et
Larkin St, Beach St
et North Point

☎ 415/775-5500

 CC : Powell-Hyde
Bus : 10, 19, 41, 45
Tramway : ligne F

Ghirardelli Square

EN 1964, LA VIEILLE CHOCOLATERIE GHIRARDELLI FUT TRANSFORMÉE EN place de marché d'opérette où se côtoyaient magasins et restaurants – un concept qui devait inspirer beaucoup de projets de restauration urbaine par la suite, comme Faneuil Hall Marketplace à Boston. Ce complexe à étages multiples offre de superbes vues sur la baie. Il est facile de s'y promener en suivant les plaques incrustées dans le sol.

L'histoire commence quand Domingo Ghirardelli, fils d'un célèbre chocolatier de Rapallo en Italie, arrive à San Francisco en 1852 et commence à y fabriquer du chocolat. Il apprend surtout à séparer le beurre de cacao du chocolat et à en moudre le résidu (le tourteau) pour obtenir une poudre délicate qui s'utilise pour la pâtisserie et les entremets, ainsi que pour le chocolat chaud. En 1885, sa société vendait 23 t par an de ce chocolat en poudre.

En 1893, pour accueillir leur affaire en pleine expansion après la retraite de Domingo, ses fils achetèrent ce pâté de maison où étaient implantés les tis-

sages Pioneer Woolen Mill (1864) et le convertirent en chocolaterie.

Avec l'aide de l'architecte William Mooser II, ils construisirent le bâtiment Mustard et quelques autres autour d'une cour où les ouvriers pouvaient déjeuner les jours ensoleillés.

L'énorme panneau Ghirardelli (7,60 m de haut et 50 m de long) a été installé en 1915 et, depuis, a toujours accueilli les bateaux qui entrent dans la baie de San Francisco (sauf à l'époque du black-out de la Deuxième Guerre mondiale).

La pittoresque **tour de l'Horloge** quadrangulaire (1916) est inspirée de celle du château de Blois. Lors de sa restauration, l'architecte paysa-giste Lawrence Halprin a créé un éclairage qui fait ressortir ses contours. Elle est ainsi devenue un élément charmant de l'horizon nocturne de San Francisco.

En 1962, la chocolaterie Ghirardelli a déménagé dans des bâtiments neufs, abandonnant le site ancien aux promoteurs immobiliers qui l'auraient démoli pour en faire des logements. William Matson Roth, armateur héritier de l'empire Matson, a racheté l'usine pour laquelle il avait des projets : il a conservé les murs de brique extérieurs et les parquets de bois de l'intérieur, puis ajouté des bâtiments, des pavillons fantaisie et des terrasses paysagées. ■

Au Ghirardelli, on goûte à l'Alcatraz Rock : une route pavée sur une île de glace à la vanille voguant sur un océan de crème fouettée parsemée d'éclats de noisette, dans une coque de chocolat Ghirardelli.

L'intemporel Buena Vista Café où l'on dégusta le meilleur irish coffee des États-Unis.

Autres lieux à voir

BUENA VISTA CAFÉ

C'est un bar classique, avec baies vitrées et sol carrelé. Le bâtiment edwardien date de 1911 mais ce n'est pas pour cette raison qu'il est considéré comme historique. En 1952, le chroniqueur irlandais Stanton Delaplane, tout droit rentré d'Irlande, y entra avec à la main la recette de l'irish coffee, que le Buena Vista Café fit connaître aux Américains. De nos jours, les barmen composent douze verres ou plus à la file et c'est tout un spectacle à regarder. En une seule dose, l'irish coffee fournit sucre, caféine, alcool et matière grasse. Que demander de plus ?

✉ 2765 Hyde St ☎ 415/474-5044
🚇 CC : Powell-Hyde, Powell-Mason ;
Bus : 15, 30, 41, 45 ; Tramway : ligne F

MUSÉE MÉCANIQUE

Il ressemble aux anciennes galeries de machines à sous, avec près de 200 jeux anciens, machines à dire la bonne aventure ou à tester la force, *peep shows* ou orchestres d'automates (orchestrions). Parmi les dioramas mécaniques, il y a celui d'un carnaval si finement détaillé qu'on dirait un petit film à effets spéciaux, et celui d'une ferme à 150 silhouettes mobiles. Les jeux marchent avec des pièces, alors n'oubliez pas vos *quarters* (25 cents) !

🅰 Plan p. 102-103 ☎ 415/346-2000,
www.museemecanique.com 🚇 CC : Powell-Hyde, Powell-Mason ; Bus : 30, 41, 45 ;
Tramway : ligne F

VICTORIAN PARK

Bien net et ordonné sur plus de 2 ha, le parc Victorian est orné de réverbères et de bancs à l'ancienne. Impossible de croire qu'il a été créé en 1960 ! Vous pouvez y reposer vos os fatigués après avoir déambulé à Fisherman's Wharf. Prenez le temps d'admirer ses fleurs avec la baie de San Francisco en arrière-plan.

🅰 Plan p. 102-103 ✉ Hyde St et Beach St
🚇 CC : Powell-Hyde ; Bus : 15, 30, 41, 45 ■

À l'ouest de la marina avec ses bateaux et ses espaces verts, la côte s'incurve autour des San Francisco Headlands. Elle est parsemée de bâtiments anciens, de merveilles architecturales et d'attractions culturelles le long d'un bord de mer accidenté.

La Marina et au-delà

Au vieux fort de la ville.

La Marina et au-delà

UN QUARTIER CHARMANT ET REMARQUABLEMENT PEU URBANISÉ DE SAN FRANCISCO S'ÉTIRE vers l'ouest le long de la baie, à partir de Marina District jusqu'au Presidio, puis dépasse le Golden Gate et atteint l'océan Pacifique.

MARINA DISTRICT

Ce quartier délimité par Lombard St et la baie, Van Ness Ave et le Presidio, possède un petit air méditerranéen, avec sa brise marine, ses voiliers, ses maisons aux couleurs pastel et souvent de style néoméridional (arcades et toits de tuiles).

Malheureusement, elles sont bâties sur un terrain instable, comme on l'a vu lors du tremblement de terre de 1989, quand beaucoup se sont effondrées. Elles sont situées sur le remblai accumulé lors des travaux de l'Exposition internationale Panama-Pacific de 1915. Les mares de vase y avaient été remplies de terre, de sable et, ironie du sort, de gravats datant du séisme de 1906. Ce mélange s'est littéralement liquéfié lors du tremblement de terre de 1989.

Les sites intéressants de la Marina sont l'ancien poste militaire d'Upper Fort Mason et les musées et théâtres du Centre Fort Mason. Sur les pelouses, les gens promènent leur chien, font voler leur cerf-volant et courent pour faire fondre leurs kilos superflus. Le port de plaisance est fermé par une jetée.

Au bout se trouvent des orgues marines, une sculpture scientifique dont les tuyaux submergés gargouillent et produisent une véritable musique aquatique.

À l'ouest de Fillmore, Chestnut St est très vivante avec ses magasins et sa vie nocturne. À l'extrémité ouest de la Marina se dresse le dernier vestige de l'exposition de 1915 : le Palais des Beaux-Arts. Derrière sa rotonde, l'Exploratorium est un musée des Sciences original où l'on fait toutes sortes d'expériences.

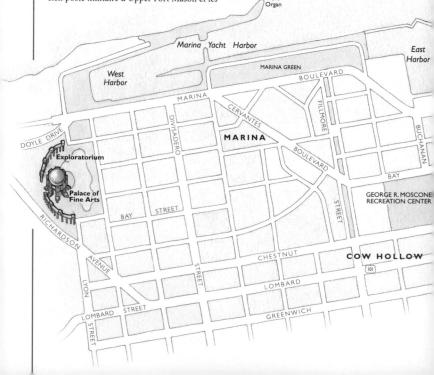

LE PRESIDIO

Le fort Presidio, bâti sur un site densément boisé, date des fondateurs espagnols de San Francisco (1776). Il est ensuite devenu un poste militaire américain. Démilitarisé, il est aujourd'hui un musée à ciel ouvert de l'architecture américaine du milieu du XIXe siècle.

Le spectaculaire golf de Lincoln Park.

Tout au bout du Presidio, le pont du Golden Gate marque l'ouverture de la baie. Merveille d'ingénierie, ce pont à suspension de 1937 est un chef-d'œuvre du design Art déco

LA CÔTE PACIFIQUE

Suivez la côte au-delà du Presidio pour atteindre la zone très résidentielle de Sea Cliff, la plage abritée de China Beach puis Lands End où le chemin côtier zigzague entre les bois et la falaise, et descend vers des plages secrètes (attention à la marée montante). L'entrée de la Porte d'Or est gardée par un phare rouge et blanc, Mile Rock. Le California Palace of the Legion of Honor est dans Lincoln Park. Il expose une jolie collection d'art européen et sert de bel arrière-plan au golf de ce parc.

Face au couchant, Cliff House continue de servir boissons et repas comme elle le fait depuis 1863, sous diverses formes. Au large, les lions de mer se roulent sur les rochers dans la lumière du soir. ■

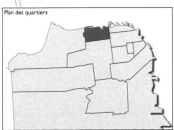

Fort Mason

Fort Mason

🅰 Voir plan
p. 122-123

✉ Marina Bd, angle
Laguna St

🚌 Bus : 22, 28, 30,
42, 47, 49

**GGNRA
headquarters**
www.nps.gov/goga

✉ Fort Mason,
Bldg 201

☎ 415/561-4700

**Fort Mason
Center**
www.fortmason.org

☎ 415/441-3400

CET AVANT-POSTE CHARGÉ D'HISTOIRE ET DE CULTURE OCCUPE 36 HECTARES entre Marina Green et le Parc aquatique. Il est composé de deux aires principales : Upper et Lower Fort Mason.

UPPER FORT MASON

Cette zone est située sur un escarpement qui surplombe la baie (*entrée par Bay St et Franklin St*). C'était le poste militaire stratégique des Espagnols qui y avaient installé cinq canons de bronze en 1797, pour protéger l'anse des envahisseurs. Mais ils ne tirèrent jamais sur un ennemi.

Après l'entrée de la Californie dans les États-Unis en 1850, ce site devint une réserve militaire. Mais certains civils nantis l'occupèrent illégalement et y bâtirent et vendirent des maisons qui ne leur appartenaient pas. Il reste plusieurs de ces **maisons de squatters** de style néogothique à l'est de Franklin St.

Ce quartier était appelé Black Point (*le Point noir*) à cause d'un buisson de lauriers qui faisait une tache sombre sur la falaise. Pendant la guerre de Sécession, l'armée de l'Union chassa les squatters et bâtit Black Point Battery. Une partie a été restaurée, avec des murs de brique de 1,20 m de haut et un canon capable d'envoyer des boulets de 56 kg à plus de 3 km.

L'ancien hôpital de la guerre de Sécession est devenu une auberge de jeunesse (*tél. 415/771-7277*). **McDowell Hall** (1886) logeait les généraux puis devint le club des officiers. Le fort fut rebaptisé en 1882 du nom du colonel Richard Mason, premier gouverneur de Californie. Après le tremblement de terre et l'incendie de 1906, la pointe se couvrit de tentes de réfugiés. On rasa les bâtiments militaires pour dessiner la grande prairie, un lieu de plein air où pique-niquer et prendre le soleil. En 1972, Fort Mason entra dans le **GGNRA** (Golden Gate National Recreation Area : Centre de loisirs national du Golden Gate) dont le siège est l'ancien hôpital militaire. On y trouve des renseignements sur le GGNRA et les parcs nationaux de l'Ouest.

Un chemin de 6,4 km, la Golden Gate Promenade, va du Parc aquatique à Fort Point en reliant ses deux sections au niveau de Fort Mason.

LOWER FORT MASON

Situé sur le front de mer (*entrée par Marina Bd à Buchanan St*), il représentait entre 1910 et 1963 le cœur du plan maritime de guerre. Pendant la deuxième guerre mondiale, ses quais et ses entrepôts expédiaient 24 h sur 24 un flux continu d'hommes (plus de 1,6 million) et de fournitures dans la zone Pacifique (23,5 millions de tonnes de chargement).

Les quais et les entrepôts ont été transformés en un centre culturel vivant : **Fort Mason Center** (voir p. 142). Siège de 40 associations à but non lucratif, il propose des activités artistiques et des festivals. Les programmes sont disponibles à **Fort Mason Foundation** (*bât. A*). ∎

Lower Fort Mason : un centre culturel avec vue.

Marina Green

Marina Green
🅰 Voir plan
p. 122-123
🚌 Bus : 22, 28, 30

C'EST LE TERRAIN COMMUNAUTAIRE DE MARINA DISTRICT, ENVIRON 4 hectares de promenade en front de mer qui vont de Scott St à Webster St.

À l'origine un marais remblayé pour l'exposition de 1915, Marina Green est devenu le lieu où voir et être vu. Les jeunes San-Franciscains aisés y promènent leur chien, y prennent le soleil et y font leur jogging. Le panorama sur la baie y est spectaculaire et on y voit voler des cerfs-volants bariolés.

Le port de plaisance est fermé par une jetée où se trouve le très select St Francis Yacht Club, de l'architecte Willis Polk. Au bout de la jetée, la sculpture des **orgues marines** est constituée de tuyaux sous-marins dont le gargouillis ressemble à de la musique quand la mer y entre. ■

Promenade ou sieste à Marina Green (ci-dessus), et balade à vélo sur la Golden Gate Promenade (ci-dessous).

Centre national de loisirs du Golden Gate

Le Golden Gate National Recreation Area (GGNRA), qui s'étend aux quatre points cardinaux autour de la Porte d'Or, est un groupe de parcs supervisé par le service des Parcs nationaux. Il couvre 31 ha de sites naturels et historiques, des bois de séquoia aux forts anciens. Il comprend Alcatraz, le front de mer (Fort Mason, Crissy Fields, Fort Point, le Presidio), les Headlands (avec les plages de Baker et de China, Lands End, Cliff House) et la côte Pacifique (Ocean Beach, Fort Funston).

Après le pont du Golden Gate, le GGNRA comprend les Headlands de Marin (East Fort Baker et les vallées de Rodeo, Gerbode et Tennessee) et la côte ouest de Marin (Muir Woods, Muir Brach, Stinson Beach, Bolinas Ridge, Olema Valley). ■

Palace of Fine Arts
www.palaceoffinearts.org

⛰ Voir plan
   p. 122-123
✉ 3301 Lyon St
🚌 Bus : 22, 28, 30, 41, 43, 45

Palace of Fine Arts

DERNIER VESTIGE DE LA BELLE EXPOSITION INTERNATIONALE PANAMA-Pacific de 1915, le Palace of Fine Arts se reflète dans un lagon naturel. Son architecte Bernard Maybeck voulait qu'il évoque « la fugacité de la grandeur et la vanité des désirs humains. Une ruine grandiose et classique dont le cloître ne renfermerait rien… »

D'une certaine manière, l'architecte a réussi à créer une émotion vive et concrète. Influencé par les gravures XVIIIe siècle de l'artiste italien Giovanni Piranesi, il a dessiné une rotonde octogonale à arches romanes, surmontée d'un dôme de 49 m de haut, ainsi qu'une puissante colonnade corinthienne et une galerie d'exposition.

Ce palais n'était pas conçu pour durer. Sa structure de bois était recouverte d'un mélange de fibres et de plâtre appelé « staff » qui pouvait être moulé à volonté mais ne tenait pas longtemps malgré son apparence de travertin ancien. Les San-Franciscains aimaient tant ce palais qu'à la fin de l'exposition, ils insistèrent pour qu'on ne le démolisse pas comme les autres bâtiments. Mais avec le temps, les murs s'étaient fissurés et les statues, descellées de leur piédestal. Au milieu des années soixante, on démolit donc le premier palais pour le reconstruire en béton et acier. En 1969, la galerie d'exposition ressuscita en tant que musée expérimental, l'Exploratorium. ∎

La rotonde et les colonnes du Palace of Fine Arts se reflètent dans l'eau, ce qui ajoute à son romantisme.

L'Exposition internationale Panama-Pacific de 1915

Cette foire célébra publiquement l'ouverture du canal de Panama mais fit surtout savoir au monde que San Francisco s'était relevée des ruines de 1906. L'exposition se tint dans l'actuel Marina District où plus de 250 ha de marécage avaient été remblayés. Les architectes et les paysagistes créèrent une ville de conte de fée dont les murs teintés de rose nacré faisaient ressortir le ravissant style Beaux-Arts. Le pavillon de l'Oregon était un temple grec à colonnes de séquoia. Le Hall des machines était si grand que l'aviateur Lincoln Beachey put le traverser en avion. Dans la Zone de la joie, toujours bondée, les visiteurs découvraient une maquette animée du canal de Panama qui occupait plus de 2 ha.

Mais le chef-d'œuvre incontestable était la tour des Joyaux, haute de 132 m. Cent mille miroirs et perles de verre coloré en gainaient l'armature. Plus de 19 millions de visiteurs vinrent admirer les merveilles de l'exposition. ∎

Exploratorium

On l'a aussi bien traité de galerie de jeux du savant fou et d'amusette scientifique, que de « meilleur musée des Sciences du monde » (*Scientific American*). Cet ancêtre des musées pratiques a été fondé en 1969 par Franck Oppenheimer, le frère de J. Robert, « père » de la bombe atomique. Si cette bombe représente une dérive obscure de la science, l'Exploratorium apporte un côté plus lumineux car il permet à tous de comprendre comment fonctionne le monde. « Dans un musée, personne n'est recalé », disait Oppenheimer. Ici, il y a plus de 600 objets dont on peut tourner les boutons et pousser les manettes. Les exclamations et les rires fusent de partout – et ce ne sont pas que les enfants qui s'amusent : 60 % des 3,5 millions de visiteurs annuels sont des adultes.

Le thème principal du musée est la perception humaine qu'on peut explorer grâce aux objets exposés. Un appareil colore l'air à grands coups de pinceau avec les couleurs du soleil ; dans une salle, les gens semblent grandir ou rétrécir. Le « Pitch Swich » (échangeur vocal) transforme votre voix en un criaillement d'écureuil ; dans le **Dôme tactile** géodésique il fait absolument noir et on doit retrouver son chemin à travers des pièces à textures variées, en se guidant seulement au toucher. C'est l'œuvre de l'architecte August Coppola, frère du réalisateur Francis Ford Coppola.

L'Exploratorium excite la créativité en même temps que l'intellect. Oppenheimer disait : « Les artistes et les scientifiques nous aident à appréhender et à apprécier les choses naturelles que nous ignorons ou n'avons jamais appris à regarder. » ∎

À l'Exploratorium, adultes et enfants apprennent à voir les choses différemment.

Exploratorium
www.exploratorium.edu

✉ Derrière le Palace of Fine Arts

☎ 415/561-0360 ou 415/561-0362 (réserver pour le Dôme tactile)

🕐 Fermé lun., sauf certaines vacances

€ €€ ; gratuit 1ᵉʳ mer. du mois

🚌 Bus : 22, 28, 30, 41, 43, 45

Le Presidio

www.nps.gov/prsf/home.htm

🗺 Voir plan
    p. 122-123
✉ Après Lincoln Bd
☎ 415/561-4323
🚇 Bus : 28, 29, 43,
    82X

Le Presidio

Au nord-ouest de San Francisco s'étend un havre de 600 hectares de forêts, de prairie et de falaises, un vrai miracle au regard de l'urbanisation. On y trouve des pistes de randonnée, des plages et certaines des vues les plus magnifiques des USA. Le Presidio est un musée de plein air à l'architecture XIXᵉ siècle qui comprend 477 structures historiques.

Vue du Presidio.

par des murs de brique. Ainsi naquit cet avant-poste qui ne tira jamais un seul coup de feu sur l'ennemi. Il reste aujourd'hui un fragment de mur de brique de la résidence du *commandante* (1791) à l'intérieur du club des officiers.

Quand San Francisco fut devenue une ville américaine importante après la Ruée vers l'or, l'armée des Etats-Unis conserva le Presidio pour défendre la riche Californie. Elle bâtit Fort Point sur les ruines du Castillo de San Joaquin, la batterie espagnole qui surplombait la Porte d'Or. Pendant la guerre de Sécession, ce fort de brique surveillait l'arrivée des Confédérés – qui ne vinrent jamais.

À la fin du XIXᵉ siècle, un Presidio plus important logea les soldats des guerres indiennes et de la guerre hispano-américaine.

Cette zone a été fortifiée pour la première fois en 1776, quand le capitaine espagnol Bautista de Anza en fit sa base militaire. Une palissade de rondins en fermait le terrain carré, mais elle fut remplacée deux ans plus tard

Puis il abrita 16 000 réfugiés du tremblement de terre de 1906 avant d'être le lieu d'entraînement des soldats de 1914-1918. Il servit de quartier général pour la défense Ouest lors de la Deuxième Guerre mondiale, puis à la 6e armée U.S. lors de sa démilitarisation, en 1994 (« Le meilleur poste des USA, s'il en est », dit un major). Aujourd'hui, le Presidio fait partie du GGNRA.

LE POSTE PRINCIPAL

Partez du **centre touristique**, dans le Club des officiers qui date de 1934, pour tout savoir sur les détails intéressants et l'histoire du Presidio, voir les films et les expositions temporaires, ainsi que la petite librairie. De là, vous explorerez les attractions historiques du cœur du Presidio.

À l'angle sud-ouest du poste principal, le long de Funston Ave, vous verrez **les quartiers des officiers** : des maisons victoriennes construites à l'emporte-pièce pendant la guerre de Sécession.

Centre touristique

✉ Club des officiers (bât. 50) sur Moraga Ave

☎ 415/561-4323

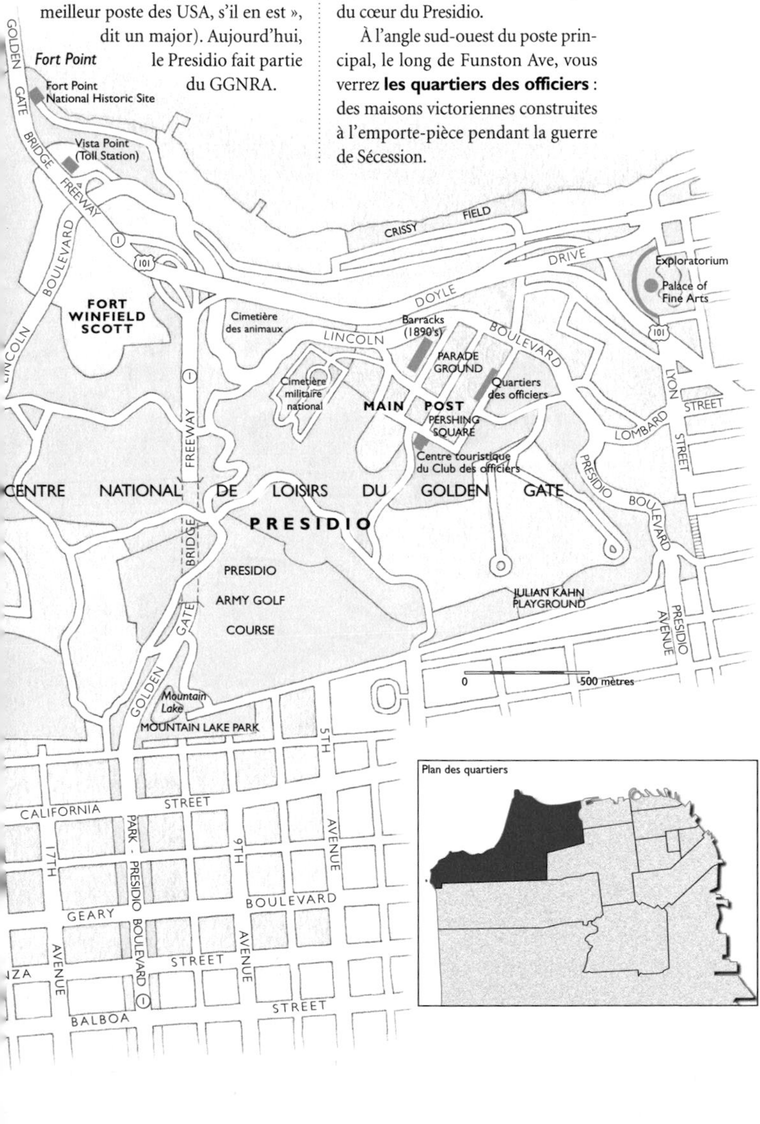

Fort Point
Fort Point National Historic Site

Cimetière militaire national

✉ Lincoln Bd, angle Sheridan Ave

Cimetière des animaux

✉ Lincoln Bd/ McDowell Ave

Crissy Field

www.parksconservancy.org

☎ 415/561-7690

Centre touristique, Réserve marine nationale du golfe des Farallones

www.farallones.org

✉ West Crissy Field, près de Mason St et Fort Point

☎ 415/561-6625

🕐 Fermé lun. et mar.

À l'origine, elles étaient tournées dans l'autre sens, mais leurs porches ont été modifiés pour former une façade sur rue plus agréable. Sur Funston Ave et Presidio Bd, plusieurs maisons victoriennes combinent les styles Queen Anne et Stick (voir p. 45), par exemple en associant les lignes horizontales et les bardeaux en écailles. Elles ont été construites en 1885 pour les officiers de rang supérieur.

Sur **Pershing Square**, une plaque marque l'angle nord-ouest du rectangle de brique de l'ancien fort dont les archéologues ont retrouvé les fondations. Il y a aussi deux canons de bronze de la fin du XVIIe siècle qui portent les armes du roi d'Espagne. Le drapeau carré indique l'emplacement de la maison du brigadier général John J. Pershing, jusqu'au décès de sa femme et de ses filles dans un incendie en 1915. Pershing commandait les forces expéditionnaires américaines en Europe pendant la première guerre mondiale. Au nord de ce drapeau, le mur ouest d'un bâtiment militaire blanc de 1963 est incrusté d'un boulet de canon.

Les casernes des hommes sont au nord de Graham St. Elles ont été construites après la guerre de Sécession, quand il fallut plus de logements car l'armée décida de passer le nombre d'hommes d'une compagnie de 75 à 100.

De l'autre côté de Parade Ground – ce parking doit incessamment redevenir une pelouse –, il y a cinq casernes identiques des années 1890 qui illustrent le premier usage intensif de la brique au Presidio, signe que l'armée américaine pensait s'y installer durablement. Chaque soldat avait un lit et un casier, mais aucune intimité. Mais quel lieu magnifique !

CIMETIÈRE MILITAIRE NATIONAL

Dans ce qui était autrefois le cimetière du poste militaire et fut repris par l'armée nationale en 1884, les pierres tombales datent parfois de la guerre de Sécession. On y voit la tombe du brigadier général Frederick Funston qui gagna la médaille d'honneur du Congrès pour sa bravoure aux Philippines, en 1899, et maintint l'ordre à San Francisco après le séisme de 1906. Et la tombe de Pauline Cushman Fryer, actrice des années 1860 qui espionnait pour l'armée de l'Union pendant ses tournées dans le Sud.

Le **cimetière des animaux,** tout proche, servait à enterrer les chiens de garde du corps K9. Il est utilisé aujourd'hui par les familles du Presidio.

CRISSY FIELD

Ancien marécage remblayé pour l'Exposition internationale Panama-Pacific (1915), cette étendue de terrain face à la mer a servi d'aérodrome militaire de 1919 à 1963. Le Service des Parcs nationaux y a supprimé l'asphalte et l'a transformé en grand parc ouvert de 40 ha avec dunes restaurées, marais et promenade en front de mer très appréciée des marcheurs, joggers et pousseurs de poussettes. L'ancien aérodrome en herbe de Crissy a été restauré en une vaste pelouse d'agrément. La station des gardes-côtes (1890) abrite le centre touristique de la **Réserve marine nationale du golfe des Farallones**, au nord du Golden Gate. On y voit une vaste fresque océane et un réservoir où l'on peut toucher les animaux marins.

FORT WINFIELD SCOTT

Lorsqu'on installa les batteries le long des San Francisco Headlands, Fort Scott hébergeait les artilleurs. Les casernes disposées en fer à cheval (1910-1915) sont dans le style des missions (murs blancs, porches voûtés et toits de tuiles), assez différent de celui des bâtiments militaires mais adapté à ce poste dans le poste.

Les **batteries de défense côtière** construites dans les années 1880 pour défendre la Porte d'Or s'étendent sur le chemin de côte entre Fort Point et la plage Baker (*accès par Lincoln Bd*). Elles n'ont jamais tiré un boulet hostile. Des falaises, on voit la Porte d'Or et les Marin Headlands.

FORT POINT

Baptisé « le Gibraltar de l'Ouest », ce fort de 4 étages fut construit entre 1853 et 1861 pour défendre la Porte d'Or. Il fallut du granit et plus de 8 millions de briques pour ériger ses murs de plus de 2 m d'épaisseur. Fort Point contient 90 casemates (logements à canons) mais, vers 1885, ses canons étaient obsolètes et le fort fut pratiquement abandonné. Aujourd'hui, ce beau travail de maçonnerie est intéressant en tant qu'exemple de forteresse classique d'avant la guerre de Sécession.

À l'intérieur, au rez-de-chaussée, il y a un centre des visiteurs qui propose guide, audio-guide ou visite libre, une salle de projection (film historique de 17 min) et l'ancienne réserve de poudre dont les murs font 4,5 m d'épaisseur. La cour ouverte est bordée d'arches triples. Le premier étage servait de logement aux officiers et les enrôlés volontaires devaient monter jusqu'au second. Côté mer, les casemates abritèrent jusqu'à 102 canons quand le fort était très actif.

La situation de Fort Point est étonnante, juste sous une arche d'acier du pont du Golden Gate. C'est ce qui sauva le fort de la démolition car il servait à ancrer le pont au sud. Du toit du fort ou de la façade nord, la vue est remarquable sur le pont et la baie. Et les surfeurs se mesurent aux énormes vagues qui déferlent dans la Porte d'Or.

BAKER BEACH

C'est la plage préférée de San Francisco avec ses aires de pique-nique, ses dunes et sa vue sur le

Golden Gate Bridge. Sur la falaise, la **batterie Chamberlain** (1904) avait un canon dont l'affût « rétractile » permettait de le dissimuler derrière un mur pour que les ennemis ne le voient pas. Les rangers le montrent le week-end. Attention : ne vous baignez pas car les courants sont dangereux ! Au nord, sur le sable, vous apercevrez peut-être l'espèce *Homo sapiens* dans son état le plus naturel…

LA VIE NATURELLE

La forêt urbaine du Presidio compte plus de 200 000 pins, cyprès et eucalyptus. Les bois et la côte abritent plus de 170 espèces d'oiseaux, depuis la caille de Californie jusqu'à l'aigle chauve. Sur la côte Pacifique, vous pouvez tout observer, depuis le minuscule bigorneau dans les flaques laissées par les marées jusqu'à la baleine bleue qui passe au large. ∎

Le Cimetière militaire national couvre 11 hectares.

Fort Point
www.nps.gov/fopo
✉ Par Lincoln Bd
☎ 415/556-1693
🕐 Fermé lun. et mar.

Plage Baker
✉ Par Lincoln Bd,
au niveau de
Bowley St

Golden Gate Bridge

LE PONT DU GOLDEN GATE ENJAMBE L'OUVERTURE DE LA BAIE DE San Francisco et relie la ville au Comté de Marin. Est-ce un travail d'art ou de technique ? On peut le voir comme un chef-d'œuvre d'ingénierie ou comme une œuvre d'Art déco, sculpture rouge-orangé sur le bleu de la mer et le vert des falaises.

C'est un pont suspendu. Son principe : les tours des extrémités supportent des câbles auxquels la route est accrochée. Cette idée toute simple remonte à l'âge de fer où l'on savait déjà utiliser cordes et bambous comme des câbles. En l'an 65, les Chinois avaient construit un pont à chaînes de fer de 76 m de long, suspendu au-dessus d'une rivière.

Il faut dire que le pont du Golden Gate dépasse l'imagination. Sa longueur, approches comprises, est de 2 737 m. Son tablier principal de 1 280 m a été le plus long du monde jusqu'en 1964, quand il fut détrôné par celui du pont de Verrazano à New York qui fait 1 298 m. Les deux approches font 343 m chacune.

Les deux pylônes Art déco s'élèvent à 227 m (58 m plus haut que le Washington Monument), soit environ la hauteur de 48 étages. Ensemble, les tours pèsent environ 40 000 t.

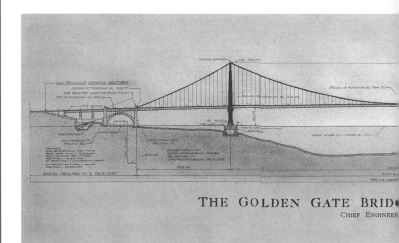

THE GOLDEN GATE BRID
CHIEF ENGINEE

En comptant sa partie immergée, la tour la plus haute du pont du Golden Gate fait à peu près la même taille que la Transamerica Pyramid.

Le pont sous tous ses angles

Du côté de San Francisco : **Vista point et Visitor Center** (*par Lincoln Bd ou US 101*). Au péage, en plus de la vue, vous trouverez : souvenirs et tronçons de câble.
Fort Point (*par Lincoln Bd*) : vue de dessous, par le front de mer.
Lands End (parking de l'USS San Francisco Memorial, par El Camino del Mar) : le pont vu de l'ouest.
Du côté de Marin : **Vista Point** (*par l'US 101 nord*) : adossé au Presidio vert.

East Fort Baker (*US 101 nord jusqu'à la sortie d'Alexander Ave, puis Bunker Rd. Suivre panneaux pour Bay Area Discovery Museum*) : vue spectaculaire depuis une anse sous le pont.
Conzelman Rd (*US 101 nord jusqu'à la sortie d'Alexander Ave, puis à gauche sur Bunker Rd, à gauche sur McCullough Rd, à gauche sur Conzelman Rd*) : superbe perspective depuis le promontoire de Marin. ■

La pile de la tour sud a dû être construite à 400 m au large, sur des fondations qui descendent à 33 m sous le niveau de la mer. Les ouvriers ont bâti un ceinturage cylindrique en béton de la longueur d'un terrain de football. L'eau en a été évacuée et la pile du pont y a été coulée, mais la ceinture est restée en place, équipée de conduites pour laisser l'eau de mer circuler, et elle protège la plateforme des marées.

Les deux câbles du pont passent au-dessus des pylônes et viennent s'ancrer à chaque bout dans d'énormes blocs de béton. Chaque ancrage peut supporter une traction de 28 millions de tonnes sur les haubans. Ceux-ci pèsent 11 000 t chacun. Ils font 95 cm de diamètre et sont faits de 27 572 câbles. Il y a donc près de 130 000 km de câble au total, ce qui permettrait de faire trois fois le tour de la Terre.

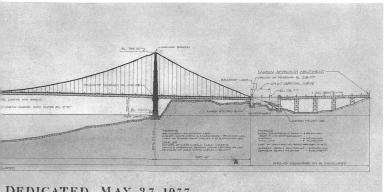

DEDICATED MAY 27, 1937

B. STRAUSS

En cas de fort vent ou de tremblement de terre, le tablier central est conçu pour supporter environ 8,40 m d'amplitude d'oscillation. La route est à 67 m au-dessus de l'eau.

Le pont est sans cesse repeint depuis son inauguration en 1937. La première couche a nécessité 227 000 litres de peinture. La couleur précise du pont est Orange International, mais il semble plutôt rouge vermillon, un rouge orangé très vif. Cette teinte a été choisie après consultation de l'architecte Irving Morrow pour changer du classique gris terne des ingénieurs. Morrow avait émis un rêve, celui de voir le pont illuminé ; c'est chose faite depuis 1987, pour les 50 ans du pont, grâce à l'installation de 48 lampes au sodium haute pression. L'effet rêvé était atteint : les pylônes semblent s'évanouir graduellement dans le ciel.

L'ingénieur en chef Joseph Strauss devait créer une structure qui résiste à des vagues allant à près de 100 km/h, aux marées, aux vents latéraux, au brouillard et même aux tremblements de terre. Il fallait aussi qu'il outrepasse l'opposition de la Southern Pacific Railroad, dont les ferries allaient perdre du chiffre d'affaires. La construction (1933-1937) coûta 35 millions de dollars et fournit du travail à des milliers d'ouvriers pendant la grande crise. Il y eut 11 morts par accident, un nombre qui aurait pu être bien plus important si Strauss n'avait pas été si strict à propos des mesures de sécurité, imposant même des filets au cours de la construction. Mais, ironie du sort, depuis l'inauguration il y a eu plus de mille suicides du haut du pont. ∎

La circulation non stop sur le pont va et revient au Comté de Marin.

San Francisco Headlands

🏞 Voir plans
p. 122-123
et 128-129

🚌 Bus : 18

LES SAN FRANCISCO HEADLANDS S'ÉTIRENT AU SUD ET À L'OUEST DE LA côte, à partir de la plage Baker. C'est une zone accidentée, tout en falaises océanes et en végétation touffue.

Les immigrants chinois étaient soupçonnés d'entrer en fraude par China Beach.

Quand on approche du promontoire depuis le Presidio, on rencontre une touche de civilisation au voisinage de **Sea Cliff** (*par El Camino del Mar, entre les 25ᵉ et 27ᵉ Ave*). C'est un quartier résidentiel unique par sa situation face à l'océan (le reste du front de mer urbain est occupé par des parcs et des plages publiques). Beaucoup de ses maisons de style méditerranéen datent des années 1920.

L'anse de sable de **China Beach** (*par Seacliff Ave*) tire son nom des pêcheurs chinois qui ancraient leurs jonques et campaient là. Abrité du vent, l'endroit est agréable pour des bains de soleil, des pique-niques ou des baignades rafraîchissantes. (Surfeurs, attention ! la météo est imprévisible.) Les jours où il fait clair, on peut voir le mont Tamalpais et Point Reyes dans le Comté de Marin.

LANDS END

Le long de la côte, entre Sea Cliff et Cliff House, **Lincoln Park** est un espace domestiqué au milieu de la végétation sauvage. C'était un cimetière jusqu'à ce que John McLaren (du Golden Gate Park, voir p. 156) y organise les plantations. Il y a un golf (1909) où la vue est si spectaculaire que même les pros se laissent distraire ! Le **California Palace of the Legion of Honor** (voir p. 137) expose des trésors d'art européen.

Le golf de Lincoln Park surplombe la ville.

Le **chemin côtier** (*accessible par le palais ou le parking de Merrie Way*) qui longe le promontoire circule entre les cyprès, les champs et les falaises abruptes, tout en offrant un panorama magnifique sur le détroit. On peut descendre jusqu'à la **plage de Lands End**. Une partie du chemin suit l'ancienne voie des chemins de fer de 1880, qui vous emmenaient au bord de la mer pour 10 cents.

On peut suivre le chemin à pied ou se rendre en voiture au point de vue (**Vista Point**) et à l'**U.S.S. San Francisco Memorial** (*par El Camino del Mar*). Le croiseur du même nom fut, lors de la dernière guerre mondiale, touché 45 fois à la bataille de Guadalcanal et son pont transpercé par les obus sert de monument. Au large, les traîtres rochers ont coulé beaucoup de bateaux. On aperçoit les traces de certains de ces naufrages depuis le chemin de côte. Plus loin, il y a encore **Cliff House** et les **Sutro Baths** (voir p. 140-141). ∎

California Palace of the Legion of Honor

LA PHILANTHROPE ALMA DE BRETTEVILLE SPRECKELS PERSUADA SON ÉPOUX, un magnat du sucre, de faire du pavillon français construit en 1915 pour l'Exposition internationale Panama-Pacific de San Francisco, un musée d'Art. (Ce bâtiment était la réplique du Palais de la Légion d'honneur édifié à Paris en 1782.) Petit à petit, Madame Spreckels emplit les ailes à colonnades du musée de trésors, dont plus de 80 sculptures en bronze, marbre, terre cuite et plâtre de Rodin. La plupart de ces œuvres furent acquises directement auprès de l'artiste dans son atelier, y compris un premier coulage du *Penseur* (1904).

Le musée honore la mémoire des soldats californiens morts pendant la Première Guerre mondiale. Il a été réalisé par George Applegarth, en 1924, et agrandi sous terre en 1994. Pour visiter les galeries dans l'ordre, commencez par la gauche en partant de l'entrée principale.

L'art médiéval (galeries 1, 2 et 3) vous plonge dans l'Europe des monastères et des cathédrales au cours du Vᵉ siècle, qui suivit la chute de Rome. Un reliquaire en émail bleu de Limoges (vers 1200) et une gravure en albâtre représentant Jésus en train de réprimander Adam et Ève (Espagne,

XIVᵉ siècle) rappellent que l'art à cette époque était destiné à célébrer la gloire de Dieu. La période englobe le style roman (XIᵉ-XIIᵉ siècle) plat et rigide, et le style gothique (XIIᵉ-XVIᵉ siècle) plus naturaliste.

Dans la partie consacrée à l'art profane, vous pouvez admirer des tapisseries et un plafond espagnol du XVᵉ siècle.

Au cours de la Renaissance (galeries 4 et 5), l'homme et la personne parviennent à occuper une place centrale. Observez les travaux de Fra Angelico et d'autres peintres italiens du début de la Renaissance. L'art de la

---

Dans la cour du musée, devant une colonnade classique, *Le Penseur* de Rodin s'interroge.

California Palace of the Legion of Honor

www.thinker.org/legion

✉ Lincoln Park, proche de la 34ᵉ Ave et de Clement St

☎ 415/750-3600

🕐 Fermé lun.

€ €€ gratuit mar.

🚌 Bus : 1, 18, 38

haute Renaissance (Titien, Tintoret), de style réaliste, évolua dans un maniérisme sophistiqué, comme le montre le *Saint Jean-Baptiste* d'El Greco (vers 1600), dont le visage allongé et émacié contribue à son effet mystique.

Auguste Rodin, « père de la sculpture moderne » (galeries 8, 10 et 12), apporta une nouvelle profondeur psy-

chologique et une passion sensuelle à la représentation du visage humain. Ne manquez pas *Le Baiser* (1886) et des moulages réduits des personnages des *Bourgeois de Calais* (1886).

La collection flamande et hollandaise du XVIIᵉ siècle (galeries 14 et 15) comprend un *Portrait du capitaine Joris de Caullery* (1632) par le jeune Rembrandt, alors âgé de 26 ans, ainsi

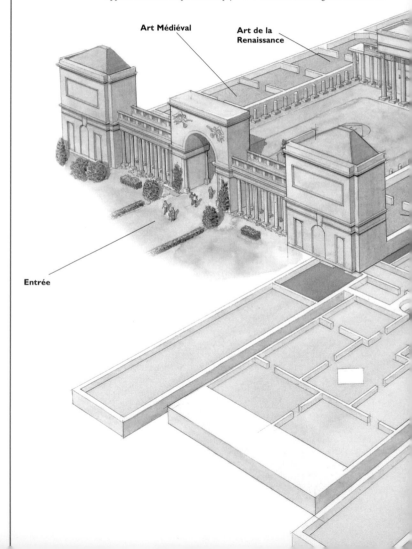

Art Médiéval

Art de la Renaissance

Entrée

que des tableaux de Van Dyck et de Rubens.

Dans les galeries de l'Europe du XIXᵉ siècle, le rapide changement social se reflète dans le romantisme (*Portrait équestre de Charles V* par Géricault, 1814), le réalisme social (Manet, *Chez la Modiste*, 1881), l'impressionnisme et le pointillisme (Seurat, *La Tour Eiffel*, 1889).

De nouvelles idées émergent dans l'Europe du XXᵉ siècle (galerie 19). Ne ratez pas les *Nymphéas* de Monet, une œuvre tardive dans laquelle une scène naturelle se change en une quasi-abstraction de couleur. Ne partez pas non plus sans avoir vu la *Nature morte avec crâne, poireaux et pichet* de Picasso (1945), peinte dans le Paris occupé de la Deuxième Guerre mondiale. ■

De nombreuses sculptures de Rodin furent acquises par le musée directement auprès de l'artiste.

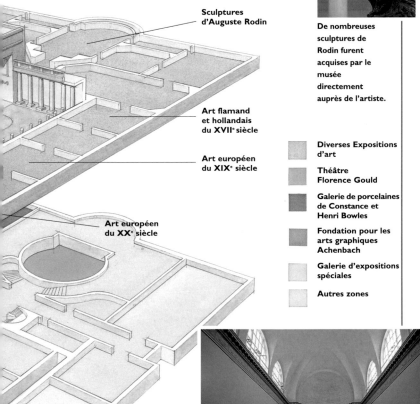

Sculptures d'Auguste Rodin

Art flamand et hollandais du XVIIᵉ siècle

Art européen du XIXᵉ siècle

Art européen du XXᵉ siècle

Diverses Expositions d'art

Théâtre Florence Gould

Galerie de porcelaines de Constance et Henri Bowles

Fondation pour les arts graphiques Achenbach

Galerie d'expositions spéciales

Autres zones

L'intérieur spacieux offre aux visiteurs une vue dégagée sur les expositions.

Cliff House, Sutro Heights, et Sutro Baths

Cliff House
www.cliffhouse.com
✉ 1090 Point Lobos Ave
☎ 415/386-3330
🚌 Bus : 18, 38

Sutro Heights Park
✉ Entrée sur la 48ᵉ Ave et Point Lobos Ave

Deux lions de pierre gardent l'entrée de Sutro Heights.

DEPUIS 150 ANS, LES HABITANTS DE SAN FRANCISCO METTENT LE CAP à l'ouest de la ville pour passer une journée à la plage. C'est pour eux que Cliff House (la Maison de la falaise) fut construite en 1863. Il n'y avait pas encore grand-chose à voir, mais son emplacement seul suffit à attirer les présidents américains et une clientèle haut de gamme, comme les Stanford ou les Hearst.

En 1881, Adolph Sutro s'installa à San Francisco. Millionnaire de Comstock (voir p. 27) qui possédait un douzième des terres de San Francisco, il fit l'acquisition de Cliff House et tomba amoureux de la vue depuis le promontoire qui la surplombait. C'est là qu'il fit construire sa maison, Sutro Heights, et embaucha dix jardiniers pour transformer les hectares de sable en jardins à la française. Plantés de rosiers et d'arbres exotiques, ils étaient ornés de centaines de statues européennes censées « cultiver et éclairer » la populace qu'il autorisait à s'y promener.

Pour attirer le public à ses attractions de bord de mer, Sutro construisit une ligne de chemin de fer dont le trajet ne coûtait qu'un *nickel* (pièce de 5 *cents*). Après l'incendie qui dévasta Cliff House en 1894, Sutro la fit reconstruire avec davantage d'extravagance. Son château français de 8 étages était doté de tourelles, de fenêtres panoramiques et dominé par

une tour d'observation. Le lieu brûla à nouveau en 1907. Une Cliff House néoclassique fut alors édifiée en 1909, par la fille de Sutro. Le bâtiment surmonta la Grande Dépression et deux guerres mondiales, mais subit plus tard plusieurs transformations avant d'être acheté par le National Park Service, en 1977.

En 2004, une rénovation complète permit la création d'une quatrième version de Cliff House, conçue pour redonner tout son caractère et sa dignité à la structure néoclassique de 1909. Une nouvelle aile inspirée de l'architecture des anciens Sutro Baths fut également ajoutée.

À quelques pas au nord de Cliff House, vous découvrirez les vestiges des Sutro Baths, des bains publics, une véritable merveille de détails artistiques et d'ingéniosité technique.

Sutro fit construire des bassins de 1,20 ha, qui furent ouverts au public en 1886. Les visiteurs pouvaient nager dans six piscines d'eau salée chauffées à la vapeur, dont la plus grande mesurait plus de 90 m de long. Sous plus de 8 000 m^2 de verrière, les nageurs batifolaient sur des plongeoirs, des trapèzes et des toboggans.

Une piscine d'eau douce était alimentée par une source perpétuelle. Trois restaurants pouvaient accueillir 1 000 personnes à la fois. Des expositions d'objets d'art, de coffrets contenant des artefacts d'ancienne Égypte, ainsi qu'un amphithéâtre pouvant contenir 3 700 personnes par représentation théâtrale divertissaient les visiteurs. Les invités ne payaient qu'une *dime* (pièce de 10 *cents*) pour entrer et 25 *cents* pour nager. Malheureusement, les recettes des bains ne suffirent pas à couvrir les dépenses et, en 1937, les héritiers de Sutro transformèrent le bassin géant en patinoire. Un incendie détruisit les bains dans les années 1960. ■

Difficile d'imaginer aujourd'hui la taille gigantesque des Sutro Baths.

Statues religieuses au Mexican Museum de Fort Mason.

Autres lieux à visiter

FORT MASON CENTER

Parmi les théâtres du centre, on trouve le **Cowell Theater** (*Pier 2, tél. 415/441-3687, pièces de théâtre, danse, musique*) ; le **Magic Theater** (*Bd D, tél. 415/441-8822, œuvres de Sam Shepard et de dramaturges émergents*) ; le **Young Performers Theater** (*Bd C, tél. 415/346-5550, acteurs professionnels travaillant avec des enfants*) ; et le **Bay Area Theater Sports** (*Bd B, tél. 415/474-8935, improvisations, ateliers*).

Vous pouvez aussi visiter les musées qui proposent des expositions temporaires, comme le **San Francisco Museum of Craft and Folk Art** (*Bd A, tél. 415/775-0991, artisanat et art populaire de diverses cultures*) ; le **Museo Italo-Americano** (*Bd C, tél. 415/673-2200, artistes italiens et italo-américains*) ; la **San**

Au Museum of Craft and Folk Art.

Francisco African-American Historical and Cultural Society (*Bd C, tél. 415/441-0640, culture, arts et artisanat*) ; La **National Maritime Museum Library** (*Bd E, tél. 415/561-7080*) se concentre sur les vaisseaux à voile et à vapeur, depuis la Ruée vers l'or jusqu'après la deuxième guerre mondiale, avec des documents, photographies, plans et périodiques historiques. Le restaurant végétarien **Greens** (voir p. 259) est également situé dans ce quartier. Pour des informations sur Fort Mason, voir p. 124.

✉ Lower Fort Mason, Marina Bd at Laguna St
🚌 Bus : 22, 28, 30, 42, 47, 49

TERRAIN DE GOLF DE PRESIDIO

Ce terrain de golf public de 5,92 km (par-72) est situé au cœur de San Francisco. Lorsqu'il fut créé en 1895, sur ce qui n'était alors qu'un poste de l'armée américaine, il n'était ouvert qu'au personnel militaire et aux membres d'un petit club privé. Le poste militaire de Presidio ferma en 1995 et le National Park Service en obtint la propriété pour y ouvrir le terrain de golf au public.

Ce parcours de golf de 18 trous, situé sur un terrain du National Park Service (bien que géré par une société privée), possède un club house dont le Presidio Café est ouvert au public non golfeur.

✉ 300 Finley Rd ☎ 415/561-4661 (golf), 415/561-4600 (café), www.presidiogolf.com
🚌 Bus : 28, 29, 41, 43, 45 ∎

Flânez sur les hauteurs de Pacific Heights, le long de ses rues bordées de demeures et d'appartements luxueux. Japantown les borde au sud.

Pacific Heights et Japantown

La communauté japonaise se rassemble pour le festival Cherry Blossom.

Pacific Heights et Japantown

À San Francisco, les meilleures adresses sont à Pacific Heights qui présente toutes les caractéristiques d'un quartier résidentiel élitiste : d'abord, une situation dominante – la haute corniche qui court entre Van Ness et Presidio (encerclé par California et Green) ; ensuite des maisons et des appartements magnifiquement conçus et bâtis ; enfin, de superbes points de vue.

La zone s'est développée en même temps que les transports en commun : c'est l'avènement du tramway qui a entraîné la première vague de construction, dans les années 1870. Van Ness Ave, bordée de grandes demeures, a été conçue pour être la plus large rue de la ville (38 m). Dans les années 1880, de belles maisons victoriennes ont été édifiées à proximité de deux parcs, Lafayette et Alta Plaza, puis d'autres ont poussé sur les hauteurs comme des champignons. Des rangées de maisons identiques ont été construites par des spéculateurs immobiliers. Au cours du tremblement de terre et de l'incendie de 1906, le brigadier-chef Frederick Funston fit dynamiter les maisons du côté est de Van Ness pour créer un pare-feu, bloquant avec succès les flammes qui se dirigeaient vers les quartiers ouest de la ville.

C'est après 1906, que Pacific Heights prit sa dimension d'enclave élitiste, lorsque les familles aisées de Nob Hill dont les maisons avaient brûlé y construisirent de gigantesques demeures. Vous y verrez de tout, des villas italiennes aux édifices majestueux en brique et pierre, souvent agré-

mentés de jardins bien entretenus et de terrasses paysagées. Dans les années vingt et trente, les immeubles d'appartements remplacèrent nombre de

maisons anciennes du quartier est de Pacific Heights. Le long de la partie sud de Presidio Ave, d'autres rangées de maisons magnifiques vinrent occuper Presidio Heights. Lieu plein d'intérêt de ce quartier, l'église Swedenborgienne, simple mais impressionnante, est une véritable retraite loin du tumulte de la vie citadine.

Entre Pacific Heights et la Marina, Cow Hollow, quartier résidentiel victorien, occupe le site d'une ancienne zone de fermes laitières. Dans les années cinquante, les maisons démodées bordant l'artère principale commencèrent à abriter des boutiques et des restaurants. L'architecture a bien été préservée, mais dans certains cas, la conservation a basculé dans un pittoresque étudié.

Au sud de Pacific Heights, le cœur culturel de la communauté nippo-américaine, Nihonmachi

Le quartier élitiste de Pacific Heights.

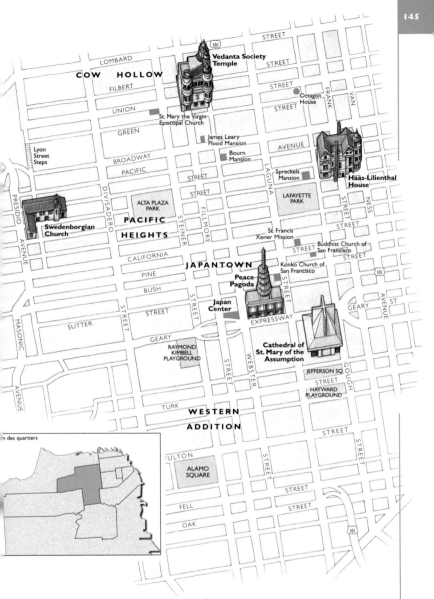

(Japantown), occupe une partie de Western Addition. Autrefois plus étendue, Japantown s'est pratiquement vidée au cours de la deuxième guerre mondiale et ses habitants japonais (deux tiers étant américains) ont été envoyés dans des camps d'internement.

Dans les années soixante, un plan de rénovation urbaine préconisa de raser de nombreux pâtés de maisons victoriennes. Le Japan Center fut alors construit, ainsi que des temples et des églises qui firent du quartier un foyer culturel pour de nombreux Nippo-Américains. ■

Majestueuses demeures

DANS LA PLUPART DES CAS, ON NE PEUT ADMIRER LES SPLENDIDES MAISONS de Pacific Heights que de l'extérieur, mais leur extravagance architecturale vaut bien le détour.

Haas-Lilienthal house

www.sfheritage.org

✉ 2007 Franklin St

☎ 415/441-3000

🕐 Tours mer., sam.-dim.

€ €€

🚌 Bus : 1, 12, 19, 27, 47, 49

HAAS-LILIENTHAL HOUSE

La maison Haas-Lilienthal fait partie de celles qu'on peut visiter. Cette résidence toute grise et majestueuse, dotée de pignons pointus, de baies et d'une tour d'angle, allie les styles Queen Anne et Stick. Elle accueille aujourd'hui un musée victorien et sert de siège à une organisation de défense du patrimoine historique, le San Francisco Architectural Heritage. Cette maison est une rescapée : nombre de demeures victoriennes furent dévastées par l'incendie de 1906, et parmi celles qui en ont réchappé, la plupart dans ce quartier de l'est de Pacific Heights ont été démolies pour permettre la construction d'appartements.

Dessinée par Peter Schmidt, cette maison de trois étages a été construite pour William Haas, un immigrant juif allemand qui s'installa comme grossiste en alimentation et finit comme directeur de la Wells Fargo Bank (sa plus jeune fille épousa Samuel Lilienthal). Avec ses 24 pièces et ses 1 068 m² habitables, la maison illustre les aspirations d'une famille de commerçants de classe moyenne. L'intérieur brille de boiseries cirées. La salle de bain des maîtres possède des accessoires ultramodernes comme un jet à gaz destiné à chauffer les fers à friser. Les salons, la salle à manger et une chambre sont meublés dans les différents styles des cinquante années suivant la construction de la maison.

SPRECKELS MANSION

Qui peut se vanter que sa maison occupe tout un pâté, ressemble au Parthénon et possède 26 salles de bain ? Peu de demeures peuvent rivaliser avec ce palais de style baroque français (*2080 Washington St*, privée). L'Hôtel Spreckles a été construit en 1913 pour Adolph Spreckels et son épouse, Alma de Bretteville Spreckels, par l'architecte George Applegarth (bâtisseur du California Palace of the Legion of Honor, dont le couple fit don à la ville). Aujourd'hui, derrière ses colonnes ioniques se cache la tanière de l'auteur à succès Danielle Steel.

FLOOD MANSIONS

En 1912, le fils d'un magnat de l'argent de Comstock utilisa sa fortune inépuisable pour construire la **James Leary Flood Mansion** (*2222 Broadway*, privé) qui fait aujourd'hui partie des Écoles du Sacré-cœur. Ses architectes Bliss et Faville dessinèrent un édifice Renaissance italienne dont la structure d'acier recouverte de marbre du Tennessee était conçue pour résister aux séismes. Pour imaginer le mode de vie des Flood, regardez par la porte de devant le hall de marbre qui s'étend sur près de 45 m, ou le majestueux piano qui s'encadre dans une fenêtre, à l'autre bout.

Flood et son épouse vécurent dans un premier **Flood Mansion** (*2120 Broadway*, privé, dessiné par Julius Krafft, 1901), après que le tremblement de terre de 1906 eut dévasté leur demeure de Nob Hill (aujourd'hui le Pacific Union Club) et avant d'emménager dans leur nouvelle demeure décrite ici. La sœur de Flood, Cora Jane (« Miss Jennie »), demeura jusqu'en 1924 dans cette majestueuse demeure qui, quatre ans plus tard, devint la Sarah Dix Hamlin School.

Avec ses 24 pièces, cette demeure edwardienne jouit d'une symétrie classique imposée par ses colonnes ioniques, ses pilastres et ses fenêtres en fronton. Les marches en granit gardées par des lions en marbre gris (prénommés Leo et Lerma par les étudiants) mènent à un vestibule en marbre et mosaïque. Au-delà du vestibule, un hall central de deux étages est lambrissé de chêne blond et surmonté d'une verrière de plus de 7 m de large. Parmi les pièces remarquables, le solarium (aujourd'hui cafétéria des étudiants) possède un sol recouvert de mosaïque, et la salle Chinoise un plafond en bambou et des murs en soie verte ou laqués de rouge, qui en font un des derniers exemples de la décoration jadis populaire auprès des plus fortunés San-Franciscains. ■

Illustrant l'exubérance de l'époque victorienne à San Francisco, la maison Haas-Lilienthal est d'une conception architecturale aussi décorative qu'un gâteau de mariage.

Les escaliers de Lyon St, d'où la vue est splendide, aident les piétons à négocier la pente de Pacific Heights.

Deux panoramas et une rue

Trois expériences à Pacific Heights : descendre les Lyon Street Steps (*de Broadway jusqu'à Green St*) pour jouir du panorama coloré sur le dôme rouge-orangé du Palace of Fine Arts, la baie bleue et le vert du Comté de Marin – le même que si vous regardiez par la fenêtre d'une demeure de Pacific Heights ; contempler une autre vue du paysage urbain depuis le sommet de l'Alta Plaza Park ; rejoindre Fillmore St (*au sud de Jackson St*) pour y faire du shopping ou y dîner. ■

Presidio Heights

CE QUARTIER SITUÉ JUSTE À L'OUEST DE PACIFIC HEIGHTS POSSÈDE LUI aussi des rues bordées de splendides maisons de privilégiés, mais ses deux édifices religieux, étonnants et inhabituels, offrent un plaisant contraste de style et d'ambiance.

De belles et grandes demeures bordent Pacific, Jackson et Washington Sts. C'est Bernard Maybeck qui a dessiné **Roos House** *(3500 Jackson St)*, avec ses demi-boisages foncés et ses imposantes jardinières. La très huppée **Presidio Terrace** *(perpendiculaire à Arguello Bd, près de Washington St)* abrite des résidences construites par Bakewell et Brown *(n°15)*, George Applegarth *(n°34)*, et Julia Morgan *(n°36)*. Cette rue en boucle parfaitement entretenue a été imaginée dès 1905. La communauté chic de Presidio Heights fréquente les boutiques, restaurants et cinémas d'une portion tranquille et sympathique de Sacramento St *(entre Lyon et Spruce St)*, dans une vraie ambiance de quartier.

TEMPLE EMANU-EL

Inspiré par la basilique-mosquée-musée Sainte-Sophie d'Istanbul, le temple Emanu-El a été réalisé par Bakewell et Brown (1926) pour une congrégation de la riche communauté judaïque de San Francisco (congrégation qui remonte à 1850). Les immigrants juifs arrivèrent au moment de la Ruée vers l'or et prospérèrent dans la ville en pleine croissance. Le principal architecte du temple, Arthur Brown Jr, fut également associé à la construction du War Memorial Opera House, de la Mairie et de la Coit Tower. Le dôme byzantin qui caractérise le temple est recouvert de tuiles en terre cuite rouge et s'élève à une hauteur de 45 m. Autre élément majeur, la cour cloîtrée a été inspirée par les bâtiments de l'Exposition internationale Pacific-Panama de 1915, qui étaient reliés par des cours similaires et des allées couvertes à colonnades. Des plantes citées dans la Bible ont été plantées dans la cour, par exemple des dattiers et des oliviers.

Dans le vestibule, le plafond est peint d'un ciel étoilé. Aucune colonne ne soutient ce temple de 1 700 places, ce qui crée sous le dôme une sensation d'immensité propice à l'inspiration. L'arche sainte qui contient la Torah repose dans un coffre cloisonné orné de vermeil sous une voûte de marbre vert. En 1973, des vitraux dessinés par Mark Adams ont été ajoutés pour symboliser deux éléments naturels : le feu (à l'est, côté baie) et l'eau (à l'ouest).

SWEDENBORGIAN CHURCH

Joyau architectural, la Swedenborgian Church (1895) fut appelée l'église de la Vie simple. On doit les fondations théologiques de l'église à Emanuel Swedenborg (1688-1772), un scientifique suédois devenu mystique, qui considérait que toute vie était spirituelle et que le divin se révélait dans toutes les choses de la création. Ses idées influencèrent le transcendantaliste américain Ralph Waldo Emerson. Le maître Zen du XXᵉ siècle D.T. Suzuki appelait Swedenborg le « Bouddha du Nord », car certaines de ses pratiques de méditation ressemblaient au yoga.

L'église a été imaginée par le théologien et critique d'architecture, Joseph Worcester, qui réalisa la première véritable maison d'artisanat d'art de Californie dans les années 1870.

A. Page Brown dirigea le projet et Bernard Maybeck participa à la réali-

Temple Emanu-El

✉ Arguello Bd au niveau de Lake St

☎ 415/751-2535

🚌 Bus : 3, 12, 22, 24

Swedenborgian Church

www.sfswedenborgian.org

✉ 2107 Lyon St au niveau de Washington St

☎ 415/346-6466

🚌 Bus : 3, 12, 22, 24

L'intérieur en bois de la Swedenborgian Church diffuse une atmosphère de sérénité et de calme.

sation de l'intérieur. L'église est un des lieux les plus courus de San Francisco pour se marier.

Les visiteurs entrent par un jardin clôturé et découvrent ce qui semble être une église de village italien, en simple stuc et briques cuites au four. À l'intérieur, elle évoque un pavillon forestier rustique, ou peut-être un bosquet sacré. Les poutres en bois d'arbousier sont encore couvertes de leur écorce naturelle. Une cheminée emplit la pièce des parfums du feu de bois. Des chaises d'érable confortables aux assises en jonc ont remplacé les durs bancs d'église. (Ces chaises ont inspiré les meubles au style artisanal créés par Gustav Stickley.) Quatre fresques pastorales de William Keith dépeignent les saisons du nord de la Californie, en soulignant les subtilités et les mystères de la nature. ∎

Cow Hollow

DES FERMES LAITIÈRES OCCUPAIENT JADIS CETTE CUVETTE SITUÉE SOUS LA corniche de Pacific Heights. Mais Cow Hollow doit son surnom à l'odeur nauséabonde des abattoirs, usines de conditionnement de viande et tanneries à la fin des années 1800. Les voisins du lieu réussirent à convaincre la ville de fermer ces entreprises polluantes et de combler la cuvette pour en faire une zone résidentielle.

Dans les années 1950, des négoces d'antiquités et de décoration d'intérieurs s'installèrent dans les maisons victoriennes d'Union Street, puis furent rejoints par d'autres boutiques, restaurants et bars. Aujourd'hui, **Union Street** (*Steiner St et Van Ness Ave*) est un quartier commerçant en plein essor. Flâner sur Union est l'occupation à la mode pour une soirée ou un week-end.

Au niveau de Steiner et Union se dresse la **St. Mary the Virgin Episcopal Church** couverte de bardeaux de séquoia. Elle ressemble à l'église d'une ruelle de campagne, avec sa cour-jardin qui abrite encore une source où les troupeaux de vaches laitières venaient s'abreuver.

Regardez en bas de Webster St, depuis Union, pour découvrir l'ancien **Vedanta Society Temple**. Construit en 1905, il affiche un certain éclectisme. C'est un bâtiment quasi edwardien avec un balcon couvert dans le style des Indes orientales, des dômes en bulbe rouges et d'autres ornements exotiques. Ce mélange disparate d'éléments décoratifs est censé refléter l'idée du Vedanta, branche de l'Hindouisme selon laquelle toutes les religions tendent vers le même dieu unique.

Au **2040 Union**, la maison victorienne et la ferme du premier producteur de lait de Cow Hollow (le bien nommé James Cudworth (*cud* signifie « ruminer »), construites en 1873, ont été transformées en espace de restauration et en magasin.

Est-on en meilleure santé si l'on habite dans un bâtiment octogonal ?

C'est ce que certains ont cru lorsque l'**Octagon House** fut construite, en 1861. Cette théorie est peut-être fondée sur le principe selon lequel une maison avec plus de faces laisserait entrer plus d'air frais et de lumière. Il n'en reste pas moins qu'une maison octogonale divisée en pièces carrées laisse des surfaces triangulaires qui font de parfaits placards (et toilettes). Le mobilier et la décoration de cette maison qui abrite, aujourd'hui, la National Society of Colonial Dames of America, datent des époques coloniale et fédérale. ∎

Cow Hollow
🗺 Voir plan p. 144-145
🚌 Bus : 22, 41, 45

St. Mary the Virgin Episcopal Church
✉ 2325 Union St
☎ 415/921-3665
🕐 Fermé dim.

Vedanta Society Temple
✉ 2323 Vallejo St
☎ 415/922-2323
🕐 Fermé pendant les services

Octagon House
✉ 2645 Gough St
☎ 415/441-7512
🕐 Ouvert 2ᵉ dim., 2ᵉ et 4ᵉ jeu.

Octagon House.

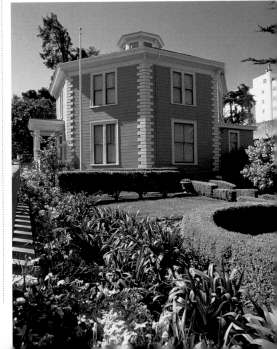

Japantown

Japantown
- Voir plan
  p. 144-145
- Entre Fillmore,
  Sutter, Geary et
  Laguna Sts
- Bus : 2, 3, 4, 22, 38

Japan Center
- Geary Bd de
  Fillmore St à
  Laguna St

Tradition japonaise, la parade du Cherry Blossom Festival permet d'admirer d'authentiques kimonos.

CENTRE CULTUREL DE LA COMMUNAUTÉ NIPPO-AMÉRICAINE (ET NON PAS un quartier résidentiel, comme Chinatown), Japantown se divise en deux grandes parties : le Japan Center et le Buchanan (ou Nihonmachi) Mall.

Ancré entre le Miyako Hotel et les huit cinémas de l'AMC Kabuki, le **Japan Center** a été édifié en 1968. Ce complexe de 2 ha à l'allure platement moderne n'a rien de la splendide vieille ville de Kyoto. Toutefois, il ne manque pas de restaurants de sushi et tempura, de magasins d'art japonais et articles pour la maison, et de divertissement. L'événement majeur de l'année y est le Cherry Blossom Festival (en avril), une parade accompagnée de musique, de danses et de mets japonais. La **Peace**

Pagoda (pagode de la paix), avec ses cinq toits ronds plaqués de cuivre et surmontés d'une flèche à neuf spires supportant un globe doré, emblème de la vertu, s'élève à plus de 30 m au-dessus d'une *plaza* en béton.

À proximité du **Buchanan** ou **Nihonmachi Mall** (*Buchanan St, entre Sutter et Post Sts*), se trouve une rue piétonne pavée et bordée de bâtiments de stuc et de bois de taille réduite, censés représenter un village japonais.

ÉGLISES ET TEMPLES

Le **Sokoji-Soto Zen Buddhist Temple**, édifié en 1984, est conçu pour la pratique zen avec son intérieur simple et ses coussins prévus pour la méditation assise (zazen) ou la méditation zen. L'autel, avec sa silhouette dorée de Shakyamuni Bouddha, est plus chargé.

Les croyants de la **Konko Church of San Francisco** considèrent l'univers comme le Principe Parent, qui associe les aspects de la Mère Terre et du Père Ciel. L'église, basée sur le shintoïsme mais indépendante, puise ses racines (1859) dans les révélations divines à un fermier japonais guéri d'une grave maladie. Sur l'autel en bois, des offrandes sont alignées : fleurs ou conserves côtoient des boissons non alcoolisées et de la bière, en signe de reconnaissance envers le Principe Parent pour les choses qui nourrissent la vie humaine. Au-dessus de l'autel, un disque doré symbolise la lumière divine (*konko* signifie « lumière dorée »).

Il faut monter au deuxième étage d'un immeuble ordinaire de 1938 pour atteindre la **Buddhist Church**

L'intérieur de la
Konko Church de
San Francisco.

**Sokoji-Soto Zen
Buddhist Temple**
 1691 Laguna St
☎ 415/346-7540
⊕ Fermé lun.

**Konko Church of
San Francisco**
✉ 1909 Bush St
☎ 415/931-0453

**Buddhist Church
of San Francisco**
✉ 1881 Pine St
☎ 415/776-3158
⊕ Appeler pour RDV.

of San Francisco, dont le toit en forme de *stupa*, ou de dôme, renferme des reliques célèbres du Bouddha. Dans le hall du culte, des paravents en plumes de paon et un autel doré se marient avec des bancs d'église et un orgue purement occidentaux.

À la **St. Francis Xavier Church** (*1801 Octavia St*), l'architecture de style mission est mélangée à des touches japonaises (l'avant-toit renversé et le toit de tuiles vertes). ■

St. Mary's Cathedral

Juste au sud de Japantown, la troisième cathédrale catholique de la ville (Belluschi, Nervi, McSweeney, Ryan et Lee), construite entre 1967 et 1970, ne ressemble à aucun autre édifice à San Francisco.

**St. Mary's
Cathedral**
✉ 1111 Gough St
☎ 415/567-2020

Suivant la forme d'une parabole hyperbolique, les quatre côtés de sa structure en béton armé se cintrent pour se rejoindre et former une croix, à plus de 57 m de hauteur. Recouverte de marbre italien, la structure repose sur des pylônes d'angle qui ne mesurent que 60 cm de circonférence à leur point le plus étroit, mais qui peuvent supporter plus de 4 535 t de pression. L'église s'ouvre sur la ville par d'immenses fenêtres d'angle.

À l'intérieur, les visiteurs peuvent admirer quatre verrières de 42 m de long et 1,8 m de large chacune, qui s'élèvent jusqu'en haut de la coupole. Les couleurs du verre facetté symbolisent les quatre éléments de la création : la terre (vert), l'air (jaune), l'eau (bleu), et le feu (rouge). En se rejoi-

gnant tout en haut, les quatre fenêtres forment une croix dorée.

L'autel est une pièce massive de 10 t de marbre de Botticino. Accroché à plus de 22 m au-dessus de lui par des câbles dorés, un baldaquin fait de barres triangulaires en aluminium scintille sous les reflets de la lumière, symbolisant la voie de l'amour et de la grâce de Dieu. Cette sculpture réalisée par Richard Lippold est haute de 15 étages et pèse 1 t.

Autre caractéristique remarquable, l'orgue de 4 842 tubes produit un son qui n'a aucun mal à remplir cette immense cathédrale. Construit par les frères Ruffatti de Padoue, en Italie, il est doté d'une console amovible et d'une tuyauterie installée en hauteur, sur un piédestal de béton. ■

L'expérience des bains japonais aux Kabuki Hot Springs.

Autres lieux à visiter

ALTA PLAZA PARK
Ce parc est principalement fréquenté par les habitants du quartier qui viennent y jouer au tennis ou y promener leurs enfants et leurs chiens. À Alta Plaza, vous pouvez découvrir comment vivent les habitants fortunés de Pacific Heights. ⚑ Plan p. 144-145 ✉ Entre Clay, Steiner, Jackson et Scott Sts 🚍 Bus : 1, 3, 12, 22, 24

KABUKI SPRINGS ET SPA
Situé à un *block* (pâté) à l'ouest de Japantown, ce spa traditionnel est équipé de bains chauds, d'un sauna, de bains de vapeur et de bains publics. Il est possible de prendre rendez-vous pour des soins de luxe, comme un massage shiatsu et un gommage. ✉ 1750 Geary Bd ☎ 415/922-6000 🚍 Bus : 2, 3, 4, 22, 38

LAFAYETTE PARK
Rejoignez les promeneurs de chiens dans ce parc dont les 4,8 ha de pelouses grimpent jusqu'à un tertre à l'ombre des arbres. Point culminant de Pacific Heights avec ses 115 m d'altitude, il offre une vue imprenable sur la ville et la baie.

Le sommet de la colline avait été laissé en jachère dans le but d'en faire un parc en 1855, mais il fallut attendre 1910 pour que ses plantations soient acclimatées. Au sommet s'élevait autrefois la demeure de Samuel Hofladay (1867), un avocat qui, malgré le projet de parc, avait pu y acquérir cette propriété exceptionnelle. ⚑ Plan p. 144-145 ✉ Entrée par Sacramento et Octavia 🚍 Bus : 1, 12

AUTRES MAISONS MAJESTUEUSES
Il est possible de voir de majestueuses demeures dans tout le quartier, surtout lorsque vous approchez de Presidio, le long de **Jackson St, Pacific Ave** et **Broadway**. En face de l'Alta Plaza Park se trouve l'ancien **Music and Arts Institute** (*2622 Jackson St*). Créée, en 1894, par Willis Polk dont c'était le premier projet à San Francisco, cette résidence de pierre ressemble à une villa classique de Toscane. Autre création de Polk, l'imposante **Bourn Mansion** (*2550 Webster St*) est une maison de ville (1896) de style Georgian Revival, avec une sobre façade de brique à l'aspect brûlé (ou « mâchefer »). Son propriétaire, William Bowers Bourn, fit fructifier sa fortune issue de la Ruée vers l'or dans d'autres entreprises. En plus de cette demeure, il fit également construire la propriété Filoli sur la péninsule (voir p. 210), et les actuelles Christian Brothers Greystone Cellars dans la Napa Valley. ⚑ Plan p. 144-45 🚍 Bus : 3, 12, 22, 24 ∎

Le *Flower Power* a éclos dans la zone entourant le croisement légendaire des rues Haight et Ashbury. Tout près se trouvent un vrai paradis floral et les musées du Golden Gate Park.

Haight-Ashbury et le Golden Gate Park

Détail mural à Haight-Ashbury.

Haight-Ashbury et le Golden Gate Park

A L'OUEST DU CENTRE-VILLE, IL N'Y AVAIT AUTREFOIS, À LA PLACE DE HAIGHT-ASHBURY ET DU GOLDEN Gate Park, que de mornes dunes de sable en partie occupées par des squatters. En 1868, lorsque la ville fit l'acquisition du terrain, elle fut critiquée par un journal local qui lui reprocha d'engloutir son argent dans une étendue de sable où les vents continuels empêcheraient quoi que ce soit de pousser. Une fois le parc aménagé, ses environs devinrent plus attirants, et c'est ainsi que Haight-Ashbury commença son histoire de quartier victorien respectable.

C'est le déclin du quartier et la baisse des loyers qui ont attiré d'abord les *Beats* puis les *Hippies*. « The Haight » demeure le quartier le plus « contre-culture » de San Francisco, bourré d'une jeunesse urbaine tatouée et de *Hippies has-been*. Les touristes s'y pressent dans ses ersatz de *head shops* (voir p. 162-163), où l'on trouve encore des posters psychédéliques et des pipes à eau, reliques sacrées du Summer of Love de 1967.

Le Golden Gate Park se classe parmi les plus beaux paysages urbains d'Amérique, et c'est un des plus grands parcs en ville : un rectangle de 411 ha s'étendant de Stanyan St à Ocean Beach. Les riverains le considèrent comme leur jardin, ce qui est compréhensible dans la ville la plus densément peuplée de l'ouest, où les jardins (lorsqu'il y en a) sont extrêmement petits. Dans le parc, ils se ressourcent, flânent parmi les vallons de rhododendrons, pique-niquent dans les prés, font des parties de frisbee ou de tennis et visitent de remarquables musées.

Le site du parc faisait partie des « Terrains extérieurs » : des dunes de sable sans chemins récupérées par la ville à la suite d'une querelle juridique avec des squatters. En 1871, le nouveau directeur du parc, William Hammond Hall, entreprit d'y planter des roseaux des sables, de l'orge et des lupins sauvages pour stabiliser le sol contre le vent. Au bout de quelques années, arbres et fleurs s'épanouissaient dans la partie est du parc, ainsi que le long d'une allée (Panhandle) longue de huit *blocks*, menant au parc.

En 1887, le légendaire John McLaren, un Écossais qui avait travaillé pour les Edinburghs Royal Botanical Gardens, succéda à Hall. Connu sous le nom d' « Uncle John », il était déterminé, bourru et très apprécié. Il passa près de 56 ans à créer bosquets, lacs et jardins de fleurs, et à apprivoiser ces dunes fouettées par le vent, mais aussi les politiciens encore plus bruyants qui avaient des visées sur le parc.

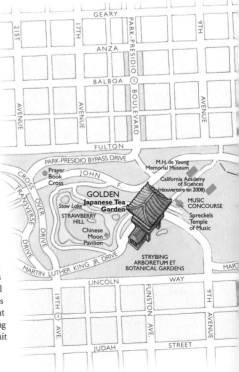

En 1894, pour vanter le climat méditerranéen de San Francisco, on organisa dans le parc la California Midwinter Fair. Par la suite, le site de la foire devint le Music Concourse, centre des musées du parc. Aujourd'hui, environ 100 000 personnes des quatre coins de San Francisco profitent du parc les dimanches ensoleillés, autant qu'à la fin des années soixante, quand des hordes de hippies du quartier voisin de Haight-Ashbury s'y rassemblaient pour des concerts gratuits. ■

Plan des quartiers

Paix et soleil au Golden Gate Park.

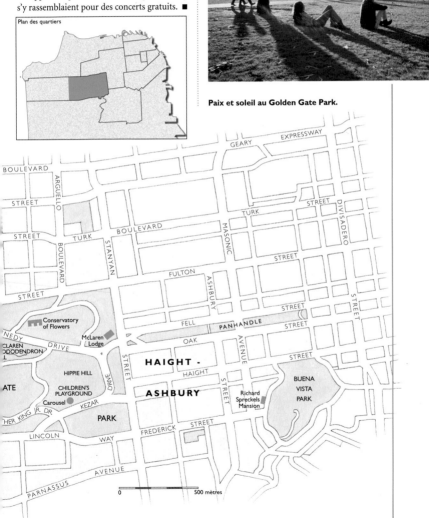

Haight-Ashbury

Dans le grand public, Haight-Ashbury évoque les *flower children* déambulant dans des vêtements aux motifs teints en mimant le signe de la paix, entourés de volutes de fumée à l'odeur suspecte (le quartier fut même surnommé « Hashbury »). Au cœur des rues Haight et Ashbury, c'était le refuge des groupes de jeunes qui inventèrent le rock psychédélique, comme Jefferson Airplane et Grateful Dead.

Il n'en a pas toujours été ainsi. Dans les années 1880, Haight était un secteur de villégiature à proximité du Golden Gate Park. Des maisons victoriennes s'élevaient dans les plaines, près de Panhandle, et sur la très prisée Ashbury Heights. La croissance y connut un boom après le tremblement de terre de 1906, car le quartier ne subit aucun dommage.

Pendant la Grande Dépression, Haight déclina et les maisons victoriennes furent divisées en appartements. À partir des années cinquante, les loyers bas y attirèrent une population noire à faibles revenus ainsi que des *Beats* descendant de North Beach. C'est au milieu des années soixante qu'y apparurent les *flower children*, les psychotropes et l'amour libre. À la fin des années soixante, pourtant, l'amour fut chassé de Haight par les drogues dures, la hausse de la criminalité

"Spare change"

Quelques mots qu'ont utilisé les jeunes faisant la manche sur Haight St :

(1) « Un peu de monnaie pour de l'alcool ? »

(2) « T'as pas de l'argent pour que j'achète un voilier ? »

(3) « Eh ! tu m'fais un prêt de 15 000 $ à 10 % sur 5 ans ? »

(4) « J'ai besoin d'un billet pour l'Indonésie pour aller travailler chez Nike pour 33 $ par semaine. »

(5) Mots griffonnés à la main sur un carton : « Besoin d'argent pour de l'herbe. »

(6) Quand on leur refuse : « Tu ruines ma journée, mec ! Toute ma p... de vie ! » ∎

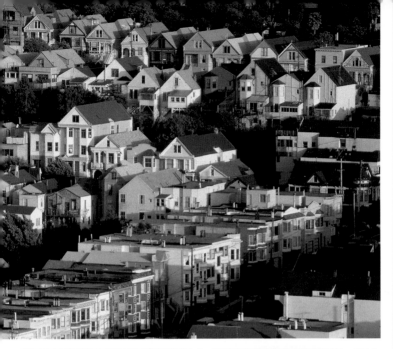

Des maisons victoriennes restaurées (en haut) et les boutiques funky de Haight Street (en bas et à droite)

et les déséquilibrés mentaux. Le quartier devint un ghetto psychédélique.

Par miracle, il réussit un *comeback* lorsque des gays et de jeunes cadres entreprirent de restaurer les maisons victoriennes grâce à des aides financières de la ville. Plus de 1 100 d'entre elles furent ainsi sauvées, la plupart de style Queen Anne (voir p. 45), ornées de décors tarabiscotés et de tours.

Sur Haight St, les visiteurs doivent s'accommoder de la foule de mendiants, skateboarders, néo-hippies, bikers, et *flower children* aux cheveux grisonnants. Mais on y trouve de bons petits restaurants. Au détour d'une rue aux murs placardés de vieux posters, vous pouvez soudain replonger dans l'ambiance des *Sixties*. ∎

Promenade à Haight-Ashbury

Cette balade vous permet de découvrir la vie à Haight-Ashbury aujourd'hui, ponctuée de flash-backs de l'époque hippie. Elle vous mène également le long de magnifiques maisons victoriennes du début du siècle.

Partez de Haight et Stanyan Sts. Derrière vous, dans le Golden Gate Park, se trouve **Hippie Hill** où les « tribus » (voir p. 162-163) se regroupaient dans les *Sixties*. Quelques dizaines d'années plus tard, ce lieu est devenu un campement pour les sans-abri où la jeunesse désœuvrée et les habitants des rues ont cohabité, jusqu'à ce qu'on les déplace en 1997.

Marchez vers l'est, sur **Haight St**, pour aller à la rencontre des riverains et peut-être d'un hippie (sûrement né après le *Summer of Love*), avec un bandeau dans les cheveux et jouant du tambourin (voir p. 158).

Haight St est truffée de magasins. On y trouve des vêtements rétro ou tendance, des « cristaux de guérison », des livres, des insignes hippies et des affiches psychédéliques. Sur votre chemin, arrêtez-vous au **1779-83 Haight**, le plus vieux bâtiment de la zone commerciale (1893) ; au **1775 Haight** où logeaient gratuitement les *Diggers* (voir p. 162-163) ; et au **1677-81 Haight**, un immeuble de 1904 de style parisien.

Le **Red Victorian ❶** (voir p. 255) un hôtel de 1904 que le propriétaire Sami Sunchild gère comme un lieu de pèlerinage du *Summer of Love*. Certaines chambres sont décorées de posters et de perles des années soixante, de vrais poissons rouges nagent même dans la cuvette des toilettes d'une des salles de bain. (« C'est la naissance de l'Âge des Aquariums… » ?) Au **1660 Haight**, la façade Art nouveau du Superba Theater (1911) fait face au Wasteland, un magasin de vêtements *vintage*. La **Haight-Ashbury Free Medical Clinic ❷** (*Clayton St*) fut ouverte en 1967 par un médecin qui se battait pour aider gratuitement les personnes souffrant de mauvais trips de LSD, de toxicomanie, de maladies vénériennes et d'autres problèmes de santé liés au mode de vie hippie.

Sur Haight, entre Cole et Clayton Sts, le parc Les Chutes attirait jadis le public avec une glissade d'eau, un zoo, un théâtre et d'autres attractions. Au **1535 Haight**, la Psychedelic Shop, ouverte en 1966, fut la première *head shop* au monde (voir p. 162-163). Sur Haight et Ashbury, qui ont donné son nom au quartier, tournez à gauche. Marchez deux *blocks* en direction de Oak St et **Panhandle ❸**, allée verte longue de 8 *blocks*, réalisée dans les années 1870 comme entrée au Golden Gate Park pour les voitures de maître. Ici, l'élite sociale de San Francisco avait l'habitude de se promener et de se montrer dans ses plus beaux atours. Après le tremblement de terre et l'incendie de 1906, 30 000 personnes déplacées vécurent sur Panhandle, sous la tente ou dans des baraques de réfugiés. C'est aujourd'hui un parc dont il faut dépasser l'aspect minable pour lui reconnaître son titre de musée vivant des arbres. On y trouve les plus anciens arbres plantés dans les dunes battues par le vent pour aménager le Golden Gate Park. Mais évitez de vous y trouver la nuit.

Tournez à droite sur Oak, et marchez le long de Panhandle jusqu'à Masonic. Tournez encore à droite et revenez sur Haight. Le bâtiment à l'angle nord-est abrita le café *Drogstore*, un lieu de rassemblement hippie en 1967. C'est une pharmacie qui occupait jadis le bâtiment, mais les fonctionnaires municipaux n'autorisèrent pas le café à conserver le nom de *Drugstore* en raison de ses connotations contre-culture.

Tournez à gauche sur Haight, pour jeter un coup d'œil à **Bound Together** (*1369 Haight St.*) qui fut, pendant longtemps, une librairie anarchiste. Au niveau de Lyon St, vous pouvez faire un détour jusqu'au **n° 122**, où la rockeuse Janis Joplin fut autrefois locataire (elle ne fut pas expulsée pour des questions de sexe, de drogue ou de rock'n'roll, mais pour y avoir gardé un chien en dépit du règlement).

Au niveau de Haight et Lyon, entrez dans le **Buena Vista Park ❹** et empruntez le chemin sur la droite. Le boisement de ce parc de 14,5 ha commença dans les années 1880, lorsque des écoliers plantèrent des semis offerts par le philanthrope Adolph Sutro. Autour de 1910, John McLaren (du Golden Gate Park) y planta des pins et des cyprès, des eucalyptus et un petit bosquet de séquoias.

Aujourd'hui, les arbres masquent partiellement la « bonne vue » qui donne son nom au Buena Vista Park. Dans les années trente, le WPA construisit des murs de soutènement et des fossés de drainage en granit et marbre récupérés dans d'anciens cimetières.

Explorez le parc, puis descendez jusqu'à sa limite au niveau de **Buena Vista Ave West** et remontez la colline. Cette rue affiche des styles résidentiels qui remontent aux époques Tudor, Queen Anne et moderniste. La **Richard Spreckels Mansion** ❺ (*737 Buena Vista Ave West*) fut bâtie en 1897 pour un neveu du magnat du sucre, Claus Spreckels. Des escaliers en marbre conduisent à un porche à colonnes, et les fenêtres sont surmontées d'impostes. À ce que l'on dit, les écrivains Jack London et Ambrose Bierce y auraient été locataires.

Au niveau de Java St, tournez à droite et traversez le petit *block* jusqu'à Masonic Ave Vous pouvez faire un détour par le haut de la rue pour découvrir une maison en bardeaux dessinée par Bernard Maybeck (*1526 Masonic Ave*). En redescendant, vous voyez une rangée d'**Eastlake Victorians** ❻ datant de 1891 (*1322-42 Masonic Ave*). Sur Waller, contemplez la rangée de **maisons à pignon** ❼ de 1896, (*1315-1335 Waller St*), les mieux ouvragées de San Francisco. En direction de l'ouest sur Waller, faites un détour par le sud pour jeter un coup d'œil à la rangée de maisons 1890 de style Queen Anne, y compris l'ancienne maison des **Grateful Dead** ❽ (*710 Ashbury St*) où le groupe fut arrêté, en 1967, pour possession de drogue. Ou tournez à droite sur Ashbury et retournez à Haight. ∎

À la **Haight-Ashbury Free Medical Clinic**, on soigne toujours les indigents du quartier.

Voir plan p. 156-157
Haight and Stanyan Sts
2,4 km
2 h
Haight St
Bus : 6, 7, 33, 37, 43, 66, 71
Tramway : Ligne N

À NE PAS MANQUER
- La vie sur Haight St
- The Panhandle
- Buena Vista Ave West
- Maisons à pignon sur Waller St

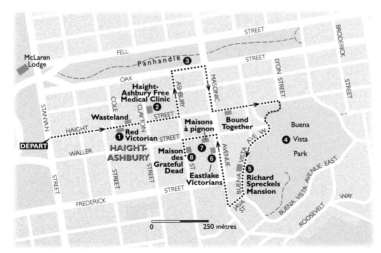

Hippies : la *Love Generation*

Avant toute l'Amérique, le choc sismique social de l'aire hippie commença par secouer San Francisco. Dégoûtés par l'autorité établie et le « Système », les hippies diffusèrent des idéaux de communauté, de paix et d'amour. Plus tôt, une troupe de théâtre constituée d'anarchistes appelés les Diggers avait adopté l'idée que les biens de consommation devaient être gratuits. Ils ouvrirent donc un magasin sur Haight-Ashbury où aucun argent ne changeait de mains et où les clients donnaient autant qu'ils recevaient.

Dans les années 1950, Haight était déjà le foyer de certains Beats relogés, dont le côté bohème dérangeait. Ce sont eux qui inventèrent le terme « hippie », peut-être une variation de l'américain *hipster*, « jeune homme dans le vent ». Le mot fut imprimé pour la première fois dans un article du *San Francisco Examiner* en septembre 1965.

À Haight-Ashbury, de spacieuses maisons victoriennes étaient disponibles pour un loyer modéré. Certains groupes de rock, comme Jefferson Airplane, s'y installèrent ensemble en « familles » communautaires. Les garçons se laissaient pousser les cheveux, les filles portaient de la dentelle et du velours victorien achetés dans des friperies, tous arboraient des *love beads* (perles d'amour) provenant d'Inde, se parfumaient à l'huile de patchouli et faisaient l'expérience de nouveaux modes de vie et formes d'art. Des groupes comme les Grateful Dead jouaient en improvisation libre.

La vie hippie tournait autour d'un idéal et d'une musique teintés d'une touche de mysticisme oriental, mais aussi autour de la marijuana, du LSD et d'autres psychotropes, et d'une nouvelle libération sexuelle. En fait, *Sex, Dope, and Cheap Thrills* était le titre entier et interdit d'un célèbre album de Janis Joplin. Sa couverture avait été dessinée par un dessinateur caricaturiste underground de San Francisco, R. Crumb, dont la bande dessinée *Zap Comix* dépeignait la luxure et les drogues hippies avec une vraie jubilation artistique.

Le LSD (également connu sous le nom d'« acide ») était apparu en 1965 par le biais du romancier Ken Kesey, qui l'avait découvert en se portant volontaire pour des expériences à la Stanford University. Avec ses Merry Pranksters,

Hippie aux *love beads* (perles d'amour).

Kesey mit en scène des *happenings* multimédia de LSD. Leurs prospectus de présentation demandaient : « Pouvez-vous réussir le test de l'acide ? » Mais dès octobre 1966, la Californie interdit le LSD, faisant des hippies des hors-la-loi. Le même mois, la Psychedelic Shop ouvrait sur Haight St et vendait des accoutrements hippies et tout l'attirail pour fumer de l'herbe.

En janvier 1967, des dizaines de milliers de *flower children* convergèrent sur le terrain de polo du Golden Gate Park pour le *Human Be-In/Gathering of the Tribes* auquel participaient Jefferson Airplane, le poète Allen Ginsberg et le professeur de Harvard devenu gourou de l'acide, Timothy Leary. Ce fut le plus gros événement de la sous-culture hippie avant Woodstock.

Étrangement, ce fut le chef de la police de San Francisco qui, le premier, appela les hippies la *Love Generation*. Les médias nationaux adoptèrent l'expression et le *Time magazine* déclara que Haight était l'« épicentre vibrant du mouvement hippie américain ».

L'idée du *Summer of Love* de 1967 – partager les bonnes vibrations – fut bien accueillie par les commerçants de Haight-Ashbury. Les Diggers, cependant, voulaient protéger le quartier de la médiatisation et protestèrent contre l'esprit de lucre qui animait les vendeurs de *Love Burgers*.

En haut : les Merry Pranksters de Ken Kesey décorent leur bus pour un *happening* au LSD. Ci-dessus : Allen Ginsberg s'adresse au Human Be In de 1967, accompagné de *hippies*.

Le *Summer of Love* attira autant de hippies sincères que de plastic hippies (*hippies synthétiques*), mais aussi des désœuvrés, des aliénés, des revendeurs de drogue et des criminels violents. Les bonnes vibrations devinrent mauvaises. En octobre, les Diggers organisèrent la marche *Death of Hippie* jusqu'au Buena Vista Park de Haight. Au début des années soixante-dix, de l'héroïne bon marché inonda le quartier, amenant avec elle addiction, crimes de rue, violence et mort. La *Love Generation* n'existait plus.

Des choses positives ont pourtant survécu : la société américaine est devenue plus tolérante à la non-conformité. À San Francisco, cela s'est manifesté dans l'acceptation ouverte de la communauté gay. Et là où il y a acceptation, l'esprit hippie d'origine, le *peace and love*, vit toujours. ■

Enfants jouant devant le Music Concourse.

Golden Gate Park East

Toutes les villes n'ont pas un terrain de jeu de 4,8 km de long et 800 m de large, comme le Golden Gate Park. Avec environ 20 points d'accès sur son périmètre, il est longé par deux routes principales : John F. Kennedy Drive et Martin Luther King Jr Drive (le dimanche et la plupart des jours fériés, Kennedy Dr est fermé à la circulation entre Kezar et Transverse Drs). Cette moitié du parc abrite certains des plus importants musées de la ville.

Munissez-vous d'informations et de plans au siège du parc, à l'entrée est *(Fell St, au niveau de Stanyan St)*. Conçu en 1897 par Edward R. Swain, ce parc abrite **McLaren Lodge** *(John E. Kennedy Dr au niveau de Stanyan St, tél. 415/831 2700, fermé sam. et dim.)*. Ce superbe bâtiment de style gothique mauresque, aux murs de grès et aux toits de tuiles rouges, fut longtemps la demeure du directeur du parc, John McLaren. Un centre d'information (le Beach Chalet) est situé dans la partie ouest du parc (voir p. 177).

Une navette gratuite *(de mai à oct., week-ends et jours fériés)* assure le trajet depuis McLaren Lodge jusqu'à Ocean Beach, à l'extrémité ouest du parc, avec des arrêts tout le long du chemin pour les 15 attractions. Des cartes d'itinéraires sont disponibles dans le parc et sur internet : *www.goldengateparkconcourse.org*

Les points d'intérêt indiqués ci-dessous s'échelonnent d'est en ouest. Le **Children's Playground** fut le premier terrain de jeu public du pays (1888). Tout près, vous pouvez admirer les chevaux, chameaux et dragons peints sur le carrousel Herschell Spillman (1912) magnifiquement restauré. Le **Conservatory of Flowers** (voir p. 165) est un palais de verre victorien qui abrite des plantes tropicales. Plus à l'ouest s'étend le **John McLaren Rhododendron Dell**, où les fleurs de printemps forment la statue du directeur McLaren – qui pourtant méprisait les statues, les considérant comme des intrus dans la nature et les cachant souvent derrière les feuillages.

À proximité, le **Music Concourse** est paysagé à la française avec des platanes anglais (ressemblant beaucoup à des sycomores) et des fontaines, et bordé de musées : le M. H. de Young (voir p. 166-168) et la California Academy of Sciences (voir p. 169-171). À une extrémité se dresse le **Spreckels Temple of Music** (1899), un kiosque à musique de style Renaissance italienne offert par Claus Spreckels. Construit en grès de Colusa, il accueille la plus ancienne fanfare municipale du pays. ■

Conservatory of Flowers

LE PLUS ANCIEN JARDIN D'HIVER DE L'HÉMISPHÈRE OUEST EST UN musée vivant de plantes tropicales, de palmiers, d'orchidées et d'autres variétés carnivores un peu déroutantes.

La serre, l'endroit le plus visité du Golden Gate Park, fut érigée en 1879 après avoir été achetée en kit aux héritiers d'un homme d'affaires fortuné, James Lick, qui était mort avant qu'elle fût montée dans sa propriété de Santa Clara Valley. Aujourd'hui, ce jardin d'hiver accueille 1 500 espèces de plantes de plus de 50 pays, y compris la plus belle collection publique d'orchidées Dracula au monde.

Il fut fermé de 1995 à 2003 pour la réparation, d'un coût de 25 millions de dollars, des dommages causés par une tempête dont les vents atteignirent 160 km/h, la pire dans l'histoire du parc. Aujourd'hui, le jardin d'hiver entraîne les visiteurs dans le San Francisco de la *flower power* – un voyage coloré, quasi hallucinogène, dans les forêts de la zone des brouillards du Costa Rica, dans le cœur humide du Congo et les îles luxuriantes des Philippines dont les paysages sont réunis sous un immense toit de verre.

Le jardin d'hiver est composé de cinq galeries. Sous le dôme, dans la galerie des Tropiques de faible altitude, une pluie légère tombe sur une canopée de palmiers et sur les feuilles gigantesques d'un Philodendron impérial vieux d'un siècle. On peut également y admirer des cycades, un type de plantes antérieur aux dinosaures, ainsi que des plantes commerciales modernes, comme le chocolat, le café et la vanille, qui emplissent l'air de leur doux parfum.

L'atmosphère se rafraîchit dans la partie est de l'aile des tropiques de moyenne montagne, où les orchidées poussent sur l'écorce des arbres noueux. Des boîtes ressemblant à des armoires victoriennes renferment de précieux spécimens d'orchidées. La galerie des plantes aquatiques enveloppe le visiteur du bruit de l'eau, tandis qu'il découvre des lis géants.

L'aile ouest renferme la galerie des plantes en pot, ainsi qu'une galerie d'expositions temporaires. ∎

Conservatory of Flowers
www.conservatory offlowers. org

⬛ Voir plan p. 156-157

✉ JFK Dr, Golden Gate Park

☎ 415/666-7001

🕐 Fermé lun.

€ €€

🚌 Bus : 5, 7, 21, 33, 44, 71 ; Tramway : ligne N

Une avenue de fleurs mène au victorien Conservatory of Flowers.

M.H. de Young
Memorial Museum

M.H. de Young
Memorial Museum
www.thinker.org/deyoung

Voir plan
p. 156-157

Golden Gate Park
50 Hagiwara Tea
Garden Drive

415/863-3330

Fermé lun.

€€

Bus : 5, 21, 44
Tramway : ligne N

**La nouvelle
architecture du
M. H. de Young
Memorial Museum.**

LE PLUS VIEUX MUSÉE PUBLIC DE SAN FRANCISCO CONSERVE LA
collection la plus complète de tableaux d'artistes américains de la
côte Ouest. Pour remplacer le bâtiment d'origine, endommagé par le
tremblement de terre, une nouvelle structure à la pointe de l'art a
ouvert ses portes à la fin de l'été 2005.

Tout a commencé avec M. H. de
Young, l'éditeur du *San Francisco
Chronicle*, qui aida la ville à acquérir
le pavillon des Beaux-Arts de la
Califorma Midwinter Fair de 1894,
pour en faire un musée. Loin d'être
un expert au départ, De Young éta-
blit son propre programme d'acquisitions qui reflétait son goût pour le
curieux et l'ornemental : des
armures, des peintures, des objets du
Pacifique-Sud, une momie égyp-
tienne, des œufs d'oiseaux, des
menottes et même des reproductions. Une de ses premières acquisitions, une toile de John Vanderlyn,
*Caius Marius méditant sur les ruines
de Carthage* (1807), qui avait rem-
porté une médaille d'or au Salon de
Paris en 1808, forma la base de sa
collection d'art américain.

En 1919, le musée devint un bâtiment dans le style platéresque espagnol. Dès les années trente, il se
recentra sur les Beaux-Arts et les
Arts décoratifs, et accueillit en 1932
l'exposition des photographes du
Groupe f.64, parmi lesquels Edward
Weston et Ansel Adams (voir p. 40).

Le musée acquit plusieurs œuvres
européennes grâce à des dons importants. En 1972, lorsque le M. H. de
Young fusionna avec le California
Palace of the Legion of Honor (voir
p. 137-139) sous le nom de Fine
Arts Museums of San Francisco,
les œuvres européennes furent trans-
férées au Palace. En 1979, John
D. Rockefeller III lui fit don de plus de
100 œuvres américaines, propulsant
le M. H. de Young dans les hautes
sphères de l'art. Parmi les autres
donations figuraient la collection de
tapis et broderies du Proche-Orient et
d'Asie centrale H. McCoy Jones, ainsi
que la collection Wagner de peintures
murales de Teotihuacan du Mexique.

PEINTURE AMÉRICAINE

La collection offre une vue d'ensemble de l'art américain depuis
l'époque coloniale jusqu'à la moitié
du XXe siècle. La plus ancienne toile du
musée, *The Mason Children* (1670),
dépeint trois jeunes garçons de la classe supérieure de Boston.

Parmi les portraitistes remarquables, ne manquez pas l'autodi-

dacte John Singleton Copley (*Mary Turner Sargent,* 1763), Gilbert Stuart (célèbre pour son portrait de *George Washington*), John Singer Sargent, le portraitiste le plus demandé au tournant du XX⁰ siècle (*A Dinner Table at Night,* vers 1880), Robert Henri (*O in Black with Scarf,* 1910), et Mary Cassatt représentée ici par un portrait de sa mère, de 1889.

Les paysages d'Albert Bierstadt (*California Spring,* 1875), de Frederic Edwin Church de la Hudson River School (*Rainy Season in the Tropics,* 1866), et de William Keith, célèbre pour ses scènes de plein air de l'ouest, y sont exposés.

Délibérément moins majestueuses, les peintures de genre illustrent la vie de tous les jours. La toile de George Caleb Bingham, *Boatmen on the Missouri* (1846) représente trois flotteurs de bois qui vendent du bois aux bateaux à vapeur de passage. L'un des hommes porte un haut-de-forme cassé. Les teintes fortes utilisées pour les personnages contrastent avec le paysage brumeux, plus subtil. Parmi les autres peintures de genre figurent

The Bright Side (1865) de Winslow Homers et le chef-d'œuvre de Thomas Anschutz, *The Ironworkers' Noontime* (1880).

L'art régional est évoqué dans *Dinner for Threshers* (1934) de Grant Wood, qui dépeint une ferme à l'heure du repas. Cette toile panoramique paraît étonnamment moderne, même si elle renvoie aux triptyques de la Renaissance italienne. *Embarcadero and Clay* (1935) de John Langley Howards offre une représentation des voitures anciennes et d'un hôtel de San Francisco.

La petite toile *Blackberries* (1813) de Raphaelle Peale est une des plus anciennes natures mortes américaines. Dans la galerie de natures mortes en trompe-l'œil, on découvre la toile étrangement réaliste *The Trumpeter Swan* (1900) d'Alexander Pope, et *After the Hurit* (1885) de William M. Hamett, qui représente une porte à charnière de fer décorée d'une carabine, d'une corne à poudre et de gibier.

The Cup We All Race (1900) de John Frederick Peto est presque holo-

Boatmen on the Missouri (1846) de George Caleb Binghanns fait partie de la célèbre collection d'art américain du M. H. de Young Memorial Museum qui comprend plus de 200 œuvres de l'époque coloniale jusqu'au XX⁰ siècle.

graphique dans sa représentation de la réalité… ou de l'irréalité.

Parmi les toiles du début du XXᵉ siècle figure l'immense floraison mauve des *Pétunias* (1925) de Georgia O'Keeffe. Attardez-vous également devant les œuvres de la moitié du XXᵉ siècle, celles de Richard Diebenkorn (*Seated Woman*, 1965) et des artistes de la Bay Area, comme Wayne Thiebaud dont les *Three Machines* (1963) représentent des machines à boules de gomme colorées.

La collection de sculptures comprend le *King Saul* (1882) de William Wetmore Story et *The Bronco Buster* (1895) de Frederic Remingtod, un bronze aux détails caractéristiques des peintures de l'artiste.

ARTS DÉCORATIFS

Une salle à manger George III de style Adams, le salon néoclassique d'une maison du Massachusetts de 1805, du papier peint de Joseph Dufour, un coffre de 1780 fabriqué à Philadelphie, des œuvres en argent par Paul Revere et des chaises de style Shaker : tous retracent les origines des arts décoratifs américains.

Le mouvement d'artisanat d'art du début du XXᵉ siècle est représenté par un bahut de chêne aux ferrures martelées de Stickley, et par la *Tree of Life Window* (1904) de Frank Lloyd Wright, sa plus belle œuvre de la période de l'école de la Prairie, qui reprend un motif d'arbre stylisé dans un verre transparent, coloré et opalescent. Également présentée, une chaise d'appoint Greene et Greene en acajou et ébène, cuivre, étain, corail et nacre.

TEXTILES

Les pièces présentées appartiennent à une collection de tapis et broderies du Proche-Orient et d'Asie centrale, comprenant la plus belle série de kilims anatoliens existant hors de Turquie. Les kilims sont des textiles de laine tissée à plat, utilisés pour recouvrir le sol, les murs et les lits. Ne manquez pas les *suzanis*, des broderies de Samarkand, Bokhara et Tashkent offertes en dot.

ART OCÉANIQUE

Les pièces de l'art océanique ayant participé à la California Midwinter Fair de 1894 font partie de la collection fondatrice du musée, comme la proue de canoë Maori de Nouvelle-Zélande (XIXᵉ siècle) faite de bois et de coquillage. Il ne faut pas manquer le rouleau de plumes servant de monnaie de l'île Nindu de Santa Cruz, un rare dessin de navigation des îles Caroline de Micronésie et un totem de 3 m de la culture latmul des Papous de Nouvelle-Guinée.

ART AFRICAIN

L'Afrique subsaharienne est à l'honneur avec, par exemple, une statue du pouvoir du Congo et les portes gravées d'un grenier à céréales du Mali. Un masque fabriqué par le peuple Fang du Gabon, peint au kaolin blanc, servait à initier les membres de la société Ngil, une sorte de « police » tribale. Les statues Luba, du Zaïre, font partie des premières sculptures à avoir inspiré les artistes modernes.

ART DES AMÉRIQUES

Les superbes pièces couvrent la période qui s'étend de 1200 avant J.-C. au XVIᵉ siècle. Elles comprennent de remarquables peintures murales de Teotihuacan et un masque buccal (autour de 200-600 après J.-C.) en martelé et cinabre rouge, fabriqué par la culture Nazca du Pérou. La civilisation Moche du nord du Pérou (400 av. J.-C. à 600 ap. J.-C.) fabriquait des vaisseaux en céramique décorés de personnages étonnamment expressifs. Créés au Mexique, les animaux et personnages en céramique de Colima étaient des objets funéraires. Des œuvres aztèques, olmèques et mayas sont également exposées. ∎

Ce soldat agenouillé en argile rouge fait partie de la collection d'art des Amériques du musée.

California Academy of Sciences

PREMIÈRE INSTITUTION SCIENTIFIQUE DE L'OUEST (1853), CETTE ACADÉMIE a ouvert en 2008 de tout nouveaux locaux au Golden Gate Park. Seul exemple aux USA d'aquarium, de planétarium et de musée d'Histoire naturelle combinés, elle transcende, grâce à ces nouveaux bâtiments, l'organisation traditionnelle des expositions scientifiques – des halls séparés pour les différentes branches des sciences ou les différentes zones géographiques –, en intégrant les expositions les unes avec les autres, afin d'évoquer l'interconnexion du monde vivant.

En fait, la nouvelle académie utilise la nature comme partie intégrante de sa structure, avec un « toit vivant » où poussent des plantes indigènes et des formes sinueuses censées suggérer les collines du paysage environnant. Le bâtiment a été imaginé par l'architecte Renzo Piano, récompensé par le prix Pritzker, pour nous ouvrir les yeux sur la nature. Dans la partie à plusieurs niveaux consacrée à la forêt dense équatoriale, les visiteurs font un voyage vertical depuis le sol de la forêt jusqu'à sa canopée, en flânant parmi les plantes, insectes, reptiles et amphibiens extraordinaires qui vivent là.

Ce lézard du Brésil fait partie des 281 000 spécimens du département d'Herpétologie de l'académie.

California Academy of Sciences
www.calacademy.org
✉ 55 Concourse Dr, Golden Gate Park p. 190
☎ 415/321-8000
€€

Les tortues (ci-dessus) et les fourmis légionnaires (ci-dessous) sont présentées à la California Academy of Sciences.

Le nouveau **Steinhart Aquarium** explique, entre autres, la vie sauvage le long des côtes de Californie et propose des animations en 3-D, tandis que le **Morrison Planetarium** offre un voyage aux confins de l'espace et du temps, en remontant aux origines de l'univers et en révélant les dernières découvertes cosmiques.

DÉBUTS

L'académie a parcouru un long chemin depuis ses débuts après la Ruée vers l'or californienne, à l'époque où un groupe de naturalistes se retrouvait chaque semaine dans un petit bureau de San Francisco pour présenter ses exposés scientifiques. L'ancienne académie devint ensuite un musée des oiseaux, des animaux et de « curiosités » (le dodo éteint au XVIIIe siècle, le mammouth laineux) qui, en 1916, fut déplacé au Golden Gate Park. Aujourd'hui, elle abrite plus de 20 millions de spécimens de plantes, d'animaux, de fossiles et d'artefacts qui servent à la recherche.

NOUVEAU BÂTIMENT

La nouvelle California Academy of Sciences accueille dans ses bâti-

ments ultramodernes du Golden Gate Park à la fois le Kimball Natural History Museum, le Steinhart Aquarium et le Morrison Planetarium. Elle poursuit des recherches dans 11 secteurs d'étude et conserve dans ce but des spécimens scientifiques du monde entier. Le nouveau musée ouvrira ses portes à l'automne 2008 (jusque-là, il avait accueilli ses visiteurs dans des locaux temporaires, au 875 Howard St). Fort de ses 154 ans d'existence, il a été conçu par l'architecte international Renzo Piano avec pour objectif de fusionner la beauté de l'architecture et celle de la nature environnante.

La nouvelle California Academy of Sciences, dont les travaux seront achevés en 2008, accueillera un planétarium, un toit-jardin et une forêt équatoriale dense reproduite sur 4 niveaux, sous une bulle. ■

La nouvelle California Academy of Sciences.

Détendez-vous sous les arbres en fleur en dégustant un thé et des gâteaux de la chance.

Japanese Tea Garden

PAR UNE CALME JOURNÉE, ENTOURÉ DE CERISIERS, DE PLANS D'EAU ET DE bonsaïs, vous avez l'impression d'avoir été transporté dans un petit coin tranquille de la vieille cité de Kyoto. Selon la tradition japonaise, le jardin capture l'esprit de la nature dans un espace limité où la sérénité transparaît dans une expression hautement artistique.

C'est le plus vieux jardin japonais du pays qui fut créé pour la California Midwinter Fair de 1894. Il avait été proposé par un marchand de tableaux asiatique, George Turner Marsh, qui admirait les jardins du Japon, et fut entretenu pendant trente ans par le jardinier Makoto Hagiwara.

De 1895 à 1942, lui et sa famille vécurent dans le jardin, prirent soin des plantations et mirent en valeur ses particularités. Visitez-le en mars lorsque les cerisiers fleurissent, ou en automne lorsque les ginkgos se parent d'un jaune flamboyant.

Dans les jardins japonais, de nombreuses plantes ont des significations symboliques : les pins, souvent tortueux et sculptés par le temps, symbolisent la maturité digne – les pins noirs étant considérés comme masculins et les rouges comme féminins. Le chrysanthème est le symbole de la maison impériale du Japon.

On entre dans ce jardin de 2 ha par une porte de cérémonie en cyprès Hinoki japonais, traditionnellement utilisé pour les temples. Les allées sinueuses offrent des vues changeantes sur les feuillages.

Le **Moon Bridge** (pont de la Lune) se cambre au-dessus d'un étang et s'y reflète sous la forme d'un cercle pareil à une pleine lune. La **pagode** à cinq toits du jardin a été construite pour l'Exposition internationale Panama-Pacific de 1915. Tout près se trouve la **Peace Lantern** (lanterne de la Paix), en bronze vert, un symbole d'amitié financé par des écoliers japonais pour commémorer le traité de paix de 1951 entre les États-Unis et le Japon.

Au très prisé **pavillon du thé**, des serveuses en kimonos de soie servent du thé parfumé et des gâteaux de la chance. Ces gâteaux furent amenés ici par Makoto Hagiwara en 1909, et furent ensuite adoptés par les restaurateurs chinois. Tout près du pavillon se dresse un **Bouddha** en bronze de 1,5 t coulé au Japon en 1790. Il est appelé Amazarashi-NoHotoke (le « Bouddha qui reste assis sous le soleil ou la pluie sans abri »).

Le **jardin zen**, lieu de méditation conçu à l'origine pour aider les moines dans leur quête de l'illumination, a été imaginé en 1953 par l'architecte paysagiste Nagao Sakurai. ∎

Japanese Tea Garden

🅐 Voir plan p. 156-157

✉ Hagiwara Tea Garden Dr, Golden Gate Park

☎ 415/752-1171

€ €

🕐 Visites de mai à oct., sam. à lun. et mer. à 14 h ; reste de l'année dim. et mer. uniquement

🚍 Bus : 5, 44, 71 ; Tramway : ligne N

Strybing Arboretum et Botanical Gardens

Strybing Arboretum et Botanical Gardens

www.strybing.org

🗺 Voir plan
p. 156-157

✉ 9ᵉ Ave, au niveau
de Lincoln Way,
Golden Gate Park

☎ 415/661-1316

🕐 Appeler pour les
visites

🚌 Bus : 44, 71 ;
Tramway : N

Les enfants, comme les oies, apprécient les jardins botaniques.

OASIS URBAINE OU SALLE DE CLASSE EN PLEIN AIR, CE LIEU SÉDUIT LES amoureux des plantes. Ici, le climat méditerranéen de San Francisco offre des possibilités infinies de jardinage, sur 22,25 ha de plantations, avec plus de 7 000 variétés d'espèces rares et inhabituelles provenant du monde entier. L'arboretum et les jardins botaniques ont été réalisés en 1940, grâce aux legs de la philanthrope Helene Strybing.

Disposées autour d'une pelouse centrale, les collections géographiques et spécialisées proviennent d'endroits aussi variés qu'un pré californien ou une forêt de la zone des brouillards asiatique. Parmi les découvertes intéressantes, le jardin **Cape Province** évoque le cap de Bonne-Espérance en Afrique du Sud, l'une des zones les plus prospères du monde pour ses espèces botaniques. Parmi elles, on trouve la *Protea* (qui ressemble à une plante de science-fiction originaire de Vénus !) et de brillants aloès orange.

Le **jardin australien** abrite des plantes insolites comme la patte de kangourou, avec ses grappes de fleurs jaune, vert et rouge. Parmi les plantes du Chili, on trouve des lis aux couleurs chaudes et le *Drymis winteri*, dont l'écorce est curative. Dans la partie **californienne**, un bosquet de séquoias est vieux de plus de cent ans. Au cœur du jardin japonais **Moon-Viewing**, un étang reflète les érables durant le jour et la lune la nuit. Dans la **New World Cloud Forest**, on aperçoit des lianes de la passion très colorées et des marguerites arborescentes aux feuilles étonnamment larges.

Le **jardin des senteurs** (Garden of Fragrance) embaume de plantes aromatiques comme le romarin, la sauge et la lavande. Il a été réalisé pour les visiteurs non ou mal voyants avec des plantes choisies pour leurs parfums ou leurs textures. Les oiseaux se rassemblent dans ce lieu chaleureux. Les plantations sont délimitées par les pierres d'un monastère du XIIᵉ siècle achetées en Espagne par William Randolph Hearst.

Avec ses 18 000 volumes, la **bibliothèque d'horticulture Helen Crocker Russell** permet de faire des recherches sur les plantes et organise des expositions d'art botanique. ∎

Véritable bijou sur la berge du Stow Lake : le Chinese Moon Pavilion.

Golden Gate Park West

À l'ouest du complexe du muséum, le Golden Gate Park s'étend jusqu'à l'océan. Ce lieu soigneusement préservé et paysagé est consacré aux loisirs et aux plaisirs de plein air, grâce à des aménagements artificiels qui simulent des scènes rurales idylliques.

C'est un endroit agréable pour se promener ou faire du bateau sur le **Stow Lake**, un réservoir créé en 1893. Il alimente directement le système d'irrigation du parc. Le lac encercle **Strawberry Hill**, une île boisée culminant à 120 m d'altitude, ce qui en fait le point le plus haut du parc. Lorsque celui-ci était en cours de plantation, cette colline était appelée « l'île » car c'était la seule zone de végétation dans cette mer de sable. À présent, c'est une vraie île entourée d'eau. Il est possible d'y louer des pédalos, des canots à rames ou même de petits bateaux à moteur. Deux ponts mènent à un chemin de près de 1,6 km qui en fait le tour, propice à une balade au milieu des canards. Vous arrivez au **Chinese Moon Pavilion**, dont Taipei fit don à San Francisco (sa ville jumelée) en 1981. Ce pavillon octogonal, avec ses colonnes rouges et son toit de tuiles vertes, est consacré au repos et à la contemplation de la nature (y compris de la lune). Tout près, les **Huntington Falls**, cascades de plus de 30 m,

ont été financées par un magnat du chemin de fer, Collis P. Huntington, dans les années 1890.

Au sommet de Strawberry Hill, vous croiserez peut-être la caille de Californie. Vous aurez aussi le loisir d'apercevoir des théiers de Nouvelle-Zélande aux fleurs blanches au printemps. Cette espèce est largement utilisée pour reconquérir les zones sablonneuses. Le sommet de la colline est habituellement paisible, et offre un point de vue magnifique sur le parc, la ville et la baie.

Au nord du lac, la **Prayer Book Cross** a été sculptée dans le grès sur le modèle d'une croix celtique de l'île écossaise de Iona. En bas, les **Rainbow Falls** tombent en cascade d'une falaise. Lors de leur création dans les années 1930, des lumières colorées y furent dissimulées afin de dessiner des arcs-en-ciel dans les embruns.

Le long du tranquille Lloyd Lake, les **Portals of the Past** forment une colonnade néoclassique qui, auparavant, servait d'entrée à la maison Towne sur Nob Hill.

ANZA STREET

RICHMOND

48TH

41ST

34TH

BALBOA

AVENUE

AVENUE

AVENUE

FULTON

GREAT

GOLDEN

Dutch Windmill

Spreckels
Lake

QUEEN WILHELMINA
TULIP GARDENS

BUFFALO
PADDOCK

North
Lake

GOLDEN

GATE

GATE

HIGHWAY

JOHN F. KENNEDY DRIVE

Chain of Lakes

KENNEDY

DRIVE

Stables

NATIONAL

Beach
Chalet

GOLDEN GATE
PARK MUNICIPAL
GOLF COURSE

JOHN

F.

Golden Gate
Park Stadium

RECREATION

Ocean

Middle
Lake

Fly-casting
Pools

POLO
FIELD

Beach

MARTIN LUTHER KING JR. DRIVE

South Lake

AREA

LINCOLN

GREAT

41ST

SUNSET

34TH

LOWER GREAT HIGHWAY

AVENUE

SUNSET

BLVD

AVENUE

HIGHWAY

JUDAH

San Francisco Zoo
Fort Funston

Golden Gate Park West

 Voir aussi plan p. 156-157

Beach Chalet Visitor Center

✉ 1000 Great Hwy

☎ 415/386-8439

🚌 Bus : 5

Les bisons, qui sont parmi les plus gros animaux terrestres d'Amérique du Nord, symbolisent l'Ouest américain.

Les **écuries** sont situées à côté de l'ancien terrain de polo, un stade aujourd'hui utilisé pour les sports de pistes et de terrains. À proximité, les passionnés de modélisme nautique se retrouvent autour du **Spreckels Lake**. Les espaces de récréation du parc comprennent également des bassins de pêche à la mouche, une piste de dressage et un terrain de golf.

Ne manquez pas le **Buffalo Paddock**, territoire d'un petit troupeau de bisons américains à longs poils. Les premiers bisons du parc ont été rapportés du Montana en 1890. À l'extrémité ouest, les 10 000 bulbes de tulipes du **Queen Wilhelmina Tulip Garden** s'épanouissent de février à mars. Le **Dutch Windmill**

voisin pompait autrefois 113 m³ d'eau par heure pour irriguer le parc. Construit en 1903, ce moulin à vent hollandais possède des pales de 31 m, bien assez grandes pour capter les vents de l'océan pacifique.

Le **Beach Chalet** est situé sur la Great Hwy, qui fait face au parc et à l'océan. À l'intérieur, un **centre d'accueil** vend de la documentation et des plans du parc. Ce bâtiment colonial espagnol, qui fut la dernière création (1925) de l'architecte Willis Polk, propose un restaurant à l'étage et des cabines de déshabillage au rez-de-chaussée. Au début des années trente, deux sœurs ouvrirent un salon de thé au premier étage.

Puis en 1936, l'artiste français Lucien Labaudt – un couturier qui habillait la haute société de San Francisco – entreprit de peindre les murs nus du premier étage de fresques représentant le côté le plus léger de la vie à San Francisco. À Baker Beach, des enfants jouent sur le sable, une femme se sert d'un journal plié comme d'un chapeau de soleil, et des saucisses grillent sur un feu. L'artiste a souvent peint sa femme et ses amis dans ce genre de scènes. Au cours de la deuxième guerre mondiale, l'armée occupa le bâtiment qui, par la suite, devint un bar et un centre social. Aujourd'hui, le deuxième étage abrite un restaurant-bistrot-brasserie *(tél. 415/386 8439)* dont la vue plonge sur l'océan. ■

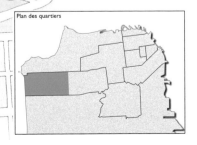

Lieux à visiter au sud du parc

FORT FUNSTON

Espace vert côtier aux pentes escarpées vers le sable, au sud-est d'Ocean Beach, Fort Funston fait partie du GGNRA (voir p. 125). Avec le vol en deltaplane, il se classe en première position des meilleurs endroits du pays pour le vol à voile *(de fin mars à oct.)*, grâce à ses vents océaniques réguliers et à ses hautes dunes de plus de 60 m. À flanc de coteau on a une vue spectaculaire. Les hirondelles de rivage font leur nid sur les falaises au nord *(avril à juil.)*.

Le fort doit son nom à Frederick Funston, général de l'armée en charge des secours après le tremblement de terre et l'incendie de 1906. Au fort, la batterie Davis (1938) possédait deux canons de calibre 40 avec une portée de tir de 40 km. Ce fut la première artillerie côtière à être protégée dans une casemate, ou enceinte fortifiée. (Avec les progrès de l'aviation militaire, les artilleries sur terrain libre devenaient des cibles faciles.) Les missiles Nike protégèrent la côte des années 1950 jusqu'à la fermeture du fort, en 1963. Aujourd'hui, les baraquements abritent un centre permanent d'initiation à l'environnement. ✉ Près de Skyline Bd, (Calif. 35) 400 m au sud de John Muir Dr ☎ 415/239-2366 🚌 Bus : 18

OCEAN BEACH

La plus longue plage de San Francisco s'étend au sud de Cliff House (voir p. 140-141), le long de **Sunset District**, un quartier résidentiel soigneusement ordonné qui fut, jadis, une zone sau-

vage de dunes de sable. La plage fait partie du Golden Gate National Recreation Area (GGNRA, voir p. 125). Elle est idéale pour les promenades, la baignade y étant dangereuse : des courants violents peuvent entraîner les baigneurs au loin, même dans une eau peu profonde.

De nombreux bateaux ont sombré le long d'Ocean Beach et, pour les riverains, leur pillage était un loisir. En 1887, environ 50 000 personnes vinrent ramasser des souvenirs sur une épave échouée près de Cliff House. Près d'Ortega St, vous apercevez les morceaux de la coque disloquée de navire de 1878, le *King Phillip*. ☎ 415/239-2366 🚌 Bus : 5, 18, 23, 31, 38, 48, 71 ; Tramway : lignes L, N

SAN FRANCISCO ZOO

Près de l'extrémité sud d'Ocean Beach, ce zoo se consacre à la conservation. Les lémuriens batifolent dans une forêt où les visiteurs peuvent les observer au niveau de la cime des arbres. Les pingouins jouent dans un bassin, tandis que les koalas piquent un somme dans un bosquet d'eucalyptus. Les chimpanzés et les orangs-outangs vagabondent dans la Great Ape Forest. Une savane africaine est le territoire des girafes, zèbres, élands et autruches. Ils sont tous visibles depuis des plateformes et un tunnel, au centre de l'habitat lui-même. ✉ Sloat Bd près de Great Hwy ☎ 415/753-7080, www.sfzoo.org 💶 €€ 🚌 Bus : 18, 23 ; Tramway : ligne L ■

Un deltaplane décolle des pentes du Fort Funston, site de lancement très prisé.

Siège du gouvernement, le Civic Center abrite des sites culturels et artistiques réputés. Juste au sud, l'ancien district industriel de SoMa, bouleversé par un plan d'aménagement majeur, est devenu une scène artistique vivante.

Civic Center et SoMa

Au San Francisco Museum of Modern Art.

Civic Center et SoMa

CES QUARTIERS LIMITROPHES RÉVÈLENT DES ASPECTS DIFFÉRENTS MAIS ESSENTIELS DE LA PERSON-
nalité de San Francisco. Siège du gouvernement, le Civic Center représente sans doute la plus
belle collection d'édifices de style Beaux-Arts des États-Unis, avec un City Hall (mairie) aussi
somptueux qu'un palais urbain. En revanche, le quartier de South of Market (SoMa), au
cœur de Market, Embarcadero et Berry Sts, reste une zone industrielle avec de larges voies
et de longs *blocks* datant du quadrillage des rues dessiné en 1847 par Jasper O'Farrell.

En 1906, la quasi-totalité de San Francisco ayant
été dévastée, on appliqua le Burnham Plan (voir
p. 31), un plan d'urbanisme censé embellir la ville.
Le City Hall fut le premier bâtiment à être bâti.
Mais le gouvernement traînant les pieds, des commerces et des résidences furent vite reconstruits
selon l'ancien schéma des rues. L'édification du
Civic Center se poursuivit, mais le plan global de
la ville ne fut jamais réalisé.

Un lieu d'évasion pour les enfants.

La mairie d'origine, construite avec des matériaux de mauvaise qualité sous l'ancienne municipalité corrompue, s'était écroulée comme un
château de cartes lors du séisme. En 1915, l'administration efficace du maire James « Sunny
Jim » Rolph Jr permit de construire un nouveau
City Hall, un opéra, un hall symphonique, ainsi
que d'autres bâtiments publics. Aujourd'hui, le
Civic Center est un centre gouvernemental actif,
un foyer de culture et d'arts, comme le prouve
l'acquisition de l'immense Asian Art Museum.

Étonnamment, les nantis vivaient à cette
époque au sein du quartier industriel de SoMa.
Mais le développement du tramway dans les
années 1870 détourna cette population fortunée
vers Nob Hill. SoMa fut alors investi par des
familles d'ouvriers qui y vécurent au milieu des

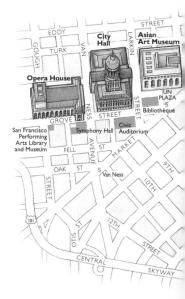

entrepôts, usines, scieries, usines sidérurgiques et installations portuaires.

Après le séisme et l'incendie de 1906, des hôtels bon marché et des maisons de rapport furent bâtis, la plupart occupés par des retraités âgés et des ouvriers journaliers, ou par des vagabonds et des alcooliques des quartiers malfamés. En 1936, les maisons de Rincon Hill autour du Bay Bridge furent rasées. Au milieu des années 1950, la ville appliqua le plan de démolition d'une partie du quartier pour des projets de rénovation urbaine. En 1967, lorsque les lotisseurs tentèrent de déplacer des centaines de riverains hors de cette zone, une injonction et des poursuites suspendirent leurs projets pendant dix ans. Finalement, des logements à faible coût furent inclus dans le vaste plan des Yerba Buena Gardens.

Dans les années 1980, SoMa est devenu une scène florissante pour art alternatif : peintres, musiciens et danseurs ont transformé ses entrepôts en studios ou en habitations. Quantité de petites galeries ont éclos dans ce nouveau lieu à la mode faussement bohème. Avec l'ouverture des Yerba Buena Gardens, en 1993, et celle du nouveau San Francisco Museum of Modern Art, en 1995, l'empreinte culturelle était coulée. Aujourd'hui, cette partie du quartier est truffée d'hôtels chics, de copropriétés, de galeries, de restaurants et de lieux de sortie nocturne. ■

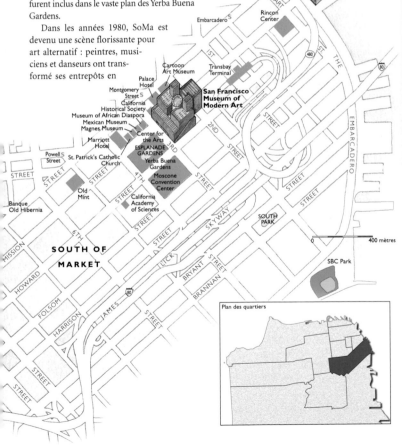

Autour du Civic Center

LA CIVIC CENTER PLAZA QUI S'ÉTEND À L'EST DU CITY HALL A ÉTÉ RESTAU-
rée pour retrouver son aspect d'origine, avec une grande pelouse et des
rangées de platanes anglais. Elle peut accueillir des centaines de milliers
de personnes et sert de tribune lors des manifestations politiques.

Bill Graham Civic
Auditorium
✉ 99 Grove St
☎ 415/978-5917
🚌 Bus : 5, 19, 21, 26,
42, 47 ; Tramway : J,
K, L, M, N ; BART :
Civic Center

San Francisco
Main Public
Library
http://sfpl.lib.ca.us
✉ 100 Larkin St
☎ 415/557-4400
🕐 Ouvert tous les
jours.
Visites gratuites :
appeler pour
horaires.
🚌 Bus : 5, 19, 21, 26,
42, 47 ; Tramway : J,
K, L, M, N ; BART :
Civic Center

San Francisco
Performing Arts
Library & Museum
www.sfpalm.org
✉ 401 Van Ness Ave,
4ᵉ étage
☎ 415/255-4800
🕐 Fermé sam. et dim. ;
visites lun.
🚌 BART : Civic Center

Au sud de la place, le **Bill Graham Civic Auditorium** réalisé par Arthur Brown Jr (1915) a été bâti pour l'Exposition internationale Panama-Pacific. C'est, aujourd'hui, un haut lieu du spectacle.

À l'est de la place, on trouve l'**Asian Art Museum** qui occupe l'ancienne bibliothèque de style Beaux-Arts redessinée (voir p. 185-188) et l'étonnante **San Francisco Main Public Library** de Pei Cobb Freed et Partners (achevée en 1995). Un souffle postmoderne a rajeuni l'architecture Beaux-Arts convention-nelle de sa façade, tout en respectant les structures historiques voisines grâce à l'utilisation d'un granit de la même carrière. L'arrière est nette-ment contemporain.

Entre les bâtiments de la biblio-thèque, sur Fulton St, se dresse le **Pioneer Monument** de Frank Happersberger (1894) qui évoque un moine espagnol accompagné d'un Indien converti et de chercheurs d'or découvrant un filon. Ses panneaux de bronze illustrent des personnages californiens comme le Père Junipero Serra et John Sutter.

Juste à l'est, la **United Nations Plaza** commémore la rédaction de la Charte des Nations Unies au War Memorial Opera House en 1945, et sa signature au Veterans Building. Des colonnes portent les noms des pays membres des Nations Unies. Ce lieu s'anime tous les mercredis et dimanches matins, à l'occasion d'un **marché fermier**.

Considérée comme l'un des plus beaux bâtiments de la ville, l'**Old Hibernia Bank** (Jones St et McAllister St, près de Market St, fer-

mée au public) est un bijou du style Beaux-Arts dessiné en 1892 par l'ar-chitecte local, Albert Pissis. Les élé-ments classiques de sa structure en granit sont des colonnes corin-thiennes et un dôme qui coiffe son entrée en angle. Le hall de la banque est orné de plâtres raffinés, de marbres et de vitraux, mais le bâti-ment est un poste de police.

Le **Tenderloin District**, quartier où fleurissent la criminalité, la prostitution et les sans-abri, commence au niveau de Jones et s'étend vers l'est en direction de Mason. Soyez prudent et évitez-le la nuit.

À l'ouest de Civic Center Plaza et du City Hall, au-delà de Van Ness, deux édifices de style Beaux-Arts quasi identiques, dessinés en 1932 par Arthur Brown Jr, rendent hommage aux soldats de la première guerre mondiale. À droite, le **Veterans Building** accueille de petits concerts et des conférences dans le Herbst Theater.

Si vous rêvez de brûler les planches, montez jusqu'au **San Francisco Performing Arts Library and Museum** pour y découvrir des livres, affiches et programmes retraçant la passion de la ville pour le théâtre.

Sur la gauche, le **War Memorial Opera House** de 3 100 places (voir p. 264), premier opéra du pays financé par une municipalité, est la résidence des célèbres compagnies d'opéra et de ballets de San Francisco.

Juste au sud, sur Van Ness et Grove, se dresse le **Louise M. Davies Symphony Hall** (voir p. 264), tout de verre et de granit, construit en 1980 par Skidmore, Owings et Merrill. Il accueille l'exceptionnel orchestre symphonique de la ville. ■

Veterans Building

- ✉ 401 Van Ness Ave
- ☎ 415/621-6600
- ⏰ Fermé sam. et dim. Visites lun.
- 🚌 Bus : 5, 19, 21, 42, 47 ; Tramway : J, K, L, M, N

Le City Hall a été soigneusement restauré après le tremblement de terre de 1989.

City Hall

APRÈS LE TREMBLEMENT DE TERRE QUI ENDOMMAGEA LE CITY HALL EN 1989, San Francisco dépensa 300 millions de dollars dans sa mise aux normes sismiques et sa remise en état. Une fois encore, l'édifice municipal resplendit tel un temple, tout de granit, de marbre et de métal doré. Il occupe deux *blocks* et c'est le plus grand bâtiment du monde qui ne touche pas terre : ses fondations reposent sur d'énormes disques de métal et caoutchouc conçus pour absorber les secousses sismiques.

Superbement restauré, le City Hall de 4 étages ressemble à un temple classique.

intègre des éléments classiques comme ses colonnes doriques et ses frontons sculptés. Les sculptures de Henri Crenier au-dessus de l'entrée de Polk Street, représentent l'agriculture et les richesses de la Californie (à gauche) et ses compétences maritimes (à droite). Elles symbolisent également le rôle de San Francisco en tant que lien entre les richesses de la Californie et les besoins commerciaux du reste du monde.

À l'intérieur de la rotonde centrale, le sol en marbre brillant rivalise de beauté avec les lanternes de verre et de fer travaillé, et l'abondance des plâtres sophistiqués. La rotonde s'élève sur quatre niveaux jusqu'à un anneau de colonnes corinthiennes situé sous le dôme (formé en fait de trois dômes gigognes). Les cérémonies (inaugurations, annonces de vote et expositions solennelles) ont lieu sur le palier de l'escalier monumental.

En haut des marches, la chambre du Conseil des superviseurs est si magnifique qu'on envierait presque les politiciens ! Les murs lambrissés de chêne resplendissent sous un plafond espagnol décoré dans des teintes turquoise pâle et or. Même si les terminaux d'ordinateur, devant les sièges des Supervisors, semblent anachroniques, leur installation fait partie intégrante de la remise en état du bâtiment.

En 1978, dans ses bureaux à l'étage, le maire George Moscone et le Supervisor Harvey Milk, premier élu ouvertement gay des Etats-Unis, furent assassinés par balle par l'ex-Supervisor Dan White. ∎

City Hall

🅐 Voir plan p. 180-181

✉ Polk St entre Grove St et McAllister St ; prendre l'entrée sur Van Ness Ave pour les visites.

☎ 415/554-6139

🕐 Fermé dim. Visites lun. ven. 10 h, 12 h et 14 h, sam. 12 h 30, mais vérifier avant

🚌 Bus : 5, 9, 19, 21, 47, 49 ; BART : Civic Center

Bâti en 1915, l'édifice possède deux ailes à colonnades reliées par une rotonde coiffée d'un dôme de cuivre qui ressemble à celui de la Basilique Saint-Pierre de Rome et s'élève à plus de 93 m, soit environ 12 m de plus que celui du Capitol à Washington – un fait que le maire Rolph se plaisait à évoquer.

Un tel bâtiment donna à San Francisco le statut non plus d'une simple ville frontière mais celui d'un grand port de la côte Ouest et d'une capitale du bassin Pacifique.

Arthur Brown Jr, l'architecte du City Hall, fut influencé par ses études à l'École des Beaux-arts de Paris. Son style néo-Renaissance française

Asian Art Museum

AVEC 15 000 OBJETS RETRAÇANT 6 000 ANS D'HISTOIRE, ORIGINAIRES DE plus de 40 pays asiatiques, c'est le plus grand musée des États-Unis exclusivement consacré à l'art asiatique. Il a été ouvert en 1966 afin d'exposer la vaste collection offerte par Avery Brundage (1887-1975), un industriel de Chicago qui a également officié comme président du Comité olympique international (et même participé au décathlon des jeux Olympiques de 1912). Brundage a débuté cette collection dans les années 1920, après s'être pris de passion pour l'art asiatique.

Asian Art Museum
www.asianart.org

🔼 Voir plan
p. 180-181

✉ 200 Larkin St

☎ 415/581-3500

🕐 Fermé lun.

€ €€. Gratuit 1er mar. du mois

🚌 Bus : 5, 19, 21, 26, 47 ; BART : Civic Center

Les galeries du musée où sont exposés quelque 2 500 objets des principales cultures d'Asie insistent sur trois thèmes : l'évolution du bouddhisme ; le commerce et les échanges culturels avec les pèlerins, les voyageurs et les armées ; et les croyances et pratiques locales. Les visiteurs découvrent les galeries dans l'ordre suivant.

INDE

L'Inde est représentée par des œuvres d'art telles des sculptures de fronton de temple, des peintures de miniatures, de la sculpture sur bois et des rouleaux de parchemin calligraphiques.

Des statues religieuses en bronze, bois, pierre et argile enrichissent cette collection. Un Bodhisattva Maitreya (du IIe au IIIe siècle) sculpté dans le schiste représente l'être éclairé (appelé bodhisattva). Cette sculpture provient de Gandhara, une région influencée par les styles gréco-romains à cause de ses contacts avec l'étranger à l'époque d'Alexandre le Grand. Un Ganesha du sud de l'Inde (XIIIe siècle) sculpté dans la pierre représente le dieu hindou à tête d'éléphant de la sagesse et de la richesse. Une galerie est consacrée à l'art sikh, seule exposition de l'hémisphère Ouest sur ce sujet.

MONDE PERSE ET ASIE DE L'OUEST

L'art de cette région (Iran, Iraq, Afghanistan, Turkménistan, Ouz-békistan) comprend des céramiques du néolithique (cerfs, créatures mythiques), des céramiques islamiques intensément colorées, des bijoux, des ornements architecturaux, des bronzes, des peintures de miniatures, des récipients en jade et des manuscrits enluminés.

ASIE DU SUD-EST

Ces galeries renferment des objets de Thaïlande, du Cambodge, de Birmanie, du Laos, du Vietnam, d'Indonésie, de Malaisie et des Philippines. La Thaïlande est représentée par des céramiques, ainsi que de remarquables collections de peintures, de kriss (poignards) thaï et des îles, dont beaucoup sont minutieusement ornés de pierreries, ce qui en fait des objets aussi beaux que menaçants. La collection possède une plaque dédicatoire particulièrement belle, en or repoussé (peut-être du VIIIe ou IXe siècle) provenant d'un temple hindou du Cambodge – un lieu censé être le domaine de dieu sur Terre et symboliser le microcosme de l'univers. Angkor Wat est représenté par de nombreux objets en pierre et en bronze. Shiva et Uma (XIe siècle) sont des exemples des sculptures raffinées que le peuple khmer du royaume d'Angkor créait pour décorer ses temples. Les fidèles khmers associaient leur propre religion avec des éléments de l'hindouisme et du bouddhisme.

Un bronze de **Mahakaruna (Thaïlande)** du VIIe ou VIIIe siècle.

Une représentation de la déité bouddhiste Simhavaktra Dakini (XVIIIe siècle), exposée dans la galerie du Monde bouddhiste de l'Himalaya et du Tibet.

MONDE BOUDDHISTE DE L'HIMALAYA ET DU TIBET

Du Tibet proviennent de rares rouleaux de parchemin des monastères de Shalu et de Ngor. Le dordjé (objet du culte symbolisant le principe masculin) et la cloche (symbolisant le principe féminin) de métal doré (XVe siècle) sont utilisés pour la prière et le rituel bouddhistes tibétains. Une statue en bois laqué de Simhavaktra Dakini (XVIIIe siècle) évoque une gardienne à tête de lion du bouddhisme Vajrayana, qui guide les mortels sur le bon chemin.

Parmi les œuvres du Népal figurent des mandalas de coton coloré (favorisant la méditation) et des sculptures bouddhistes.

CHINE

Principal centre d'intérêt du donateur et fondateur du musée, Avery Brundage, les arts chinois sont à l'honneur avec des collections de bronzes, céramiques, calligraphies, sculptures et peintures. Les ossements d'oracle datant du néolithique ont une importance historique et rappellent les événements rituels. Ils constituent la première langue écrite de Chine. Également intéressant, le plus ancien récipient laqué de Chine qui possède une marque de fabrique (an 1 ap. J.-C.). La collection de 300 bronzes rituels chinois vieux de près de 3 000 ans est d'une grande valeur. Clou de la collection, le plus vieux Bouddha chinois connu (338 ap. J.-C.) est une statue assise en bronze doré, dont la physionomie (yeux et nez) plutôt chinoise semble indiquer une évolution par rapport au style indien qui dominait l'art bouddhiste chinois à ses débuts.

Song (960-1279 ap. J.-C.) vernissées en vert céladon. Une figurine tombale de la dynastie Tang (618-907 ap. J.-C.) représente un chameau en vernis sancai de trois couleurs. La dynastie Tang a mis au point la porcelaine, une céramique transparente, blanche et résistante en cuisant de l'argile pure et en la vernissant. Les premières porcelaines bleu et blanc apparurent au début de la dynastie Ming (1368-1644 ap. J.-C.).

La collection présente aussi des éventails peints et des calligraphies sur papier datant de la dynastie Ming. Les rouleaux de parchemin utilisent plusieurs textures et teintes d'encre pour évoquer les paysages magnifiques des montagnes couvertes de brume, le feuillage et l'eau.

Très prisés par les visiteurs du musée, les objets fabriqués en jade, un minéral dont Confucius (551-479 av. J.-C.) comparait les qualités à celles d'un vrai gentilhomme : « Son poli et sa brillance représentent le blanc de la pureté. Sa compacité parfaite et sa dureté extrême représentent la certitude de l'intelligence. Ses angles, qui ne coupent pas malgré leur tranchant, représentent la justice… Ses imperfections intérieures, qui se révèlent toujours au travers de sa transparence, évoquent la sincérité. Son éclat irisé représente le paradis. »

Parmi plus de 200 pièces de jade de la collection, le cong (petit tube carré à l'extérieur et rond à l'intérieur) de la fin du néolithique (3100-2200 av. J.-C.), probablement utilisé dans les cérémonies de culte à la Terre, est une pièce exceptionnelle. Un rare disque bi (2 500 av. J.-C.) avec un trou central symbolise le ciel.

La collection est riche de jades de la dynastie Qing (1644-1911) aux significations favorables. On y voit une sculpture ajourée du XIXᵉ siècle évoquant les Trois Abondances représentées par des fruits. Tour de force moderne, un brûleur d'encens montre dix musi-

C'est à la fin de la dynastie Han (220 ap. J.-C.) que le bouddhisme est parvenu à pénétrer une culture chinoise vieille de 2 000 ans, qui se considérait supérieure à celles de l'étranger, à une époque où le culte d'État était basé sur le confucianisme. Pendant cette période de guerre et de famine, le bouddhisme sut attirer le peuple en lui offrant la possibilité de mettre un terme au cycle de ses souffrances.

Les récipients de rituels en bronze de la dynastie Shang (1122-1028 av. J.-C.) incluent un charmant rhinocéros dont la forme naturaliste convient parfaitement à sa fonction de carafe à vin. La collection de céramiques comprend une cruche en poterie avec un couvercle en forme de toit, datant du néolithique (2500-1500 av. J.-C.), ainsi que des pièces de la dynastie

ciens finement sculptés dans du jade blanc transparent.

CORÉE

Deux poignards d'ardoise de l'âge de bronze (600 et 500 av. J.-C.) sont les plus anciens objets de cette collection, la plus remarquable en dehors de Corée. Parmi d'autres pièces importantes figurent des Bouddhas en bronze, de la vaisselle en grès et en faïence, et des rouleaux de parchemin.

Un récipient en faïence en forme de canard, probablement fabriqué pour des cérémonies ou des rites funéraires, représente les Trois Royaumes (57 av. J.-C. à 668 ap. J.-C.), une période célèbre pour ses poteries et ses grès aux formes imaginatives.

Le Royaume unifié de Silla (668-935 ap. J.-C.) domina l'âge d'or de l'art bouddhiste. Sa capitale Kyongju était décrite comme possédant autant de temples bouddhistes que les étoiles du paradis et des pagodes alignées comme des oies volant dans le ciel. Une grande statue de bronze doré du VIIIᵉ siècle d'Amitabha Bouddha, le Bouddha de la vie éternelle et de la lumière infinie, est remarquablement fine.

La fervente dynastie bouddhiste Koryo (935-1392 ap. J.-C.) fut à l'origine de riches peintures, comme le Bouddha Amitabha et les huit grands Bodhisattvas du XIVᵉ siècle, alors que la dynastie Choson suivante (1392-1910 après J.-C.) fut marquée par le sévère néoconfucianisme. Le *Portrait* de Sosan Taesa (fin du XVIᵉ siècle) peint à l'encre et en couleur sur de la soie, représente un moine élégamment vêtu qui enseigne l'unité du confucianisme, du bouddhisme et du taoïsme.

La collection comprend également des peintures de plusieurs styles : courtois, savant, bouddhiste et folklorique, ainsi que des laques et des textiles.

Ce kimono japonais aux motifs figurant des papillons et des herbes de la pampa était porté par le comédien interprétant le rôle-titre de la pièce nô Papillon (Kocho).

JAPON

Aucun musée américain ne possède une aussi vaste collection d'art japonais, y compris de cloches rituelles en bronze, de bouddhas en bois doré, de statues en laque sec, de grès vernissé, de porcelaine, de rouleaux de parchemin, de rares paravents peints et de sculptures de netsuke.

Le *Soldat debout* (VIᵉ siècle), réalisé en poterie et portant une tunique, des pantalons bouffants et un casque était un objet funéraire censé indiquer la haute position économique et sociale du défunt. Parmi les objets en grès vernissé, on trouve un bol à thé orné de médaillons représentant des dragons (milieu du XVIIᵉ siècle) par Nonomura Ninsei, l'un des premiers potiers à marquer ses œuvres de son propre sceau. En hiver, ce grand bol gardait le thé chaud plus longtemps pour les invités. Il est en partie vernissé de noir pour évoquer une nuit d'hiver. Autre objet en céramique intéressant, la *Bouteille aux éclaboussures de vernis* (années 1960) en grès vernissé par Kanjiro Kawai, dont les premières expérimentations techniques lui ont rapidement valu la notoriété. Par la suite, il adopta le style mingei qui relançait l'artisanat traditionnel en employant des techniques décoratives primitives inspirées par les potiers de village. En décrivant comment il utilisait un pinceau pour éclabousser trois vernis sur cette bouteille, Kawai expliquait son impression d'être « assisté par une force invisible autre que moi-même ».

Remarquable parmi les estampes du musée, *Le Chemin sur le mont Utsu* (XVIIIᵉ siècle), évoque une scène des *Contes d'Ise*, récit poétique du Xᵉ siècle qui se déroule autour d'un voyage romantique. Le musée abrite aussi la plus grande et plus belle collection de paniers qui existe en dehors du Japon. ∎

Yerba Buena Gardens

Yerba Buena Gardens est une partie de SoMa en pleine évolution. Un budget de 2 milliards de dollars a été consacré au réaménagement global de ce quartier d'ouvriers anciennement malfamé. Il foisonnait d'hôtels de passage à 7 $ la semaine et de bars de seconde zone. Aujourd'hui de plus en plus habité par des employés, Yerba Buena Gardens abrite le San Francisco Museum of Modern Art (SFMoMA), le Moscone Center, le Yerba Buena Center for the Arts, le Children's Center, ainsi que d'autres musées, des hôtels de luxe, des logements et des magasins.

Face à Mission entre Third et Fourth, le Yerba Buena Center est construit (le visiteur distrait ne s'en aperçoit pas forcément) sur le Moscone Center souterrain. L'Esplanade, un jardin ovale de pelouse et d'arbres, attire les promeneurs et les pique-niqueurs. Le toit du Moscone Center ne pouvant supporter un sol et une pelouse trop lourds, des blocs de mousse de polystyrène ont été placés sous la pelouse. Malheureusement, le « jardin » et sa place ont un aspect trop artificiel, comme si chaque brin d'herbe et chaque arbre avaient été tirés au cordeau par des urbanistes bureaucrates. Dans les jardins le long de Mission entre les Third et Fourth Sts, vous découvrez un **mémorial au Révérend Martin Luther King**, en forme d'une large cascade et d'une grotte artificielles.

Des citations du leader des droits civils sont gravées sur des panneaux de granit et de verre : « Nous ne serons pas satisfaits tant que la justice ne coulera pas comme l'eau et la vertu comme un puissant torrent. » Une promenade et des cafés bordent une terrasse au-dessus de la cascade.

Au nord-est du complexe s'élève le **Center for the Arts** (*701 Mission St, tél. 415/978 2787*, visites guidées 1ᵉʳ jeu. du mois à 18 h, fermé lun.), un cadre moins conventionnel que le SFMoMA conçu pour la communauté artistique. Ses **Galleries et Forum Building** (*€€ pour les galeries, gratuit 1ᵉʳ mar. du mois*), réalisés en 1993 par Fumihiko Maki, ressem-

blent à une usine moderne recouverte de verre et d'aluminium nervuré. De l'intérieur, les fenêtres encadrent des vues soigneusement choisies, à la manière des « paysages empruntés » de l'architecture japonaise traditionnelle. Les expositions sont consacrées aux artistes locaux et aux groupes ethniques. Au Center for the Arts Theater voisin (*700 Howard St, tél. 415/978 2787*), réalisé en 1993 par

Yerba Buena Gardens
www.yerbabuena
gardens.com
🗺 Voir plan
p. 180-181
✉ Au cœur de Market,
Harrison, 2ᵉ, et
5ᵉ Sts
☎ 415/820-3550
🚌 Bus : 9, 12, 14, 15,
30, 38, 45, 76 ;
BART : Embarcadero,
Montgomery,
Powell St

« La justice coule comme l'eau » au mémorial du Révérend Martin Luther King.

California Academy of Sciences

✉ 55 Concourse Dr, Golden Gate Park (jusqu'à l'automne 2008 : 875 Howard St)

☎ (415) 321-8000

James Stewart Polshek, des poutres apparentes et des éclairages industriels donnent l'impression d'être dans des coulisses.

Également construit sur le Moscone Center, le **Children's Center** abrite une patinoire intérieure aux dimensions de la Ligue nationale de hockey (*tél. 415/820 3521*), une salle de bowling (*tél. 415/820 3521*), et le studio d'art multimédia Zeum (*tél. 415/820 3351, www.zeum.org*) où les

Sculpture de néons au Yerba Buena Center for the Arts où sont exposées des œuvres contemporaines et audacieuses.

enfants peuvent s'essayer à l'animation image par image sur des figurines en argile et à la création sur ordinateur (possibilité de rapporter à la maison une vidéo de leur travail). Sur le **Looff Carousel** (1906) (*4ᵉ St et Howard St*) qui se trouvait à l'origine au parc d'attractions Playland At The Beach, 62 girafes en bois de couleurs vives, des chevaux vernis et d'autres animaux tourbillonnent dans un pavillon de verre illuminé la nuit. Faites un saut sur le nouveau site (automne 2008) de la **California Academy of Sciences** (voir p. 169-171) pour y voir les centaines de créatures aquatiques du Steinhart Aquarium, ainsi que d'autres expositions d'histoire naturelle.

Plusieurs musées et d'autres sites sont situés (ou seront bientôt déplacés) dans le quartier des Yerba Buena Gardens, y compris le **Cartoon Art Museum** (*655 Mission St, tél. 415/227 8666, www.cartoonart.org, fermé lun., €€*). Ses expositions sont souvent tirées d'une collection permanente de 11 000 pièces qui comprend des dessins originaux provenant de journaux, bandes dessinées et films animés.

La **St. Patrick's Catholic Church** (*756 Mission St*) de brique rouge date de 1909. L'intérieur resplendit de marbre du Connemara et de vitraux aux thèmes celtiques. En arrière-plan se dessine le **Marriott Hotel** (1989), un bâtiment fastueux mais controversé qui semble tout droit venir de Las Vegas.

La **California Historical Society** (*678 Mission St, tél. 415/357 1848, www.calhist.org, fermée de dim. à jeu., €*) expose ses collections comprenant des toiles d'Albert Bierstadt et de William Keith ; du mobilier et des costumes ; des photographies sur l'histoire de la Californie ; des lettres des chercheurs d'or…

Le **Contemporary Jewish Museum** (*121 Steuart St, tél. 415/591 8800, www.thecjm.org, fermé ven. et sam., €*) accueille des expositions temporaires sur le judaïsme contemporain au travers de l'art. Le musée s'est installé à une nouvelle adresse en 2005, dans un ancien transformateur en brique (1909) du Pacific Gas et Electric, réalisé par Willis Polk.

Nouveauté dans le quartier : le **Museum of the African Diaspora** (*90 New Montgomery St, dans la St Regis Museum Tower, tél. 415/358 7200, www.musemoftheafricandiaspora org, fermé de dim. à mar., €*), ouvert en été 2005, se consacre aux déplacements et réalisations des descendants d'Africains dans le monde. Fin 2006, le **Mexican Museum** a déménagé dans un bâtiment de style Pueblo sur Mission St. ∎

Sculpture moderne dans le paysage urbain, **SFMoMA est** un assemblage de formes géométriques de base.

San Francisco Museum of Modern Art

PARMI TOUTES LES EXPOSITIONS DU MUSÉE, LA PLUS REMARQUABLE EST PEUT-être le musée lui-même. La création de l'architecte suisse Mario Botta forme une masse de figures géométriques. La façade de brique est constituée de trois immenses blocs aveugles. À leur sommet se dresse un cylindre central entouré de bandes de granit noir et gris argent.

La tour coupée net en biseau crée une ouverture vitrée, à travers laquelle la lumière inonde l'atrium central, desservi par un escalier qui permet d'accéder aux étages supérieurs et traversé par une passerelle d'acier à 22 m au-dessus du sol, sous le puits de lumière.

Évidemment, tout le monde n'apprécie pas le design du musée. Feu le chroniqueur Herb Caen s'est excusé pour avoir dit que la tour ressemblait à la cheminée d'un paquebot : « Le bâtiment ressemble davantage à un grille-pain géant expulsant un petit pain danois au

San Francisco Museum of Modern Art
www.sfmoma.org
🅰 Voir plan p. 180-181
✉ 151 Third St
☎ 415/357-4000
🕐 Fermé mer.
💶 €€. Gratuit 1er mar.
🚌 Bus : 5, 9, 12, 14, 15, 30, 38, 45

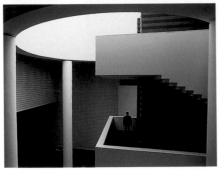

Les spacieuses galeries où sont exposées les œuvres (en haut) sont mises en valeur par la conception provocante du bâtiment qui les abrite (ci-dessus).

fromage », a-t-il corrigé. Le critique d'art, Robert Hughes du *Time Magazine*, s'est quant à lui demandé : « Pourquoi un rez-de-chaussée entier sans une place pour accrocher un tableau ou poser une sculpture ? »

Le deuxième étage est consacré aux expositions tirées de la collection permanente et le troisième à la photographie et œuvres sur papier. Les deux derniers étages sont réservés aux expositions temporaires et aux œuvres d'art contemporain de grand format.

Le musée date de 1935, époque où il était hébergé dans le bâtiment du War Memorial Veterans dans le Civic Center. Dans les années 1940, il accueillit la première exposition

majeure consacrée à Jackson Pollock et fit l'acquisition de son premier chef-d'œuvre, *Guardians of the Secret* (1943). Le musée exposa également des œuvres d'autres membres du mouvement expressionniste abstrait, comme Arshile Gorky, Clyfford Still, Mark Rothko et Robert Motherwell, alors qu'ils étaient encore anonymes. Au fil des années, le musée poursuivit ses acquisitions et dut déménager en 1995 dans son nouveau bâtiment qui possède 4 645 m² de galeries.

LES TRÉSORS DU MUSÉE

Le SFMoMA ayant une collection de 18 000 œuvres d'art du XXᵉ siècle, les pièces y sont exposées à tour de rôle dans les galeries.

Tableaux et sculptures occupent les galeries du deuxième étage. Les débuts du modernisme sont représentés par Cézanne, Brancusi, Gris, Picasso et Matisse, dont la *Femme au chapeau* (1905) est le tableau le plus célèbre du musée. Il s'agit d'un exemple classique du fauvisme, courant de peinture du début du XXᵉ siècle caractérisé par des couleurs vives et violentes, et des formes souvent déformées.

La peinture mexicaine moderniste est aussi représentée (Rivera, Tamayo),

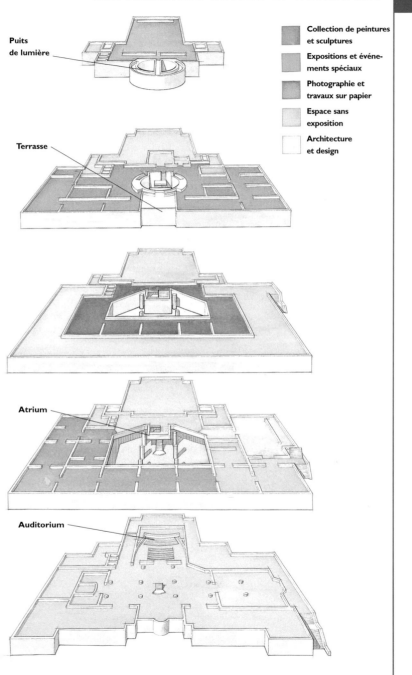

Puits de lumière

Collection de peintures et sculptures

Expositions et événements spéciaux

Photographie et travaux sur papier

Espace sans exposition

Architecture et design

Terrasse

Atrium

Auditorium

Au SFMoMA, les expositions rivalisent avec la vue par les fenêtres.

enduit d'encre. L'empreinte de 6, 7 m de long qui en résulte est exposée déroulée tel un parchemin japonais.

Le musée possède *Les Valeurs personnelles*, un des chefs-d'œuvre de René Magritte (1952), et le *New York City III* inachevé (1942-1944) de Piet Mondrian, où les bandes de ruban adhésif coloré que l'artiste utilisait pour élaborer le placement de ses lignes verticales et horizontales avant de les peindre à l'huile sont toujours en place.

Red Liz (1963) d'Andy Warhol est un premier portrait d'Elizabeth Taylor en lavande, noir et turquoise sur fond rouge. Également au 2e étage, des expositions sont consacrées à l'architecture, au mobilier, au design et aux arts graphiques, avec des pièces de Bernard Maybeck, Willis Polk, Frank Lloyd Wright et Frank Gehry présentées à tour de rôle. Ne manquez pas la salle de conférence entièrement « designée » par les révolutionnaires Charles et Ray Eames, ainsi que plus de 400 affiches de rock'n roll.

Au 3e étage sont exposées plus de 10 000 photographies appartenant au musée, à partir des années 1840, et qui illustrent les principaux développements et mouvements de la photographie du XIXe siècle à nos jours. Vous découvrez des images d'Alfred Stieglitz, Edward Weston, Ansel Adams, et des avant-gardistes européens des années vingt et trente, ainsi que l'œuvre conceptuelle de Duane Michaels et des images manipulées par Ray Metzker. Une collection de films, vidéos et travaux informatiques est également disponible pour représenter l'art électronique.

Les 4e et 5e étages sont réservés à l'exposition de pièces plus imposantes. Il s'agit pour la plupart d'œuvres contemporaines, comme des installations expérimentales ou des travaux de la collection permanente du musée, qui ne pourraient être exposées nulle part ailleurs. ■

ainsi que l'expressionnisme abstrait (vous découvrirez probablement *Guardians of the Secret*), l'art figuratif de Bay Area (*Noel in the Kitchen* de Joan Brown, 1964), et l'art contemporain funk (Warhol, Polke, Koons).

Parmi les récentes acquisitions majeures du musée figurent *Erased De Kooning Drawing* (1953) de Robert Rauschenberg, où il a tenté d'effacer le dessin de l'autre artiste et, symboliquement, les pratiques de l'expressionnisme abstrait. L'œuvre conceptuelle de Rauschenberg, *Automobile Tire Print* (1953) a été réalisée en faisant conduire sur du papier à son ami, le compositeur John Cage, une Ford modèle A dont l'un des pneus était continuellement

Ferry Building et ses environs

RÉNOVÉ EN 2003 ; LE FERRY BUILDING EST DEVENU UN MARCHÉ COUVERT. Il est bordé de magasins d'alimentation, de cafés et de restaurants, et entouré d'un marché en plein air. Grâce à la restauration de ses arches de brique et de ses sols en marbre, il est facile d'imaginer l'époque où il était le deuxième plus grand terminal de transit au monde.

Symbole romantique de San Francisco, le **Ferry Building** construit en 1898 par Arthur Page Brown est toujours aussi agréable à regarder, surtout la nuit lorsqu'il est illuminé. Sa tour de 71 m dessinée par Willis Polk a survécu aux séismes de 1906 et de 1989, bien que ses quatre horloges se soient à chaque fois arrêtées. Mais ce terminal pour ferries ne pouvait pas résister à la construction des ponts de la baie dans les années trente. Aujourd'hui, cependant, le trafic y est à nouveau en hausse, avec 12 000 passagers par jour qui voyagent depuis Marin et l'East Bay. Derrière le Ferry Building se dresse une **sculpture de bronze du Mahatma Gandhi** (1988).

ÉDIFICES REMARQUABLES
À **One Market** (sur Steuart St), la façade de brique rouge de style Beaux-Arts du siège de la Southern Pacific Railroad (1916, Bliss et Favelle) cohabite avec des tours de bureaux. Le **Rincon Center** (*101 Spear St*) intègre le Moderne 1940 Rincon Annex Post Office dont les fresques intérieures ont été peintes dans les années quarante par Anton Refregier.

Le **Pacific Telephone and Telegraph Building** (*140 New Montgomery St*) fait entrer la sophistication new-yorkaise dans la ville en 1925. Son hall est orné de murs en marbre noir et d'un plafond enduit rouge chinois, orné de dessins asiatiques. Le **Pacific Bell Museum** retrace l'histoire des télécommunications depuis le premier annuaire et les anciens standards téléphoniques

de la ville, jusqu'à la technologie des satellites. Ne manquez pas les téléphones datant des années dix aux années soixante-dix, les isolateurs en verre utilisés sur les poteaux des lignes téléphoniques, et une exposition de photos et d'objets sur l'ancien central téléphonique de Chinatown, comprenant les robes rouges des opératrices qui devaient mémoriser tous les noms des clients car les Chinois n'aimaient pas être considérés comme des numéros. ∎

Ferry Building
www.ferrybuildingmarket
place.com
✉ Au pied de Market St
🕐 Visites sam., mar.
à 12 h, via City
Guides :
www.sfcityguides.org
🚌 Bus : 1, 14, 32 ;
Tramway : F, J, K,
L, M, N ; BART :
Embarcadero

Pacific Bell Museum
✉ 140 New
Montgomery St
☎ 415/542-0182
🕐 Fermé ven. à lun.

Le Ferry Building récemment rénové brille dans la nuit.

Autres lieux à visiter

BAY BRIDGE

Deuxième pont de la ville après le Golden Gate, il était en 1936 la plus longue structure d'acier au monde. Sept fois plus long que son rival doré, ce pont de 70 millions de dollars s'allonge sur 13,5 km, environ 6,8 km au-dessus de l'eau.

Ses deux segments se rencontrent au milieu de la baie sur l'île de Yerba Buena, où les voitures passent dans un tunnel. Les travées se rejoignent à un immense ancrage de béton 67 m au-dessus de la baie.

Chaque jour, 250 000 voitures traversent ses deux niveaux. Le trafic allant vers l'ouest emprunte le pont supérieur sur lequel il faut payer un péage mais d'où la vue est plus belle. Le séisme de 1989 provoqua la chute d'un segment du pont supérieur sur le pont inférieur, tuant une personne. Il ne fallut qu'un mois aux ouvriers pour remettre le pont en service.

Interdit aux piétons.

Les Giants ont un nouveau stade dans SoMa.

ANCIEN HÔTEL DE LA MONNAIE DES ÉTATS-UNIS

L'ancien Hôtel de la Monnaie fut bâti en 1874, lorsque celui d'origine devint incapable de traiter toutes les richesses du Comstock Lode du Nevada. À une époque, il aurait également détenu environ 30 % des réserves d'or américaines. C'est un bâtiment néoclassique doté de solides fondations de granit et de colonnes doriques.

L'Hôtel de la Monnaie frappait un grand nombre de dollars en argent qui portaient sa marque « S » (pour San Francisco). Aujourd'hui, les numismates apprécient énormément ces dollars pour leur beauté et leur rapport avec le filon d'argent du Nevada et le vieux San Francisco. Le bâtiment a survécu à l'incendie de 1906 en partie grâce à l'intervention de certains employés auprès des pompiers, 200 millions de dollars en argent et en or furent ainsi sauvés de la fusion. L'Hôtel de la Monnaie ferma en 1937 et a été déclaré depuis Monument historique national.

✉ 88 5th St ⏱ N'est pas ouvert au public

🚍 Bus : 14, 26, 27 ; Tramway : J, K, L, N

SOUTH PARK

Fondé par l'Anglais George Gordon en 1855, South Park a été réalisé sur le modèle des constructions existant aux abords des parcs londoniens. Chaque riverain des maisons de ville d'origine disposées autour de ce long parc ovale possédait une clé de la grille. Après que le quartier eut perdu de son cachet au début des années 1870, des maisons de rapport bon marché et des ateliers d'usinage y apparurent. En 1876, Jack London naquit entre Third et Brannan, événement commémoré par une plaque.

Toujours industriel, le quartier a connu un afflux de designers et de galeries, de restaurants et de bars. Une nouvelle énergie l'a animé avec l'arrivée des foules de supporters du **SBC Park**, le stade de base-ball dernier cri des San Francisco Giants, à l'extrémité sud de l'Embarcadero.

✉ King & Third Sts, par China Basin

☎ 415/467-8000 (billets pour les matches des Giants), http ://sanfrancisco. giants. mlb. com

TREASURE ISLAND

Reliée à l'île de Yerba Buena par une chaussée, cette île de 161 ha fut créée pour l'Exposition internationale du Golden Gate de 1939. Plus tard, la ville envisagea d'y construire un aéroport, mais la Navy s'en empara durant la deuxième guerre mondiale pour en faire un terrain de formation. La base navale ferma en 1997. Récemment, plusieurs hangars ont été transformés en salles d'enregistrement de films.

✉ Près de Bay Bridge et de la sortie Treasure Island/Yerba Buena Island ⏱ N'est pas ouvert au public ∎

Ces quartiers très caractéristiques suscitent un engouement qui vaut le déplacement. Mission est le principal quartier hispanique et Castro la capitale gay de la ville.

Les quartiers Mission et Castro

L'enseigne du Castro Theatre.

Les quartiers Mission et Castro

LOIN DES EAUX BLEUES DE LA BAIE OU DU SOMMET PANORAMIQUE DES COLLINES, CES QUARTIERS sud de San Francisco ont longtemps été considérés comme des trous perdus évités par les touristes. Authentiques, dynamiques, ces quartiers valent le détour.

À la fois coloré et miteux, Mission District (délimité approximativement par 14ᵉ St, Potrero Ave, 25ᵉ St et Church St) possède la plus grande concentration d'Hispaniques de San Francisco, originaires du Mexique et d'Amérique centrale. Ce n'est peut-être pas une coïncidence si ces peuples des pays de soleil se sont installés dans le quartier le plus chaud de la ville, là où les collines bloquent le brouillard. Les rues (en particulier la 24ᵉ) exhalent des effluves de la cuisine du sud de la frontière préparée par les taquerias. Les petits marchés regorgent de fruits tropicaux, de chilis et de haricots secs, la salsa résonne dans les magasins et les chalands papotent en espagnol.

Les racines hispaniques du quartier de Mission remontent à 1776, lorsque le Père Francisco Palou célébra pour la première fois la messe sous un abri de branchages dans cette grande vallée protégée. En 1791, les pères franciscains (utilisant la main-d'œuvre indienne) avaient terminé la Mission Dolores, dont le quartier tient son nom.

À la fin de la Ruée vers l'or, des immigrants venus d'Allemagne et de Scandinavie s'y installèrent, suivis par des Italiens et des Irlandais. Très vite le quartier, alors appelé le « Mish », attrapa son propre accent de Brooklyn. Les années vingt connurent un retour aux racines hispaniques avec l'arrivée de Mexicains qui laissaient derrière eux un pays en pleine révolution. Les migrations depuis l'Amérique latine s'intensifièrent dans les années soixante. En 1990, les Latinos constituaient plus de la moitié de la population de Mission.

Dans Castro District, observer les passants constitue la principale attraction. Les gays commencèrent à s'y rassembler dans les années soixante-dix. C'est à cette période que la ville ratifia la Gay Bill of Rights (Déclaration des droits des homosexuels) contre la discrimination pour le logement et le travail, et que les gays décidèrent de se montrer plutôt que de continuer à cacher leur orientation sexuelle.

Quartier vallonné orné de maisons victoriennes mais quelque peu isolé, les transports en commun lui faisant cruellement défaut, Castro devint un monde à l'écart, idéal pour la communauté gay.

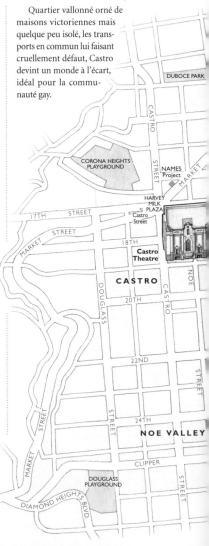

Harvey Milk est sorti de Castro pour devenir le premier élu du pays à afficher son homosexualité. En 1978, son assassinat et le procès pour meurtre qui s'ensuivit galvanisèrent l'activité politique homosexuelle. Les habitants gays ou lesbiens ont fait de Castro leur capitale. ■

Plan des quartiers

Mission Dolores

Original Mission Site

Notre Dame School

Mission High School

MISSION DOLORES PARK

MISSION PLAYGROUND

MISSION

16th Street Mission

FRANKLIN SQUARE

24th Street Mission

Mission Cultural Center

Precita Eyes Mural Arts Center

GARFIELD SQUARE

PRECITA PARK

GOUGH STREET
LAGUNA ST
SOTIS ST
MISSION STREET
CENTRAL SKYWAY
STREET
SOUTH
GUERRERO
VALENCIA
MISSION
VAN NESS
DOLORES
CHURCH
LIBERTY
CESAR CHAVEZ STREET
16TH
17TH
18TH
20TH
22ND
24TH
BRYANT
POTRERO
LICK
FREEWAY
10TH STREET
9TH STREET
JAMES
BALMY ALLEY

0   500 mètres

La mission Dolores rappelle les humbles débuts de la ville.

Mission Dolores

UN AIR DU PASSÉ SOUFFLE SUR LA MISSION DOLORES, PLUS VIEIL ÉDIFICE DE San Francisco, achevé en 1791. Poussez les portes en bois de la chapelle pour découvrir des murs d'*adobe* dont l'épaisseur (90 cm) étouffe les bruits du monde extérieur. La fumée de l'encens s'élève jusqu'aux poutres d'un plafond peint d'un motif inspiré des paniers fabriqués par les Indiens Ohlone qui occupaient cette terre avant l'arrivée des Espagnols.

Mission Dolores
www.missiondolores.org

🅰 Voir plan
p. 198-199

✉ 3321 16th St

☎ 415/621-8203

€ €

🚌 Bus : 14, 22, 33,
49 ; Tramway : J ;
BART : 16ᵉ ou
24ᵉ Sts

Sixième des 21 missions de Californie fondée par les pères franciscains entre San Diego et Sonoma, elle porte officiellement le nom de Mission San Francisco de Asís. À l'origine, en 1776, elle était établie à environ deux *blocks* à l'est, près d'un petit cours d'eau que les Espagnols nommèrent Nuestra Señora de los Dolores (Notre-Dame des Douleurs), d'où est venu le nom populaire de Mission Dolores. Padre Francisco Palou dessina la chapelle d'*adobe*. Le toit est soutenu par les rondins de séquoia fixés par du cuir brut (et renforcés, plus tard, par de

l'acier). Les *reredos* baroques (autels décoratifs) devant la chapelle furent rapportés du Mexique en 1796, et les deux autels dorés latéraux en 1810.

À l'extérieur de la porte nord, un **diorama** réalisé pour l'Exposition internationale du Golden Gate, en 1939, représente la cour de la mission en 1799, dans son cadre pastoral d'origine. À partir de là, vous pouvez faire un détour par l'église paroissiale voisine de 1918, désignée comme **basilica**, ou église honorifique du pape, par Pie XII en 1952. Elle est de style churrigueresque extravagant et possède un large vitrail représentant saint François d'Assise.

Dans le **musée de la Mission**, un morceau du panneau de ciment d'un mur a été retiré pour exposer l'*adobe* d'origine, un mélange d'argile et de paille. La construction de la chapelle nécessita en effet l'utilisation de 36 000 briques d'*adobe* séchées au soleil. Des articles religieux de l'époque de la mission sont exposés, ainsi qu'un livre dressant la liste des personnes enterrées dans le cimetière extérieur. Quelque 5 500 Indiens y reposent dans des tombes anonymes. Le premier gouverneur mexicain d'Alta California, le Capitaine Luis Antonio Arguello, et le Padre Palou y sont enterrés à des places d'honneur. Une statue représente Junipero Serra, fondateur du système des missions.

MISSION DISTRICT

Sa mosaïque d'habitants fait de ce quartier un endroit vivant avec une grande variété de restaurants et de mets du Mexique, du Pérou, de Cuba, du Brésil. Mission District organise de nombreuses festivités : le Cinco de Mayo (1er week-end de mai), le Festival de Carnaval (week-end du Memorial Day), et le Dia de los Muertos (Jour des défunts, 1er novembre).

Au sud sur Dolores, en partant de Mission, des palmiers ont été plantés en 1910 par John McLaren (voir p. 156-157). **Mission Dolores Park** (18e et 20e Sts) occupait, jusqu'en 1905, le site de deux cimetières juifs avant de devenir un parc. À cette époque, les défunts de tout San Francisco étaient enterrés au-delà des frontières de la ville, à Colma. Le parc jouit d'une vue sur les gratte-ciel du Financial District. Au coin de 18e St, se trouve la **Mission High School** dessinée en 1926 par John Reid, dont l'architecture – murs blancs, toit de tuiles rouges, arcades – reflète un goût très populaire dans la Californie d'alors et de maintenant.

Promenez-vous sur **Liberty St** (une partie du quartier historique de Liberty Hill, entre Dolores, Mission, 20e et 23e Sts.) pour découvrir les différents styles architecturaux victoriens. Jetez un coup d'œil au n°159 (1878, italianisant), au n° 123 (années 1890, Queen Anne) et aux n° 111-121 (années 1880, Stick).

À quelques *blocks* à l'est, sur **Valencia St** (de la 16e à la 22e St), le visiteur découvre un quartier qui mélange les cultures (hispanique, bohème, féministe/lesbienne) et les activités (friperies, cafés, librairies).

Pour apprécier la vie de la rue des Latinos, dirigez-vous vers **24e St** (de Mission St à Potrero Ave). De petits restaurants servent une cuisine du Mexique et du Guatemala, l'air embaume de la délicieuse odeur des *churros*, la musique latino résonne de l'intérieur des magasins de disques, et les épiceries regorgent de délices comme les feuilles de cactus. À proximité de Bryant se trouve la **Galeria de la Raza**, une galerie connue qui expose de l'art chicano et latino. ■

Le père Junipero Serra, fondateur du système des missions.

Galeria de la Raza
www.galeriadelaraza.org
✉ 2857 24e St
☎ 415/826-8009

Vitrail commémoratif à la Mission Dolores.

« Je suis seul. »

Depuis la mission, regardez l'ancienne École Notre-Dame, dans Dolores St, et essayez de l'imaginer lorsqu'elle faisait partie de la rancheria où les Indiens étaient parqués à l'époque de la mission. Séparés de leur propre peuple, forcés à rester au même endroit alors qu'ils étaient nomades, exposés aux maladies européennes, les Indiens ont rapidement succombé. En 1850 (environ 75 ans après la fondation de la mission) un seul avait survécu. « Je suis tout ce qui reste de mon peuple, avait-il dit, Je suis seul. » ■

Les fresques de Mission District

Tradition de longue date en Amérique latine, les fresques murales extérieures apportent de la couleur aux rues de Mission District. Certaines illustrent la vie quotidienne, la famille, le travail et les jeux des Latinos. D'autres donnent aux groupes qui n'ont pas d'accès aux médias une manière d'exprimer leur point de vue politique ou de dépeindre les luttes et les réalisations de leur race. Environ 200 fresques décorent ce quartier.

La peinture murale est pratiquée à San Francisco au moins depuis les années trente, lorsque le peintre mexicain bien connu Diego Rivera créa une œuvre pour le San Francisco Art Institute et le Pacific Exchange. Il avait été influencé par le style et la technique de David Alfaro Siqueiros (1896-1974), peintre fresquiste mexicain qui illustra la protestation politique et la révolution. Dans les années soixante, Rivera expérimenta les techniques de la peinture en extérieur. La pein-

Les fresques et où les trouver

Balmy Alley (près de 24ᵉ St entre Harrison St et Treat Ave) : sur des portes de garage, des clôtures et des murs, des fresques colorées aux noms tels que « Indigenous Eyes » reflètent les préoccupations politiques des Latino-Américains. D'autres fresques sont pleines d'imagination. Ici, les premières fresques furent peintes par des écoliers, et dans les années 1980, un groupe dénommé PLACA (argot désignant le « tag » d'un artiste en graffiti) créa près de 30 nouvelles fresques. C'est une allée de service avec peu de passage ; soyez vigilant en vous y promenant.

Fresques de Carnaval (24ᵉ St au niveau de Van Ness Ave) : le Festival de Carnaval (week-end du Memorial Day) célèbre les cultures latino-américaines et des Caraïbes dans un style flamboyant.

Les fresques de BART Station (24ᵉ St au niveau de Mission St) : cette fresque de 1975 qui représente un train de banlieue BART roulant sur les dos courbés du « peuple » proteste contre la hausse des taxes payées pour les transports rapides de San Francisco qui, à leur tour, menacent de faire de Mission District un quartier d'immeubles-tours.

Fresque 500 Years of Resistance (24ᵉ St au niveau de Florida St) : une étude de la lutte raciale et économique qui dépeint des personnages comme le Padre mexicain Miguel Hidalgo et Martin Luther King.

Fresque Inspire to Aspire : Tribute to Carlos Santana (22ᵉ St au niveau de Van Ness Ave) : aussi colorée qu'un perroquet, elle a été financée par la ville et honore le grand guitariste latino de rock. Elle montre des musiciens et une pyramide aztèque dressée contre la Transamerica Pyramid.

Fresque New World Tree (Mission Playground pool, 19ᵉ St près de Valencia St) : cet arbre avec un homme, une femme et des enfants évoque un Éden de cultures mélangées.

D'autres fresques sont visibles au Mission Cultural Center (2868 Mission St), à la Taquería San Francisco (24ᵉ St et York St), à la Cesar Chavez Elementary School (22ᵉ St et Shotwell St) et à la Little Hollywood Launderette (Market St et Laguna St). ■

Fresque du quartier Mission.

ture murale décolla dans Mission District dans les années soixante-dix.

Certaines fresques de Mission ont été financées par la ville pour leur valeur culturelle et artistique.

Le **Precita Eyes Mural Arts Center** (298 24ᵉ St, au niveau de Harrison St, tél. 415/285 2287, www.precitaeyes.org) vend une carte piétonne des fresques de Mission et organise des visites guidées à pied. Son extension de Precita Ave (tél. 415/285 2311) propose des cours.

Le Castro

C'EST LE CŒUR ROSE ÉLECTRIQUE DE LA COMMUNAUTÉ GAY ET LESBIENNE DE San Francisco. Entouré par Market, Noe, 20ᵉ, Diamond et 17ᵉ Sts, il ressemble davantage à n'importe quel quartier riche. Lors des occasions spéciales, une profusion de couleurs locales envahit les rues. Imaginez une foule de bikers cloutés, de cow-boys et de drag-queens perchées sur leurs talons, qui déambule lors de la Castro St Fair, le premier dimanche d'octobre…

Le Castro

🚶 Voir plan
p. 198-199

🚌 Bus : 24, 33, 35, 37 ; Tramway : F

Main St, une rue gay outrageusement colorée de Castro.

Dans les années quatre-vingt, le fléau du Sida assombrit l'humeur festive de la communauté gay. Les services sociaux s'installèrent dans le quartier à côté des bars et des vitrines de magasins kitsch. Dernièrement, les lesbiennes sont devenues plus présentes.

L'optimisme et la bonne humeur y règnent malgré le spectre de la maladie et de la mort. Pour en avoir une idée, promenez-vous dans Castro un samedi, lorsque les habitants y font leurs courses. Ou allez voir un film au Castro Theatre où le

public participe souvent bruyamment à la projection.

Dans cette partie de la ville, vous découvrirez des choses que vous n'avez pas l'habitude de voir tous les jours. Les visites guidées du **Cruisin' the Castro tour** offrent une première approche confortable du quartier.

La rue principale est **Castro St** (de Market St à 19ᵉ St). À l'intersection animée avec Market St, **Harvey Milk Plaza** doit son nom au premier Superviser (un poste similaire à celui de conseiller municipal) ouvertement gay de la ville, ancien analyste financier de Wall St, élu en 1977. Milk dirigeait à Castro un magasin d'appareils photographiques sur lequel on pou-

vait lire : « Yes, We Are Very Open » (« Oui, nous sommes très ouverts »). Il fut assassiné en 1978. Durant les manifestations et les célébrations, la circulation à cette intersection est habituellement bloquée, les Castroites descendant dans la rue. La place sert également d'entrée à la station de Muni Metro.

Le long de **Market St** (de Castro St à Church St), les boutiques proposent des vêtements tendance, des meubles, des accessoires pour la maison, de la littérature gay et lesbienne, des fleurs de créateurs et bien plus encore.

Le quartier entier et des dizaines de milliers de visiteurs se retrouvent à la

Cruisin' the Castro tour
www.cruisinthecastro.com
☎ 415/255-1821
€ €€€€€ (déjeuner et accès compris au Castro Theatre)
⊘ Pas de visites dim. et lun.

Castro Theatre.

Castro Theatre

www.thecastrotheatre.com

✉ 429 Castro St

☎ 415/621-6120

🚌 Bus : 24, 33-
Stanyan, 35, 37 ;
Tramway : F, K,
L, M

Noe Valley

🚌 Bus : 24, 48 ;
Tramway : J

San Francisco Lesbian, Gay, Bisexual, Transgender Pride Parade and Celebration qui a lieu en juin (tél. 415/864 3733, www.sfpride.org), un « superspectacle » d'un jour qui commence par une parade où défilent le San Francisco Women's Motorcycle Contingent (un groupe de plus de 500 femmes, connu à l'origine sous le nom de Dykes on Bikes), des équipes de pom-pom-girls gays, des fêtards aux déguisements loufoques, des groupes de soutien, des politiciens, les médias et des célébrités. L'événement se poursuit, contenu par un cordon de sécurité, dans les rues autour du Civic Center, par une fête qui propose une douzaine de scènes, de la musique, des stands, ainsi que de quoi se restaurer.

Sur Castro St, à proximité de 17ᵉ St, le **Castro Theatre** est un cinéma classique de 1922, dont l'enseigne au néon rose est le phare du quartier Castro. Conçu par Timothy Pflueger dans un style néo-Renaissance espagnol, le bâtiment arbore une façade fortement décorée. L'enseigne et la marquise ont été ajoutées en 1937. À l'intérieur, la salle de 1 450 places est souvent comparée à une fantaisie des Mille et une nuits, au plafond en forme de tente de Bédouin avec des draperies, des cordes et des pampilles. Un orgue Wurlitzer monte de la fosse d'orchestre pour certaines

représentations où le public participe activement. Le cinéma projette des films de cinémathèque, des films muets et des classiques cultes kitsch, ainsi que les œuvres du San Francisco Film Festival.

Juste au sud sur Castro St, le **village center** se situe autour de 18ᵉ St. Après 20ᵉ St, se dresse une rangée de maisons victoriennes. Explorez également les rues latérales, comme Liberty, pour admirer des cottages victoriens aux boiseries tarabiscotées.

Si vous suivez Castro jusqu'à 24ᵉ St, vous atteindrez la zone commerçante de **Noe Valley**. Juste au sud de Castro, la tranquille Noe Valley, entourée de 20ᵉ, Dolores, 30ᵉ et Douglas Sts, attire de jeunes professionnels et leur famille dans ses cottages victoriens. Ils y ont remplacé les hippies des années soixante-dix et ont attiré des négociants en vin et des chaînes de café où l'on sert le fameux *latte*.

La vie quotidienne se concentre autour de 24ᵉ St qui fourmille de poussettes, de librairies et de cafés. Essayez d'imaginer le coin de 24ᵉ et Noe dans les années 1840, lorsqu'on n'y trouvait que le ranch d'*adobe* de José de Jesús Noe, dernier maire mexicain de la ville. C'était le centre des 1 618 ha de terres de Noe qui englobaient également le Castro District. Ce n'est qu'en 1887, après qu'une ligne de tramway traversa la colline de Castro St, que le quartier prit son essor. ■

Si vous êtes las de la vie à San Francisco, vous pouvez en sortir et rapidement découvrir des paysages et des villes totalement différents.

Escapades

Floraison de moutarde sauvage dans les vignobles.

Escapades

Vous pouvez vous risquer dans n'importe quelle direction en sortant de San Francisco et découvrir des endroits où abondent merveilles culturelles et beautés naturelles.

SUD ET EST

Sur la péninsule de San Francisco, il y a le campus de la Stanford University au milieu d'un parc, ainsi qu'une propriété de campagne baptisée *Filoli* créée par le propriétaire d'une fortune issue de la Ruée vers l'or. Dans la Silicon Valley, autour de San Jose, des zones industrielles où sont fabriqués puces et logiciels ont remplacé les coteaux vallonnés, jadis couverts de vergers. Les attractions touristiques de San Jose se résument au Tech Museum of Innovation et à la sinistre Winchester Mystery House.

Plus au sud, la péninsule de Monterey possède un littoral considéré comme l'un des plus beaux au monde, ainsi que deux villes fascinantes. Dans le quartier historique de Monterey, vous découvrez des bâtiments d'*adobe* espagnols ainsi que Cannery Row, autrefois repaire du romancier John Steinbeck, qui attire aujourd'hui quantité de touristes. L'innovant Monterey Bay Aquarium renferme un océan intérieur de 3 785 m³ qui regroupe près de 360 000 créatures des mers. Tout à fait pittoresque, Carmel-by-the-Sea abrite des cottages de conte de fée, des bons restaurants, des galeries et la plus charmante mission de Californie. Non loin de là, Point Lobos possède un royaume naturel de côtes sauvages, où les otaries se prélassent au soleil.

À l'est de San Francisco, à Oakland, vous pouvez suivre le rivage du Lake Merritt jusqu'à l'Oakland Museum of California, qui raconte l'histoire du « Golden State » au travers de documents historiques, de sciences naturelles et d'art. Face au port très animé, Jack London Square grouille de sites en rapport avec l'auteur du même nom. Berkeley (berceau de la protestation étudiante dans les années soixante), connue pour son tempérament libéral, accueille 30 000 étudiants sur le campus de l'Université de Californie.

NORD

En traversant le Golden Gate Bridge, on se trouve dans le Comté de Marin où Sausalito est une petite ville portuaire à l'atmosphère sophistiquée et au style méditerranéen. Au-delà de la ville très tendance de Mill Valley se dressent les arbres millénaires de Muir Woods et, après eux, le sommet couvert d'arbres du mont Tamalpais, connu pour être le berceau du vélo de montagne. Le long de la côte pacifique, vous découvrez des plages, des lagons sauvages et la Point Reyes National Seashore.

NORD-EST

C'est la région vinicole de Californie : plus de 250 caves de vinification (ou « vineries ») parsèment les Sonoma et Napa Valleys, à l'est du Comté de Marin, qui pour la plupart accueillent les visiteurs pour des dégustations de vin. La ville de Sonoma possède une ancienne mission espagnole et une *plaza*, d'anciens hôtels et d'autres édifices intéressants. Tout près, le ranch de Jack London propose une exposition de ses effets personnels. Parmi les villes de la Napa Valley figurent Calistoga, avec ses sources chaudes, et St Helena, le centre chic du tourisme viticole.

PLUS LOIN

Yosemite National Park, dans la Sierra Nevada, est un sublime royaume de pics de granite, de bosquets anciens, de chutes d'eau et de prairies de fleurs sauvages. Vous y trouvez également l'Ahwahnee Hotel, construit en 1927, peut-être la plus grandiose auberge rustique de tous les parcs nationaux. Plus au nord, le lac Tahoe est un lac alpin si profond que ses eaux pourraient inonder et recouvrir toute la Californie sous une profondeur de 35 cm. Tahoe repose entre deux chaînes de montagnes. Rivages boisés, sentiers de montagne, stations de ski, résidences historiques et casinos de jeux sur la côte du Nevada : il y en a vraiment pour tous les goûts ! En raison de leur distance de San Francisco, ces deux escapades conviennent mieux à une sortie de week-end plutôt que sur la journée. ■

L'île de Fanette repose tel un bijou sur les eaux d'un bleu profond du lac Tahoe.

Filoli
http://www.filoli.org
🗺 211 4B
✉ 86 Cañada Rd,
Woodside
☎ 650/364-8300
🕐 Fermé dim.-lun.
et de nov. à mi-fév.
Visites guidées
sur réservation
€ €€

San Francisco Peninsula et Silicon Valley

SAN FRANCISCO OCCUPE LA POINTE NORD DE LA PÉNINSULE SÉPARANT l'océan de la baie. Des personnes et leurs entreprises, allant de la formation à la haute technologie, se sont entassées sur cette bande de terre large d'à peine quelques kilomètres.

L'entretien
des jardins à la
française de *Filoli*.

Stanford
University
http://www.stanford.edu
🗺 211 4B
✉ Palm Dr, Palo Alto
☎ 650/723-2560
(visites)
🕐 Visites à 10 h
et à 16 h, sauf
de mi-déc. à la
1re semaine jan.

Silicon Valley et
San Jose
🗺 211 4C
San Jose
Informations
http://www.sanjose.org
✉ 408 Almaden Bd
☎ 408/295-9600
🕐 Fermé dim.

FILOLI

Héritier de mines d'or et magnat dans l'industrie des équipements techniques, William Bowers Bourn II fit construire *Filoli* (abréviation de sa devise, « *Fight for a just cause, Love your fellow men, Live a good life* »), un manoir de style néo-géorgien de 43 pièces imaginé par Willis Polk, autour de 1917. Avec ses portes-fenêtres et ses moulures sculptées, il se classe parmi les plus belles maisons de campagne américaines. Ses séduisants jardins (dessinés par Bruce Porter et Isabella Worn) suggèrent une série de pièces décorées de feuillages et de fleurs. Il existe des visites guidées du parc (téléphonez pour réserver). Pour ceux qui s'en souviennent, *Filoli* a servi de cadre à la série télévisée *Dynasty*.

Depuis San Francisco, prenez au sud sur l'I-280 et tournez à droite à la sortie d'Edgewood Rd, puis à nouveau à droite sur Cañada Rd.

STANFORD UNIVERSITY

Dans les années 1880, le magnat des chemins de fer et membre des « Big Four », Leland Stanford, transforma son haras en université en l'honneur de son fils, mort de la fièvre typhoïde. Frederick Law Olmsted, dessinateur de Central Park à New York, fut chargé de l'aménagement paysager. Au cœur de ce vaste campus s'élève le **Quad** de style romanesque richardsonien, une colonnade d'arches en grès au toit de tuiles rouges espagnoles regroupant les salles de classe. Près de l'entrée du Quad, un guichet d'information où l'on vous propose des plans est le point de départ des visites guidées gratuites. Dominant le Main Quad, la **Memorial Church** (1903) possède une façade décorée de mosaïques bibliques byzantines et de vitraux.

Pour prendre une photo panoramique de ce prestigieux campus et des collines environnantes couvertes de chênes, prenez l'ascenseur (€) de la **Hoover Tower** (environ 86 m de haut), réalisée par Bakewell et Brown ; dans le hall sont exposés des souvenirs d'un élève de Stanford, Herbert Hoover. Autour du campus, vous pouvez contempler les œuvres d'Henry Moore et Alexander Calder. Le **Rodin Sculpture Garden**, qui rassemble plus de 20 sculptures de Rodin, y compris *La Porte de l'enfer*, jouxte le **Leland Stanford J.-R. Museum** qui expose des œuvres d'art ayant appartenu à la famille Stanford.

Si vous ne voulez pas y aller en voiture, prenez le Caltrain jusqu'à California Ave à Palo Alto, ou la sta-

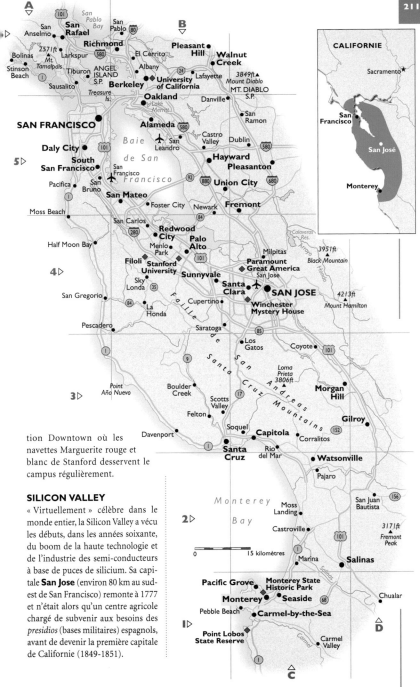

CALIFORNIE

Sacramento★

San Francisco

San José

Monterey

---

tion Downtown où les navettes Marguerite rouge et blanc de Stanford desservent le campus régulièrement.

SILICON VALLEY

« Virtuellement » célèbre dans le monde entier, la Silicon Valley a vécu les débuts, dans les années soixante, du boom de la haute technologie et de l'industrie des semi-conducteurs à base de puces de silicium. Sa capitale **San Jose** (environ 80 km au sud-est de San Francisco) remonte à 1777 et n'était alors qu'un centre agricole chargé de subvenir aux besoins des *presidios* (bases militaires) espagnols, avant de devenir la première capitale de Californie (1849-1851).

Le Tech Museum of Innovation.

Tech Museum of Innovation
www.thetech.org
✉ 201 South Market St, San Jose
☎ 408/294-8324
🕐 Fermé lun. sauf jours fériés du Labor Day à mars
€ €€

Rosicrucian Egyptian Museum et Planetarium
www.egyptianmuseum.org
✉ 1342 Naglee Ave
☎ 408/947-3636
€ €€

Winchester Mystery House
www.winchestermystery house.com
 211 4C
✉ 525 S. Winchester Bd
☎ 408/247-2101
€ €€€€

Children's Discovery Museum of San Jose
www.cdm.org
✉ 180 Woz Way
☎ 408/298-5437
🕐 Fermé lun.
€ €€

San Jose Museum of Art
www.sjmusart.org
✉ 110 S. Market St
☎ 408/271-6840
🕐 Fermé lun.

San Jose Historical Museum
www.historysanjose.org
✉ 1650 Senter Rd
☎ 408/287-2290
🕐 Fermé lun.
€ €€ uniquement le WE. Visites les WE

Reflétant la philosophie de la Silicon Valley, le **Tech Museum of Innovation** se présente comme un parc à thèmes consacré au cerveau, avec quatre galeries interactives (en partie créées avec l'aide de chercheurs et de scientifiques tels que l'astronaute Buzz Aldrin et le physicien Stephen Hawking). Parmi les activités proposées, les visiteurs conçoivent des montagnes russes virtuelles, créent sur ordinateur des portraits d'eux-mêmes en 3D, et utilisent un simulateur Jet Pack pour se déplacer dans un environnement en apesanteur. Il y a également un cinémadôme IMAX.

Un air de mystère plane sur le **Rosicrucian Egyptian Museum and Planetarium**, comme dans un film d'épouvante de Boris Karloff. Cette charmante institution abrite des trésors d'architecture du temple de Karnak, des momies de prêtres (et de chats !), des amulettes et des bijoux égyptiens, ainsi que la reproduction d'une tombe de pierre vieille de 4 000 ans.

Manoir victorien de 160 pièces, la **Winchester Mystery House** est animée d'escaliers partant du plafond, de portes s'ouvrant sur des pans de murs et d'une fenêtre Tiffany évoquant le dessin d'une toile d'araignée. Un médium aurait dit à l'héritière Sarah Winchester que son mari avait été assassiné par les esprits d'hommes tués par une Winchester. Elle devrait faire construire une pièce pour chaque esprit et vivrait tant que les travaux dureraient. Et c'est ce qu'elle fit de 1884 jusqu'à sa mort en 1922.

Au **Children's Discovery Museum of San Jose**, les enfants peuvent bricoler parmi les 150 expositions interactives dédiées aux arts, aux lettres, à la science et à la culture. Le **San Jose Museum of Art** expose des œuvres du XXe siècle provenant du Whitney Museum of American Art, comme les travaux nettement réalistes d'Edward Hopper. Le **San Jose Historical Museum** remplit plus de 10 ha de reproductions parfaites de maisons et d'entreprises du XIXe siècle. Le quartier des arts et des loisirs du centre-ville appelé **SoFA** (South First Area), une section de cinq *blocks* comprenant South First St, le sud de San Carlos St et le nord de Gore Park, rassemble des lieux de sortie nocturne, des restaurants, des galeries d'art et des théâtres. ■

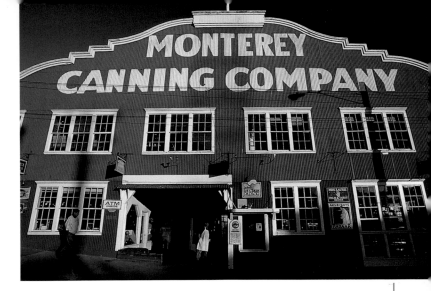

Monterey Peninsula

PEU D'ENDROITS MARIENT AUSSI BIEN NATURE ET HISTOIRE QUE CETTE péninsule à 193 km au sud de San Francisco, avec ses paysages de côtes rocheuses et sa longue parade de cultures. Ici, la nature passe avant tout et celui pris en train de malmener un papillon Monarque doit payer une amende de 1 000 $. Carmel-by-the-Sea interdit les enseignes au néon et les panneaux d'affichage qui gâcheraient le paysage.

Une conserverie
de 1920 subsiste
sur Cannery Row.

MONTEREY

Capitale de la Californie sous les autorités espagnole, mexicaine puis américaine, Monterey prend grand soin de son centre-ville historique.

Le **Monterey State Historic Park** regroupe plusieurs bâtiments. La **Custom House** (1827), plus vieux bâtiment public de Californie, expose un des premiers cargos. Au Stanton Center, le **Maritime Museum of Monterey** retrace l'histoire maritime locale, avec des maquettes de bateaux et une lentille du phare Fresnel (1887) faite de 1 000 prismes, dont la lumière brillait jusqu'à plus de 38 km. Plus vieil édifice de Monterey, la **Royal Presidio Chapel** (*Church St et Figueroa St*) fut construite en 1795 en pierre et adobe. C'est à **Colton Hall** (*559 Pacific St*), très Nouvelle-Angleterre, que les délégués rédigèrent la première constitution de Californie (1849). Parmi les maisons remarquables, ne manquez pas la **Larkin House** (*510 Calle Principal*), un exemple de 1835 du style colonial de Monterey qui associe la construction en *adobe* espagnole et le style de la Nouvelle-Angleterre ; c'est aujourd'hui un musée-maison. Jetez également un coup d'œil à la **Robert Louis Stevenson House** (*530 Houston St*), une maison d'*adobe* des années 1830, où l'écrivain écossais louait une chambre en 1879 alors qu'il faisait la cour à Fanny Osbourne. Une collection des souvenirs de Stevenson y est exposée.

**Monterey
Informations**
www.montereyinfo.org
☎ 888/221-1010

**Monterey State
Historic Park**
www.parks.ca.gov/mshp
✉ 20 Custom House
Plaza
☎ 831/649-7118

**Maritime Museum
of Monterey**
☎ 831/372-2608
€ €

**Monterey Bay
Aquarium**
www.mbayaq.org
✉ 886 Cannery Row
☎ 800/756-3737
(pour acheter des
billets à l'avance)
€ €€€€

Cannery Row
www.canneryrow.com
☎ 831/649-6690

L'extraordinaire **Monterey Bay Aquarium** dévoile tout un monde sous-marin. À ne pas manquer : des méduses présentées comme des œuvres d'art vivantes ; une forêt de varech, qui peut prendre jusqu'à 15 cm en une journée ; un bassin de 3 785 m³ d'eau dont les habitants, comme le poisson-lune, peuvent peser jusqu'à 1,5 t. Une exposition de requins présente des espèces rares (roussettes vipérines, roussettes rubanée).

Un raz-de-marée touristique s'est abattu sur **Cannery Row**, site des anciennes conserveries de sardines le long de Monterey Bay. Des années vingt aux années cinquante (lorsque les ressources en sardines furent épuisées), cette zone industrielle fut décrite par John Steinbeck comme « un poème, une puanteur, un bruit grinçant, une qualité de lumière… un rêve » (*Cannery Row*, 1945). Les admirateurs de Steinbeck se rendront en pèlerinage au **Pacific Biological Laboratory** (*800 Cannery Row*), qui fut dirigé par un ami, devenu un personnage, de Steinbeck, Ed « Doc » Ricketts.

Pour passer un bon moment, à l'écart du tourisme artificiel de Cannery Row, essayez le **Fisherman's Wharf**, tout près, une jetée avec des magasins et des restaurants de fruits de mer. ■

Monterey offre à la fois une escapade instructive, avec son aquarium (à gauche), et des paysages magnifiques (ci-dessous).

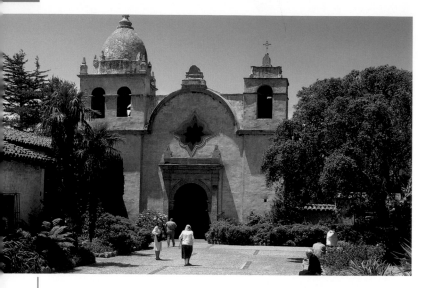

Carmel Mission a été restauré complètement.

Carmel-by-the-Sea

COLONIE D'ARTISTE TRANSFORMÉE EN CENTRE DE VILLÉGIATURE CHIC, Carmel a une atmosphère de village avec ses cottages, ses boutiques et restaurants sophistiqués sur Ocean Avenue et sa plage de sable blanc.

La **Mission San Carlos Borroméo de Carmelo** conjugue ses murs de grès, son clocher surmonté d'un dôme maure et ses jardins clos d'une façon mystérieuse qui aboutit à quelque chose d'ineffable, au-delà de la simple évocation d'une mission historique. Achevée en 1797, elle assume le romantisme de l'époque missionnaire californienne. C'est à cet endroit que le Padre Junipero Serra, fondateur du système des missions en Californie, choisit d'y établir son quartier général. Il est enterré dans le sanctuaire.

Le poète Robinson Jeffers a conçu la **Tor House** à l'image d'une grange Tudor qu'il avait vue en Angleterre. Il a également construit la **Hawk Tower** en pierre.

Depuis Carmel, le **Seventeen Mile Drive** conduit aux 3 237 ha de la Del Monte Forest. La route passe devant des maisons à plusieurs millions de dollars et des terrains de golf légendaires (Pebble Beach, Spyglass Hill, Cypress Point), en suivant le rivage escarpé. Le Lone Cypress, qui se dresse sur une pointe rocheuse, est l'arbre le plus souvent photographié.

La **Point Lobos State Reserve** (*tél. 831/624-4909, €*), un des lieux les plus grandioses de la côte californienne, préserve des promontoires rocheux, des bâches, des prairies et les bosquets de cyprès de Monterey, ainsi que de près de 300 ha de zones au large de la côte, une des premières réserves sous-marines de Californie. ■

Berkeley

**Sather Gate et
le campanile de
l'UC Berkeley.**

L'UNIVERSITÉ DE CALIFORNIE À BERKELEY OU « ATHÈNES DE L'OUEST », A
été ouverte en 1873. Elle se définit par son ambiance académique et
son campus tentaculaire. Entre baie et collines escarpées, la nature y
sert d'arrière-plan à une scène métropolitaine dynamique.

La ville a été nommée Berkeley en
1866, en l'honneur de l'évêque
irlandais George Berkeley. Les collines font un arrière-plan à la
superbe architecture régionale, en
particulier aux maisons rustiques à
bardeaux des architectes Bernard
Maybeck et John Galen Howard.

Du point de vue gastronomique,
Chez Panisse (voir p. 262) d'Alice
Waters est le berceau de la cuisine
californienne, dans une zone surnommée le « Gourmet Ghetto » en
raison de ses nombreux restaurants.
Telegraph Ave grouille d'étudiants ou
de hippies (vieillissants et rétros).

Berkeley

🅰 211 5B

Informations

www.berkeleycvb.com

✉ 2015 Center St

☎ 510/549-7040 or
800/847-4823

🕐 Fermé sam.-dim.

🚇 BART: Downtown
Berkeley

Hearst Memorial Mining Building à Berkeley.

University of California
www.berkeley.edu
✉ 101 University Hall, 2200 University Ave
☎ 510/642-5215

Museum of Paleontology
✉ 1101 Valley Life Sciences Bldg
☎ 510/642-1821

Phoebe Hearst Museum of Anthropology
✉ Kroeber Hall
☎ 510/643-7649
🕐 Fermé lun.-mar.
€ €

Berkeley Art Museum
✉ 2626 Bancroft Way
☎ 510/642-0808
🕐 Fermé lun.-mar.
€ €€

Bancroft Library
✉ University of California
☎ 510/642-3781
🕐 Fermé de fin mai à octobre 2008

Lawrence Hall of Science
✉ Centennial Dr
☎ 510/642-5132
€ €€

First Church of Christ Scientist
✉ 2619 Dwight Way
☎ 510/845-7199
🕐 Ouvert 1ᵉʳ dim. du mois. Visite guidée uniquement

Les magasins vendent de l'artisanat et des vêtements teints.

UNIVERSITÉ DE CALIFORNIE

Avec 465 bâtiments répartis sur 499 ha, c'est un immense campus. Des brochures d'information sont disponibles au centre des visiteurs. Surnommée Cal, l'université, achevée en 1873, fut la première créée dans le système de l'Université de Californie et compte aujourd'hui 30 000 étudiants et des programmes d'études supérieures de haut niveau. Durant les années soixante, l'université fit les gros titres à l'occasion des manifestations étudiantes contre la guerre au Viêt-nam et les débuts du Free Speech Movement.

Les manifestations eurent lieu sur Sproul Plaza, qui sert encore de tribune pour les protestataires, les prédicateurs, les acteurs de rue et les fous en tout genre. Pour participer à ce véritable cirque, tenez-vous sur la « zone extraterritoriale » de la place, un cercle d'une quinzaine de centimètres proclamé, de façon fantaisiste, zone libre de toute autorité.

La **Sather Gate** sert de porte d'entrée pour les cérémonies de l'université. Vous aurez une vue panoramique de Cal en prenant l'ascenseur du **Campanile**, ou Sather Tower, d'environ 93 m de haut, réalisé par John Galen Howard en 1914. Ce campanile en granit blanc s'inspire de celui de la place Saint-Marc à Venise.

Le **Museum of Paleontology** propose quelques expositions publiques et un squelette complet de T. rex. Le **Phoebe Hearst Museum of Anthropology** expose des objets de Californie, du Pérou, d'Égypte et d'Europe méditerranéenne, et des pièces associées à Ishi, le dernier Indien Yahi. Le **Berkeley Art Museum** est consacré à l'Asie et aux artistes modernes, notamment à l'expressionniste abstrait Hans Hofmann. De l'autre côté de la rue, le **Pacific Film Archive** présente des films indépendants, classiques et du monde entier. Parmi les trésors de l'Ouest américain de la **Bancroft Library** est exposée la pépite qui serait à l'origine de la Ruée vers l'or californienne, et quantité de papiers de Mark Twain. Le **Lawrence Hall of Science** regorge d'hologrammes, de lasers et de jeux interactifs, et possède un planétarium.

AUTRES SITES DE BERKELEY

Juste en dehors du campus, **People's Park** (à l'est de Telegraph Ave entre Dwight et Haste Sts) était un terrain que des étudiants ont planté d'arbres en 1969, suite à un accrochage avec la National Guard après que l'université eut annoncé qu'elle prévoyait de construire sur cette zone. De l'autre côté de la rue se dresse la **First Church of Christ Scientist**, réalisée par Bernard Maybeck en 1910. ■

Oakland

LA VILLE, QUI TIRE SON NOM DE LA PRÉSENCE DE BOSQUETS DE CHÊNES, EST devenue le terminus ouest du chemin de fer transcontinental en 1869. Elle a été reliée à San Francisco par le Bay Bridge dans les années 1930, puis a connu un boom grâce aux Kaiser Shipyards durant la seconde guerre mondiale. Mais en l'espace de vingt ans, Oakland a été minée par les conflits raciaux (c'était le berceau des Black Panthers) et la criminalité.

Le passé coloré d'Oakland reprend vie au **First and Last Chance Saloon.**

Aujourd'hui, les choses s'améliorent, les bâtiments résidentiels et commerciaux ont été restaurés, un centre touristique a été créé au Jack London Square, ainsi qu'un superbe musée régional. Quant au port d'Oakland, avec près de 32 km de postes de mouillage et de terminaux, il connaît un boom économique. Avec une population noire importante, Oakland a créé une école de musique rap grâce à des vedettes telles que MC Hammer et Tupac Shakur.

Les amoureux de l'architecture victorienne peuvent se balader autour de l'**Old Oakland** (entre Washington St et Broadway, de 8ᵉ à 10ᵉ Sts), le centre-ville d'origine des années 1870. Ses bâtiments sont aujourd'hui occupés par des magasins et des cafés. Les maisons victo-

Oakland
⚐ 211 5B
**Oakland
Informations**
www.oaklandcvb.com
✉ 463 11ᵉ St
☎ 510/839-9000
🚇 BART : 12ᵉ St/City Center

**Oakland Museum
of California**

www.museumca.org

✉ 1000 Oak St au
niveau de 10ᵉ St

☎ 510/238-2022

🕐 Fermé lun.-mar.

€ €€

🚇 BART : Lake Merritt

L'Urban Lake
Merritt
(ci-dessous) et
le Paramount
Theater
(à l'opposé)
embellissent
Oakland.

riennes ont été déplacées de la trajectoire de l'I-990 à **Preservation Park** (entre Castro St et Martin Luther King J.-R. Dr, de 12ᵉ à 14ᵉ Sts).

Vous pouvez visiter le **Pardee Home Museum** (*11ᵉ St et Castro St, tél. 510/444-2187, fermé de dim. à mar. et jeu., sur réservation uniquement, €*), une maison italianisante construite en 1868 par l'un des premiers maires d'Oakland.

Ciné palace de style Art déco (Timothy Pflueger, 1931), le **Paramount Theater** (*2025 Broadway, tél. 510/465-6400, visites 1ᵉʳ et 3ᵉ sam., €*) est décoré d'une fresque en carreaux représentant des marionnettes. L'intérieur est orné de bas-reliefs de soldats et de jeunes filles, d'une sculpture en verre, et d'un fumoir laqué noir pour dames.

Sur la rive du **Lake Merritt** (ancienne mangrove), on découvre des jardins, des allées et le Lakeside Park d'environ 49 ha.

JACK LONDON SQUARE

Également connu sous le nom de **Jack London Waterfront** (au pied de Broadway), ce lieu touristique surplombant le port exploite la renommée de l'auteur de *L'Appel sauvage* qui a habité Oakland une grande partie de sa vie. Enfant, London colportait des journaux au **Heinold's First and Last Chance Saloon** (*56 Jack London Sq, tél. 510/839-6761*), construit avec du bois récupéré sur un baleinier en 1883 et dont le sol s'inclina pendant le tremblement de terre de 1906. En 1897, l'écrivain vécut comme un prospecteur du Yukon dans la **Jack London Cabin**, aujourd'hui déplacée dans le square et occupée par une librairie. Le *Potomac*, long de 50 m, sur-

nommé la « Maison blanche flottante » du Président Franklin D. Roosevelt (*tél. 510/627-1215, visites mer., ven., et dim., €*) est amarré non loin.

Autres attractions du square : les restaurants, les hôtels, les cinémas et le marché agricole toujours très populaire le dimanche.

OAKLAND MUSEUM OF CALIFORNIA

L'un des plus grands musées régionaux du monde occupe une structure innovante sur trois niveaux, dessinée en 1969 par Kevin Roche et construite de façon à ce que le toit de chaque niveau forme un jardin et une terrasse pour le niveau supérieur. Le musée est dédié à l'environnement naturel, l'Histoire et l'art californiens.

Les dioramas du **Hall of California Ecology** (premier niveau)

Le port d'Oakland est une installation majeure pour navires porte-conteneurs.

Les jardins de l'Oakland Museum of California.

offrent dans une traversée simulée de la Californie, de la côte Pacifique par la vallée intérieure, sur la High Sierra, et dans le désert. Des maquettes topographiques montrent les caractéristiques physiques de chaque zone, et des affiches pédagogiques expliquent l'existence interdépendante des plantes et des animaux. L'**Aquatic California Gallery** présente l'environnement hydrologique de l'état – pas seulement l'océan, les cours d'eau, les lacs et les estuaires, mais aussi les sources chaudes et les congères.

Le **Cowell Hall of California History** (2ᵉ niveau) s'intéresse aux périodes de l'histoire des Amérindiens, des Hispano-Mexicains et des Américains. Vous y découvrez un laboratoire d'analyse datant de la Ruée vers l'or, une autopompe de l'incendie de San Francisco en 1906 ou encore une scène de café à l'époque de la *Beat Generation*.

La **Gallery of California Art** (3ᵉ niveau) expose quantité d'œuvres d'art décoratif réalisés par des artistes de Californie ou d'ailleurs qui s'intéressent aux thèmes californiens. La collection couvre l'histoire de cet état, grâce à des croquis des premiers artistes-explorateurs ou des paysages panoramiques gigantesques.

D'autres peintres paysagistes du XIXᵉ siècle tels que Thomas Hill et William Keith y sont exposés.

CHABOT SPACE ET SCIENCE CENTER

Depuis 2000, le **Chabot Space and Science Center** (*10 000 Skyline Bd, tél. 510/336-7300, www.chabotspace.org, fermé lun., €€*) possède le plus grand télescope réflecteur public des États-Unis (91,4 cm) qui offre des images du cosmos, l'un des planétariums les plus modernes au monde, et une salle de cinéma grand écran.

Vous y trouvez aussi un centre d'initiation à l'environnement et un sentier de découverte de la nature. ∎

Marin County

Sur la carte sociologique de la Californie, Marin forme un lotus aux couleurs jaune tendre et vert radieux. Traditionnellement gauchiste, la « Marin baba-cool » est aujourd'hui une ville où ronronnent les moteurs de BMW et résonnent les sonneries des téléphones portables d'une élite fortunée. Les prix de l'immobilier y sont parmi les plus élevés des États-Unis.

Le soleil et la beauté tranquille de Marin ont attiré les entreprises créatives et les sociétés informatiques, ainsi que des boutiques et des restaurants haut de gamme pour habitants très aisés. Pourtant, parcs et espaces verts protégés occupent près de 40 % du comté, y compris Muir Woods et Point Reyes National Seashore. Parmi les villes figurent Sausalito, Mill Valley la branchée, la très sélect Ross, et San Rafael la pragmatique (qui abrite le **Marin County Civic Center**, réalisé par Frank Lloyd Wright).

MARIN HEADLANDS

Au-delà du Golden Gate Bridge se cache un monde bien éloigné de la vie urbaine. Les Marin Headlands s'étendent sur près de 4 856 ha de collines côtières vallonnées, sillonnées de kilomètres de sentiers de randonnée et de vélo de montagne, avec d'anciennes installations militaires à explorer.

Dans une crique, sous le Golden Gate Bridge, **East Fort Baker** a été bâti pour protéger le détroit voisin. Battery Yates (1905-1946) possédait six canons à tir rapide capables de riposter en cas d'attaque de navires ennemis (qui ne se montrèrent jamais). Depuis Lime Point (à l'ouest du fort) vous pouvez les observer comme au travers d'un hublot. Les plus jeunes apprécieront le **Bay Area Discovery Museum**, dont les leçons pratiques sur l'histoire locale et l'écologie incluent un tunnel sous la mer.

Pour contempler des panoramas spectaculaires du pont et de la ville, suivez Conzelman Rd le long des promontoires en direction de l'ouest, depuis le Golden Gate. À environ 2,9 km, une route d'intervention mène à **Hawk Hill** par où 20 000 oiseaux de proie transitent durant leur voyage automnal, le long de leur route de migration côtière. Essayez d'apercevoir des buses à queue rousse et des éperviers de Cooper, des urubus à tête rouge et des faucons pèlerins. Conzelman Rd continue jusqu'à Point Bonita, où une promenade d'environ 800 m conduit à Land's End. C'est là que le **phare de Point Bonita** de 1855 (*fermé de mar. à ven.*) avertit les navires dans le brouillard des dangers de la côte rocheuse.

Marin County
 224 E2
Marin Informations
www.visitmarin.org
✉ 1013 Larkspur Landing Circle, Larkspur
☎ 415/925-2060

Bay Area Discovery Museum
www.baykidsmuseum.org
🅰 224 F2
✉ East Fort Baker
☎ 415/339-3931
🕐 Fermé lun.
💲 €€

Marin Headlands Centre touristique
✉ Fort Barry Chapel, Field et Bunker Rds
☎ 415/331-1540

Un artiste capture les Marin Headlands sur sa toile.

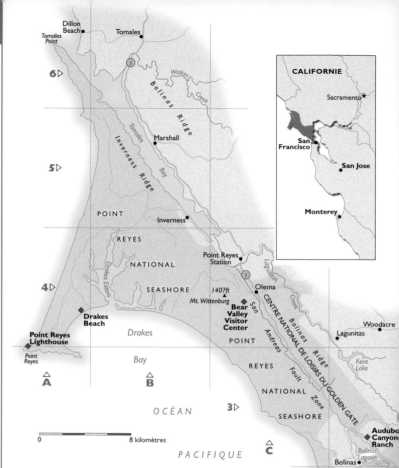

CALIFORNIE

Sacramento

San Francisco

San Jose

Monterey

Nike missile launch site
☎ 415/331-1453
🕐 Fermé de sam. à mar. Sauf 1ᵉʳ dim. du mois

Sausalito
🅰 224 F2
Informations touristiques
✉ 780 Bridgeway Bd
☎ 415/332-0505
€ €€ pour le ferry
⛴ Ferry : 30 min depuis Ferry Building au pied de Market St ou Fisherman's Wharf (tél. 415/923-2000)

À Fort Barry, le **Marin Headlands Visitor Center** propose des explications sur l'histoire naturelle et humaine de la zone. Non loin de là, le seul **site restauré de lancement de missiles Nike** des États-Unis est le vestige d'un système de défense de la guerre froide de 1954 à 1974. Vous pourrez y voir un missile dressé en position de feu (moteurs et ogives ont été retirés).

SAUSALITO

Centre de villégiature aux accents méditerranéens, la ville est accrochée à des collines escarpées au-dessus d'un pittoresque port de plaisance. Les touristes se pressent le long de Bridgeway, de ses magasins, ses galeries, ses restaurants et ses vues fabuleuses de San Francisco.

Des centaines de chalets-maisons sont amarrées à la Gate 5 et à d'autres mouillages tout proches. Après la deuxième guerre mondiale, Bay Area accueillait un surplus de vaisseaux que d'aventureux habitants transformèrent en bateaux-maisons, créant une colonie d'artistes dont le philosophe zen Alan Watts faisait partie. Aujourd'hui, de jeunes professionnels vivent également à bord de ces chalets-maisons.

Au **Bay Model Visitor Center** (*2100 Bridgeway Bd, tél. 415/332-3870*), un entrepôt propose une grande maquette de la baie de San Francisco qui compresse 1035 km² dans une simulation de 0,6 ha. Des chercheurs utilisent cette maquette pour étudier les effets des inondations, de la sécheresse et de l'aménagement de la baie.

Sausalito s'est développée depuis qu'elle est reliée à San Francisco par ferry-boat (voir p. 224).

Les bateaux-maisons à Sausalito

ANGEL ISLAND STATE PARK

Située au nord d'Alcatraz, cette île (*tél. 415/435-1915, ferry depuis San Francisco ou Tiburon*) riche de paysages et d'histoires est parfaite pour la randonnée ou le vélo. Le sommet du **mont Livermore** (un ancien site de missiles Nike), à 238 m, offre des panoramas sur toute la Bay Area.

Nommée Isla de Los Angeles par le marin Juan Manuel de Ayala, en 1775, Angel Island a servi de ranch de bétail espagnol, d'installation militaire américaine, de lazaret et « d'Ellis Island de l'Ouest », poste d'immigration et centre de détention pour 175 000 Chinois entre 1910 et 1940. Lors d'une **visite en tram** (€) ou d'une promenade sur le chemin périphérique d'environ 8 km, vous découvrez des sites historiques et les garnisons militaires.

MUIR WOODS NATIONAL MONUMENT

Sur les pentes inférieures du mont Tamalpais, accessible via la Panoramic Highway, se déploie la forêt vierge de séquoias de la Bay Area. Ici, certains arbres sont vieux d'au moins mille ans. Les séquoias abritent des fougères, une crique où l'on pêche

Muir Woods National Monument
www.nps.gov/muwo
☎ 415/388-2596
€ €

Mount Tamalpais State Park
▲ 224 D2–D3
Informations touristiques
☎ 415/388-2070
€ €€ (parking)

Stinson Beach
▲ 224 D2
☎ 415/868-1034

Audubon Canyon Ranch
www.egret.org
▲ 224 D3
✉ 4900 Calif. Hwy 1
☎ 415/868-9244
⏱ Fermé le lun.
€ Participation libre

À l'ombre des géants, **Muir Woods**.

l'écrevisse et le saumon, et des pistes variées. Plus vous vous éloignez du parking, moins vous rencontrez de monde – une bonne astuce dans tous les espaces de plein air populaires. **Cathedral Grove** et **Bohemian Grove** possèdent les plus grands arbres : le plus haut culmine à 77 m de haut et le plus épais mesure près de 4,27 m de large. Plus grande espèce vivante du monde, les séquoias ont proliféré dans le nord de la Californie pendant 140 millions d'années et y poussaient déjà à l'époque des dinosaures.

MOUNT TAMALPAIS STATE PARK

Le point le plus visible du comté de Marin est un royaume en hauteur d'arbustes et arbrisseaux (chaparrals), ainsi que de chênes, où serpentent plus de 321 km de pistes. Un chemin de 1,2 km mène du parking d'East Peak à un poste de guet sur le sommet est (à environ 780 m), d'où vous pouvez contempler la Bay Area et l'océan Pacifique.

CÔTE PACIFIQUE

Le long de la Calif. 1, **Stinson Beach** peut se vanter de ses 4 km et plus de sable blanc. La baignade y est sûre et le village offre une agréable halte pour se restaurer. Juste au nord, à **Bolinas Lagoon**, on observe des aigrettes et des oiseaux aquatiques, ou on aperçoit des veaux marins affalés sur Pickleweed Island. Les ornithologues amateurs découvrent 115 espèces à l'**Audubon Canyon Ranch**, une réserve de plus de 400 ha sur le lagon, où les grands hérons bleus et les aigrettes nidifient au printemps sur les cimes des séquoias. À l'extrémité nord de Bolinas Lagoon, essayez de trouver la route pour **Bolinas**.

Pendant des dizaines d'années, ses habitants ont recherché l'anonymat en ôtant les panneaux qui indiquaient sa direction. C'est une cachette tranquille, malgré tout en train de devenir un lieu à la mode, où règne l'esprit bio, hippie, artistique et contre-culture.

POINT REYES

Ici, où la terre avance pour rencontrer l'océan, vous avez l'impression d'avoir atteint les limites du monde. La péninsule est séparée du continent par la tristement célèbre faille de San Andreas. Point Reyes est situé sur la plaque tectonique du Pacifique se déplaçant vers le nord, et se dirige vers l'Alaska au rythme d'environ 5 cm par an.

Environ 26 300 ha de beauté sauvage contemplent des falaises abruptes, une ligne de côte rocheuse aux vagues tonitruantes et aux plages bien cachées, des prairies couvertes de fleurs sauvages et des coteaux balayés par les vents. C'est une zone protégée sous le nom de **Point Reyes National Seashore**. Sur la Calif. 1, près d'Olema, le **Bear Valley Visitor Center** offre une vue d'ensemble. Vous pouvez y suivre la grande « méchante » faille de San Andreas sur un sentier de découverte. Une reconstitution de la vie des Indiens Miwok présente des maisons en séquoia et une hutte de sudation souterraine.

À environ 24 km à l'ouest, sur Sir Francis Drake Bd, **Drakes Beach** offre une plage de sable à l'abri du vent et propose des expositions sur l'environnement océanique et l'exploration maritime au XVIe siècle.

Le boulevard s'étend sur quelques kilomètres plus à l'ouest, jusqu'à la pointe de Point Reyes et le **Point Reyes Lighthouse** (1870) à environ 90 m au-dessus de l'océan. Ce phare est le perchoir idéal pour observer la migration des baleines grises (*de fin déc. à fin avril*), mais le temps peut être brumeux en été. Des expositions sont consacrées aux baleines et aux équipements du phare, y compris une massive lentille de Fresnel. Souvenez-vous que vous devrez descendre (puis remonter) 309 marches. ■

Maisons à Bolinas.

Point Reyes National Seashore
🅐 224 B4–B5
Informations touristiques
✉ Bear Valley Rd, Point Reyes Station
☎ 415/464-5100

Point Reyes Lighthouse
🅐 224 A4
☎ 415/669-1534
🕐 Fermé mar.-mer.

Migration des baleines grises

Chaque année, 18 000 baleines grises migrent d'Alaska pour rejoindre leurs eaux de reproduction et de naissance en basse Californie. Le voyage de plus de 19 300 km aller-retour représente la plus longue migration annuelle du règne animal.

Pour tenter d'apercevoir une baleine, cherchez un jet d'eau pulvérisé. Les baleines grises peuvent mesurer jusqu'à 15 m de long et peser jusqu'à 45 t. ■

Napa Valley

Napa Valley
🅰 233 D1

**Napa Valley
Conference &
Visitors Bureau**
www.napavalley.com
✉ 1310 Napa Town
Center, Napa
☎ 707/226-7459

Charles Krug
🅰 233 B3
✉ 2800 Main St,
St. Helena
☎ 707/967-2200

Beringer Vineyards
🅰 233 B3
✉ 2000 Main St,
St. Helena
☎ 707/967-4412

**Hess Collection
Winery**
🅰 233 C2
✉ 4411 Redwood Rd,
Napa
☎ 707/255-1144

CETTE VALLÉE À 80 KM AU NORD DE SAN FRANCISCO PRODUIT QUELQUES-uns des plus grands vins du monde, mais ce n'est pas la seule raison pour laquelle les lecteurs de Wine Spectator la classent au-dessus de la Bourgogne, du Bordelais et de la Toscane comme leur « destination de vacances viticoles favorite ». La vallée, entourée des montagnes de la Chaîne côtière, se trouve en effet dans un site charmant tapissé de fleurs de moutarde jaunes dès la fin de l'hiver et doté de caves de vinification (vineries) pittoresques qui ouvrent leur salle de dégustation aux visiteurs. Charles Krug y fonda la première vinerie en 1861. Aujourd'hui, la Napa Valley en compte plus de 300.

La vallée possède des restaurants et des lieux hybrides comme les vineries-galeries d'art. La Napa Valley est aussi le couloir de voyage en montgolfière le plus emprunté du monde. Les ascensions au lever du soleil y sont habituellement suivies d'un brunch au champagne. On y trouve dix terrains de golf de championnat, notamment le **Silverado Country Club** (*1 600 Atlas Peak Rd, Napa, tél. 707/257-0200*).

Les sources chaudes de Calistoga attirent les visiteurs depuis le début des années 1900.

Géographiquement, la Napa Valley, corne d'abondance pour le rai-sin à vin, s'étire vers le sud depuis le mont St Helena (1 323 m). Le sol riche et poreux, ainsi que le climat méditerranéen sec représentent les conditions idéales pour la croissance du raisin. De nombreuses vineries célèbres (Beringer, Beaulieu, Charles Krug, Robert Mondavi) ponctuent la route principale de la vallée, Calif. 29, qui relie les principales villes : Napa, Yountville, Oakville, Rutherford, St Helena, et Calistoga (voir plan p. 233). À l'est, la **Silverado Trail**, parallèle et plus tranquille, a moins de circulation. Le **Napa Valley Wine Train** (*tél. 707/253-2111 ou*

800/427-4124, €€€€€) effectue un voyage aller-retour de 3 h de Napa à St. Helena, dans des compartiments et une voiture-restaurant des années 1915 à 1950, où sont servis des repas de gourmet et des vins locaux. Le train suit un trajet établi en 1864.

VINERIES DE LA NAPA VALLEY

Plus ancien producteur de vin de la vallée, **Charles Krug** fonda sa cave de vinification en 1861 ; elle est aujourd'hui dirigée par la famille de Peter Mondavi. **Beringer Vineyards** est la plus ancienne vinerie toujours en activité de la vallée (1876) qui propose des dégustations dans un manoir allemand au toit d'ardoise et aux magnifiques fenêtres en vitrail. Les vins y vieillissent dans des caves souterraines à 300 m dans le flanc de la colline.

La **Hess Collection Winery** expose de l'art contemporain à côté de ses vins. Le **Domaine Chandon** produit un vin pétillant selon la méthode champenoise classique inventée dans les années 1600 par le bénédictin aveugle Dom Perignon, et qui implique une seconde fermentation dans la bouteille.

À la **Robert Mondavi Winery**, les visites d'1 h proposent un aperçu et celles de 4 h une « présentation plus approfondie de la viticulture ». La vinerie organise des concerts en été et en hiver. L'ancien et le nouveau cohabitent au **St. Supéry Wine Discovery Center and Winery**. Dans la vinerie moderne, le Wine Discovery Center informe les visiteurs sur la vinification et les arômes des différents cépages, et dans le manoir victorien de style Queen Anne, le décor et les meubles sont un musée vivant des années 1880. La **Niebaum-Coppola Estate** se concentre autour de la vinerie en pierre de 1882. L'entreprise appartient aujourd'hui au cinéaste Francis Ford Coppola, qui y expose des objets sur le vin et ses films.

Première vinerie de coteau de la vallée, les **Schramsberg Vineyards** (1862) produisent des vins pétillants. Après sa visite en 1880, Robert Louis Stevenson écrivit un article sur la vinerie et son

Fin de l'hiver dans la Napa Valley.

Domaine Chandon
🅐 233 C2
✉ 1 California Dr, Yountville
☎ 707/944-2280

Robert Mondavi Winery
🅐 233 C3
✉ Highway 29, Oakville
☎ 888/766-6328

St. Supéry Wine Discovery Center and Winery
🅐 233 C3
✉ 8440 St. Helena Hwy, Rutherford
☎ 707/963-4507

Niebaum-Coppola Estate
🅐 233 C3
✉ 1991 St. Helena Hwy, Rutherford
☎ 707/968-1161

**Schramsberg
Vineyards**
🔼 233 B4
✉ 1400 Schramsberg
Rd, Calistoga
☎ 800/877-3623

Sterling Vineyards
🔼 233 B4
✉ 1111 Dunaweal Ln,
Calistoga
☎ 707/942-3344

**Napa Valley
Museum**
www.napavalleymuseum.org
✉ 55 Presidents Circle,
Yountville
☎ 707/944-0500
🕐 Fermé mar.
€ €

fondateur, Jacob Schram, dans *The Silverado Squatters*. Pour visiter **Sterling Vineyards**, il faut emprunter le funiculaire depuis le parking jusqu'au sommet.

NAPA ET YOUNTVILLE

À l'entrée de la vallée, **Napa** était un centre d'expédition pour les vins locaux qui a grandi sur la Napa River. L'ancienne partie de la ville vaut le détour pour ses quartiers victoriens.

La petite ville de **Yountville** doit son nom à George Yount, qui planta le premier vignoble de la vallée en 1833. Elle accueille aujourd'hui une foule chic dans ses auberges, boutiques et restaurants. Les expositions du **Napa Valley Museum** permettent aux visiteurs de survoler une année de vinification et de découvrir les influences géographiques et culturelles qui ont modelé la vallée.

ST. HELENA

St Helena a été fondée en 1853. Sur la Main Street historique, certaines boutiques et restaurants occupent des bâtiments en pierre. Les réverbères ont été installés juste après été utilisés pour l'Exposition internationale Panama-Pacific de 1915. Les admirateurs de l'écrivain Robert Louis Stevenson apprécient le **Silverado Museum** qui expose les petits soldats de son enfance, ainsi que des effets personnels. Parmi les œuvres de Stevenson (1850-1894) figurent *L'île au trésor* ou *Dr Jekyll et M. Hyde*. En 1880, l'écrivain et son épouse, Fanny Osbourne, passèrent leur lune de miel dans une cabane sur le mont St. Helena (*voir Robert Louis Ste-*

venson State Park), qu'il décrivit plus tard dans *Les Squatters de Silverado*.

Vous pouvez déguster sur place la cuisine du **Culinary Institute of America**, qui forme les chefs dans les anciennes Greystone Cellars construites en 1889. L'institut expose près de 2 000 tire-bouchons. Dînez au restaurant de gourmets ou promenez-vous dans le jardin d'herbes aromatiques.

La roue à aubes de plus de 10 m du **Bale Grist Mill State Historic Park** a été construite par le Dr Edward Turner Bale en 1847, pour moudre le grain des fermes locales.

CALISTOGA ET AU-DELÀ

À l'extrémité nord de la vallée, Calistoga est célèbre pour ses sources chaudes riches en minéraux et ses bains de boue purifiants. Les thermes y sont une industrie artisanale qui remonte à 1859, lorsque le premier millionnaire de Californie, Sam Brannan, construisit un centre de villégiature pour les San-Franciscains aisés. La légende veut que le nom de la station thermale lui ait été donné par le pittoresque Brannan. Un jour, lors d'un banquet bien arrosé, il se serait levé dans l'intention d'annoncer que son centre de villégiature serait la « Saratoga de Californie ». Mais sa langue fourcha et il l'appela la « Calistoga de Sarafornie ».

Le **Sharpsteen Museum** vous fait remonter le temps grâce à des dioramas créés par un des premiers artistes de Disney, et à un vieux cottage meublé, vestige de l'ancien centre de villégiature.

Un des trois geysers au monde garanti pour être réglé comme une horloge (dans ce cas toutes les 14 minutes), le **Old Faithful Geyser of California** (privé) recrache son jet d'eau et de vapeur à une hauteur d'environ 18 m.

Autre merveille de la nature, la **Petrified Forest** est le fruit d'une éruption du mont St. Helena qui a eu lieu il y a environ 3 millions d'années. Des arbres déracinés furent ensevelis sous la cendre et la lave, puis infiltrés par l'eau et la silice. Au bout de plusieurs millénaires, les troncs s'en sont transformés en pierre, et l'un d'eux mesure plus de 32 m de long.

Pour effectuer une randonnée dynamique, visitez le **Robert Louis Stevenson State Park** sur le mont St. Helena. Un chemin rocailleux mène à une mine d'argent abandonnée près de laquelle Stevenson passa sa lune de miel. Le chemin continue jusqu'au sommet (1 323 m) où vous pouvez contempler la Napa Valley, l'océan Pacifique, la Bay Area, et (par temps clair) la Sierra Nevada. ∎

Silverado Museum
- ✉ 1490 Library Ln, St. Helena
- ☎ 707/963-3757
- 🕐 Fermé lun.

Culinary Institute of America
www.ciachef.edu/california
- ✉ 2555 Main St, St. Helena
- ☎ 707/967-1010

Bale Grist Mill State Historic Park
- ✉ 3369 St. Helena Hwy N, St. Helena
- ☎ 707/942-4575
- 🕐 Appelez pour les horaires
- 💶 €

Sharpsteen Museum
www.sharpsteen-museum.org
- ✉ 1311 Washington St, Calistoga
- ☎ 707/942-5911

Old Faithful Geyser of California
www.oldfaithfulgeyser.com
- 🗺 233 A4
- ✉ 1299 Tubbs Ln
- ☎ 707/942-6463
- 💶 €€

Petrified Forest
www.petrifiedforest.org
- 🗺 233 A4
- ✉ 4100 Petrified Forest Rd
- ☎ 707/942-6667
- 💶 €

Robert Louis Stevenson State Park
- 🗺 233 A5
- ☎ 707/942-4575

Les vins des Napa et Sonoma Valleys : guide de dégustation

Les vins des Napa et Sonoma Valleys ont atteint une réputation internationale. Avec différentes variétés de raisin, chaque coin de la vallée possède des vins distincts.

Raisin noir haut de gamme, le cabernet-sauvignon donne un vin à la saveur fruitée et charpentée, mais également équilibrée grâce à ses tannins.

De plus en plus apprécié, le merlot est un vin doux avec des arômes de fruit très riches. Sa « longueur en bouche » parfaite – terme utilisé pour décrire la persistance du goût ou caudalie – est un velours sur la langue.

On trouve dans le pinot noir de Californie les mêmes raisins que ceux utilisés en Bourgogne. Ici, il a une robe plus claire et un corps plus léger, ainsi que des arômes plus fruités.

Premier vin blanc de Californie, le chardonnay possède une texture veloutée et un arôme qui évoque la pomme ou la poire. Si le vin a vieilli en fûts de chêne, il peut y gagner

Visites guidées et dégustations de vins sont proposées dans presque tous les vignobles.

un arôme de beurre frais avec des traces de vanille ou de clou de girofle. Le chardonnay déploie suffisamment d'intensité pour convenir à un repas raffiné ou à un déjeuner léger.

LA DÉGUSTATION À LA PORTÉE DE TOUS

Il n'y a aucune raison d'être intimidé par un vin en bouteille – on peut facilement découvrir ses secrets. Utilisez simplement vos sens.

La vue

On apprend beaucoup sur un vin rien qu'en le regardant. Un amateur de vin tient le verre par le pied, la base bien à plat sur la table, et le fait tourner pour que le vin montre sa « jambe », c'est-à-dire la façon dont il glisse le long des parois. Un vin avec une « bonne jambe » est plus épais et possède plus de substance qu'un vin qui glisse trop vite le long de la paroi.

Chaque variété de vin a une couleur idéale. Le chardonnay doit être d'un riche doré. Trop pâle, son goût sera sans doute léger ou aqueux. Le personnel d'une vinerie pourra vous renseigner sur la couleur idéale de chaque variété.

L'odorat

L'autre raison de faire tourner le vin consiste à le mélanger à l'air qui volatilise l'alcool et libère les composants chimiques qu'on peut mieux sentir. Le nez humain peut détecter des milliers d'arômes dans le vin. Le mot « arôme » concerne le parfum du raisin lui-même ; le « bouquet » se rapporte aux parfums créés lors de la vinification. La somme de tous les arômes présents dans le vin constitue son « nez ».

Avant de boire un vin, n'oubliez pas de renifler le bouchon : c'est une bonne façon de savoir s'il est devenu aigre.

Le goût

Nos papilles gustatives ne détectent que quatre saveurs : le sucré (qui se perçoit sur le bout de la langue), l'acide (sur ses côtés), le salé (au milieu de la langue), et l'amertume (sur sa partie postérieure).

Pour apprécier la douceur, amenez une gorgée de vin au milieu de la langue. Le vin est sucré s'il possède 0,7 % de sucre résiduel, en dessous de ce taux, il est « sec » (à ne pas confondre avec astringent ou acide). Faites rouler une autre gorgée sur les côtés de votre langue et appréciez son acidité, qui donne au vin sa vie : un vin sans acidité est dit « mou ». Si le vin possède une proportion agréable d'acidité, de sucre et d'autres éléments, il s'agit d'un vin équilibré !

Pour bien servir une bouteille, débouchez-la un peu à l'avance. Cette aération permet d'oxyder le vin et d'éliminer les vapeurs chimiques, ce qui donne du moelleux aux arômes et leur permet de se mélanger.

La sensation

Réchauffez une gorgée de vin dans votre bouche pendant quelques secondes, puis évaluez son poids, ou « corps », et sa fluidité ou son épaisseur. Certains vins créent une sensation riche que les dégustateurs traduisent par des mots comme « velours » ! Le terme « ample » est utilisé pour un vin qui emplit bien la bouche. Il n'y a pas deux personnes qui ont le même nombre de papilles gustatives, si bien qu'un vin n'a jamais le même goût d'une personne à l'autre. ■

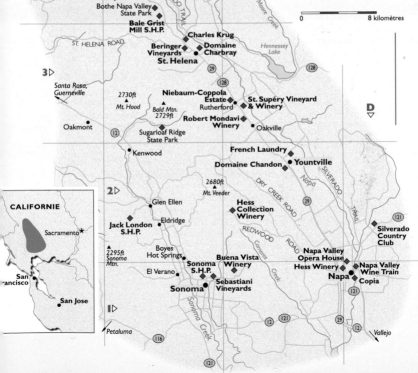

À la mission San Francisco Solano, la cloche indique la route d'El Camino Real, qui reliait toutes les missions californiennes.

Sonoma Valley

BERCEAU DE L'INDUSTRIE VITICOLE CALIFORNIENNE QUI PRODUIT DES cuvées de niveau international, la Sonoma Valley (16 km à l'ouest de la Napa Valley, au-delà des montagnes Mayacamas) est un endroit plus tranquille et rural que la très tendance Napa Valley. Les fermes y font pousser un peu de tout, des tomates mûries sur pied jusqu'aux sapins de Noël.

Sonoma Valley
🅰 233 B1-B2
**Sonoma Valley
Centre touristique**
www.sonomavalley.com
✉ 453 First St East
☎ 707/996-1090

**Sonoma State
Historic Park**
🅰 233 B1
☎ 707/938-9560
€ € tous sites inclus

La ville de **Sonoma** date de 1823, lorsque des pères y fondèrent une mission. Après que le Mexique eut sécularisé les missions de Californie, en 1834, le général Mariano Vallejo fut chargé d'y établir des *pueblos* et de distribuer les terres. La viticulture débuta en 1825, grâce aux Franciscains qui plantèrent du raisin. La vinification à large échelle commença en 1857, lorsqu'un aristocrate hongrois, Agoston Haraszthy, rapporta des boutures de vignes de l'Ancien Monde pour son vignoble de Sonoma.

SONOMA STATE HISTORIC PARK

La **Sonoma Plaza** est le plus grand square hispanique de Californie, et fait partie du Sonoma State Historic Park. À l'angle nord-est, une statue en bronze tenant un drapeau commémore la Bear Flag Revolt organisée par un groupe d'Américains en juin 1846, quand trente cavaliers surgirent dans le centre de Sonoma, firent prisonnier le général mexicain Vallejo et, sans tirer un seul coup de feu, déclarèrent que la Californie était une république indépendante. Leur drapeau de mousseline portait une étoile et une bande rouges confectionnées à partir d'un jupon, un ours brun grossièrement dessiné et des mots griffonnés à la main : « California Republic ». La nouvelle république dura 25 jours, jusqu'à ce que les forces américaines s'emparent de la capitale mexicaine Monterey, ce qui décida de l'intégration de la Californie dans les États-Unis. À Sonoma, les étoiles et les bandes ont pris la place du Bear Flag. L'ours vit toujours, cependant, sur le drapeau de la Californie.

La **Mission San Francisco Solano** (*au coin de Spain et Ier Sts, et à l'angle N.-E. de la place*) était le dernier maillon de la chaîne californienne des 21 avant-postes religieux franciscains. Elle se dresse à l'extrémité nord d'El Camino Real, le chemin royal qui reliait les missions. Celle de Sonoma était construite selon la règle non de l'Espagne mais du Mexique (auquel l'Espagne avait cédé la Californie en 1822), dont le gouvernement voulait repousser les incursions russes contre Fort Ross situé à environ 64 km de là. Aujourd'hui, les quartiers des pères, attenants à la chapelle d'*adobe*, forment le plus vieux bâtiment de Sonoma (1825). Dans les années 1880, la mission tomba dans la misère et fut vendue ; au fil des années, elle devint, tour à tour, une grange à foin, une vinerie et une forge.

De l'autre côté de First St Est, les **Sonoma Barracks** (1841) furent occupées par des soldats mexicains puis américains. L'intérieur abrite aujourd'hui un musée historique. À côté, le **Toscano Hotel** à ossature de bois est une ancienne pension de famille. Non loin de là (*133 Spain St E.*), l'auberge **Blue Wing Inn** en *adobe*, fut construite en 1840.

À 800 m de la place, via Spain St Ouest, se dresse la maison du général Vallejo, **Lachryma Montis** (*Spain St O. et 3e St O.*), qui montre comment le *commandante* mexicain s'était adapté au mode de vie américain. Quittant sa maison d'*adobe* sur la place, en 1851, il fit construire une maison de style Nouvelle-Angleterre, à la toiture inclinée et aux avant-toits sculptés et décorés. La remise où Vallejo entreposait son vin et ses olives est aujourd'hui un musée.

VIGNOBLES HISTORIQUES

Les **Sebastiani Vineyards** englobent certains vignobles de la mission fondée en 1904. Elle renferme une immense collection de tonneaux fabriqués à la main, certains datant du milieu des années 1800. En 1857, le Comte Agoston Haraszthy entreprit une production de vin de choix dans ce qui est aujourd'hui la **Buena Vista Winery**.

VALLÉE DE LA LUNE

À 10 min au nord de Sonoma se trouve **Glen Ellen** où le **Jack London State Historic Park** rend hommage à l'auteur de *L'Appel sauvage* et de nombreux autres livres. Jack London emménagea au Beauty Ranch de 337 ha lorsqu'il en eut « assez des villes et des hommes ». Après avoir été auteur, marin, prospecteur, agitateur socialiste, saisonnier du chemin de fer et aventurier, London décida de se mettre à l'agriculture. Aujourd'hui, vous pouvez pique-niquer ou vous promener parmi les chênes, les arbousiers et les séquoias. Visitez la **House of Happy Walls** (construite par la veuve de London en 1919). Auparavant, les London avaient fait construire la **Wolf House**, qui fut dévastée par un mystérieux incendie avant qu'ils n'aient eu le temps d'y emménager. ∎

Sebastiani Vineyards
🗺 233 B1
✉ 389 4ᵉ St Est, Sonoma
☎ 707/933-3230

Buena Vista Winery
✉ 18000 Old Winery Rd, Sonoma
☎ 707/938-1266

Jack London State Historic Park
✉ 2400 London Ranch Rd, Glen Ellen
☎ 707/938-5216
€ €

Yosemite National Park

Yosemite National Park

www.nps.gov/yose

Visitor information

✉ Headquarters, Yosemite National Park

☎ 209/372-0200 (mises à jour par 24 h des conditions météo et pistes) ; 877/444-6777 (réservations terrains de camping)

€ €

UNE DES SEULES CATHÉDRALES NATURELLES AU MONDE, LE YOSEMITE EST riche de trois merveilles : la Yosemite Valley, les forêts de séquoias et la High Sierra. Dans ce parc de près de 3 107 km², vous pouvez admirer les chutes d'eau, escalader des pics de granite, camper sous les étoiles, pique-niquer dans une prairie de fleurs sauvages ou juste vous ébahir devant les paysages.

YOSEMITE VALLEY

Majestueuse forteresse de granite, Yosemite Valley est bordée de falaises, de pitons rocheux et de dômes arrondis. Longue de plus de 11 km, elle fut créée par l'érosion glaciaire, comme le montre sa forme en « U » (les canyons de rivières ont un profil en « V »). Inflexible devant les forces qui érodaient le terrain alentour, **El Capitan** se dresse comme l'un des plus grands monolithes de granite existant, avec une paroi de 900 m de haut qui en fait la plus haute falaise entière du monde.

À **Curry Village**, on trouve de quoi manger, l'hébergement et des campings. Les pistes qui en partent mènent à **Vernal Fall** (96 m) et **Nevada Fall** (181 m), des cascades très appréciées des photographes, qui semblent tout droit sorties d'une carte postale.

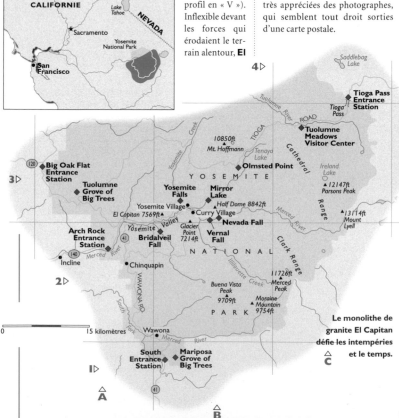

Le monolithe de granite El Capitan défie les intempéries et le temps.

**Mariposa Grove
of Big Trees**

🅰 236 B1

🕐 Fermé de mi-sept.
à mi-mai

🚐 Tram depuis le
Centre touristique

€ (pour le tram)

Le **Mirror Lake** réfléchit le reflet argent des falaises avoisinantes.

Au-dessus du lac se dresse le légendaire **Half Dome**. À l'origine son dôme était complet mais la calotte de sa falaise abrupte a été tranchée par les glaciers de l'âge glaciaire. Le sommet est à 2 700 m au-dessus de la vallée.

Le **village Yosemite** abrite le quartier général du parc, des restaurants, des magasins et le **Centre d'information de le Valley**, qui propose des expositions d'histoire naturelle et humaine. N'oubliez pas d'y prendre un plan.

L'**Ahwahnee Hotel** (voir p. 253), de 1927, est une auberge dont l'architecture se marie parfaitement avec le paysage majestueux. Pour sa conception grandiose mais rustique, l'architecte Gilbert Stanley Underwood a commandé 5 000 t de granite de la région, plus du bois d'œuvre de « séquoia » (en fait du béton teinté).

Empruntez le tramway gratuit depuis le Centre d'informations jusqu'à l'une des plus hautes chutes d'eau du monde. Les **Yosemite Falls** sont une succession de trois chutes d'eau sur 740 m. La Lower Fall mesure à elle seule environ 97 m, soit deux fois la taille du Niagara.

Une balade entre des troncs d'arbre gigantesques vous tente ? Visitez le **Tuolumne Grove of Big Trees** (à l'extrémité ouest de Tioga Rd), et promenez-vous parmi les séquoias géants, les pins à bois lourd et les cèdres parfumés.

WAWONA ROAD

Sortez de la vallée par Wawona Rd en direction du sud. Vous y voyez **Bridalveil Fall** (189 m) qui se jette du haut d'une « vallée suspendue », canyon échoué bien au-dessus de la Yosemite Valley après que les glaciers eurent broyé sa section inférieure. Prenez Glacier Point Rd jusqu'au sublime **Glacier Point**,

l'un des plus beaux panoramas au monde. Les pics semblent y être en lévitation au-dessus d'un gouffre vide. Vous pourrez y contempler le Half Dome et trois chutes (Vernal, Nevada, Yosemite). Le sommet domine la Yosemite Valley de 975 m. Imaginez l'époque où l'une des attractions touristiques (le « Firefall ») consistait à allumer un feu en haut de la chute et de jeter les tisons dans l'eau, créant ainsi une cascade d'étincelles et un flot de feu visibles depuis Curry Village.

Des cabanes historiques, un pont couvert de 1875 et une vieille prison font partie du **Pioneer Yosemite History Center** (à Wawona, au sud du parc sur Wawona Rd), qui évoque la vie de la vallée au XIXe siècle. Dans le **Mariposa Grove of Big Trees**, certains arbres sont âgés de près de 3 000 ans. Ces séquoias géants portent bien leur nom – certains qui pèsent plus de 900 t sont les plus grands êtres vivants de la planète. Le plus grand arbre de Yosemite, avec une circonférence d'environ 29 m, est le **Grizzly Giant**, déchiqueté par l'âge après 2 700 années d'existence. Cet arbre de plus de 63 m s'élève si haut au-dessus de la forêt qu'il a été touché par la foudre six fois au cours d'un seul orage.

TIOGA ROAD

C'est une spectaculaire route de haute montagne qui traverse le Yosemite d'ouest en est. Arrêtez-vous à **Olmsted Point** où une piste mène à un belvédère qui donne sur Half Dome et Tenaya Lake. À **Tuolumne Meadows** (2 613 m d'altitude) la Tuolumne River serpente entre les fleurs sauvages de l'été. Il y a un **Centre d'informations** et des points de départ de sentiers pour la crête du Pacifique et les pistes John Muir. La route traverse le col Tioga Pass (3 031 m) avant de quitter le parc. ■

Lake Tahoe

Suspendu entre les pics de la Sierra Nevada et le Carson Range, à 1 897 m d'altitude au-dessus du niveau de la mer, le lac Tahoe est à cheval sur deux états, la Californie et le Nevada. À mesure qu'il s'enfonce depuis le rivage à une profondeur maximum d'environ 500 m, ses nuances passent de l'aigue-marine à un profond bleu lapis.

South Lake Tahoe Visitors Authority
www.bluelaketahoe.com
✉ 169 Highway 50
☎ 775/588-5900

North Lake Tahoe Resort Association
www.gotahoenorth.com
✉ 380 N. Lake Bd, Tahoe City
☎ 888/434-1262

U.S. Forest Service Centre touristique
🅰 239 B2
✉ Calif. 89, près de Fallen Leaf Rd
☎ 530/543-2674
🕐 Fermé de nov. à mai

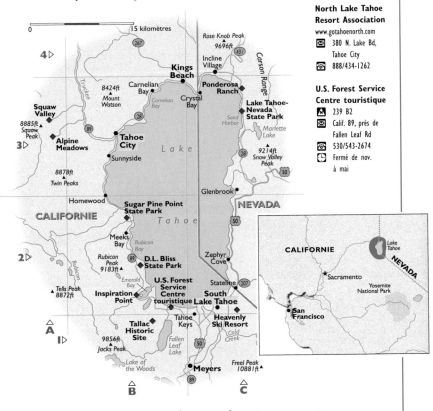

Le lake Tahoe et son paysage de montagnes sont propices aux loisirs tout au long de l'année. En été, on pratique la randonnée et le vélo de montagne dans les collines autour du lac, et le bateau sur l'eau. L'hiver, le ski est à l'honneur. Après une journée active, vous pouvez vous détendre dans les casinos du Nevada.

À VOIR ET À FAIRE

South Lake Tahoe est la plus grande ville du lac. La télécabine du **Heavenly Mountain Resort** offre un panorama sur le lac – que Mark Twain a décrit comme la « plus belle image que le monde peut s'offrir » – en grimpant à 609 m sur Monument Peak. Voici ce que vous découvrez en longeant

Heavenly Mountain Resort Gondola
🅰 239 C2
✉ US 50 juste à l'O. de Stateline
☎ 775/586-7000
€ €€€€

Tallac Historic Site
- ☎ 530/541-5227
- ⏲ Fermé de sept.
  à mi-juin
- 💶 € à €€ (pour les
  visites)

Vikingsholm Mansion
- ☎ 530/525-7277
- ⏲ Fermé du Labor Day
  au Memorial Day
- 💶 €

D.L. Bliss State Park
- 🅜 239 B2
- ☎ 530/525-7277
- 💶 €€

Sugar Pine Point State Park
- 🅜 239 B2
- ☎ 530/525-7982
- ⏲ Fermé mi-sept.
- 💶 €€

Ehrman Mansion
- ☎ 530/525-7982
- ⏲ Fermé du Labor Day
  au Memorial Day
- 💶 €

Gatekeeper's Museum & Marion Steinbach Indian Basket Museum
- ✉ 130 O. Lake Bd,
  Tahoe City
- ☎ 530/583-1762
- ⏲ Fermé de oct. à
  mai. Visites sur RDV.
  Avril à sept.
- 💶 €

Watson Cabin Museum
- ✉ 560 N. Lake Bd,
  Tahoe City
- ☎ 530/583-8717
- ⏲ Fermé du Labor
  Day à mi-juin

le lac Tahoe dans le sens des aiguilles d'une montre.

À l'**U.S. Forest Service Visitor Center**, vous pouvez voir sous la surface de Taylor Creek sans vous mouiller : les fenêtres d'une galerie immergée permettent d'admirer les habitants de la crique évoluant dans leur milieu naturel.

Le **Tallac Historic Site** abrite des manoirs rustiques construits par des San-Franciscains fortunés. Le plus vieux est la **Pope Estate** (1894) à bardeaux qui a conservé ses plafonds à caissons et ses lambris.

La **Baldwin Estate** (1921) en bois, évoque l'élégance rustique d'une ancienne résidence d'été. Elle propose des expositions sur la culture des Indiens Washoe.

L'**Emerald Bay** est l'endroit le plus photographié du lac Tahoe ; essayez de prendre des photos depuis **Inspiration Point**, le long de la Calif. 89. Le **Vikingsholm Mansion** de Lora Josephine Knight se dresse à l'extrémité de la baie qui ressemble effectivement à un fjord. Ce château de 1929 de style scandinave possède 38 pièces et un toit en gazon où poussent des fleurs sauvages. Au milieu de ses eaux vertes, vous découvrez la seule île du lac, Fanette, dotée d'une maison de thé insolite.

D.L. Bliss State Park possède une belle plage à Rubicon Bay, un phare du début des années 1900 (le plus haut des États-Unis avec 1 900 m de haut), et le Balancing Rock de 130 t. Bliss, magnat de l'industrie du bois, possédait jadis une immense propriété.

Sugar Pine Point State Park abrite environ 809 ha de pins de Californie (sugar pine). Le général William Phipps y fit construire en 1872 la Phipps Cabin, et un financier de San Francisco l'**Ehrman Mansion** de pierre et de bois, en 1902.

À **Tahoe City**, la Truckee River constitue l'unique sortie du lac. Vous pouvez la voir depuis le **Fanny Bridge**, appelé ainsi en raison de la vue qu'offrent les badauds en se penchant par-dessus la rambarde (*fanny* signifie « arrière-train », « derrière »). Tahoe City permet de rejoindre les stations de ski d'**Alpine Meadows** et de **Squaw Valley**. Des reliques des pionniers sont exposés au **Gatekeepers Museum** et **Marion Steinbach Indian Basket Museum**.

Les Indiens Washoe venaient souvent utiliser la meule qui se trouve aujourd'hui devant le **Watson Cabin Museum**. ∎

Incroyable lake Tahoe

- Plus grand lac alpin des États-Unis, Tahoe mesure plus de 35 km de long sur 19,3 km de large avec un volume de 156 km³ d'eau. Si l'on déversait son contenu, l'eau recouvrirait une zone de la taille de la Californie sur une profondeur de 35 cm.

- Plus de 60 cours d'eau se déversent dans le lake Tahoe, mais un seul en sort, la Truckee River. Tahoe perd la plus grande partie de son eau par évaporation : si cette eau était récupérée, elle suffirait à couvrir les besoins quotidiens d'une ville de la taille de Los Angeles.

- L'eau du lac serait à 99,7 % pure, soit environ le même pourcentage que l'eau déminéralisée. Elle est si claire qu'une assiette y serait visible à 22 m de profondeur. Mais sa clarté légendaire est menacée par des sédiments provenant du nettoyage des terres en cours d'aménagement. ∎

Informations pratiques

Lombard Street au crépuscule.

INFORMATIONS PRATIQUES

PRÉPARER SON VOYAGE

La principale source pour obtenir informations, plans et brochures est le San Francisco Convention and Visitors Bureau (*900 Market St, tél. 415/391-2000 ; www.onlyin sanfrancisco.com*). Le *San Francisco Book* est disponible depuis le site Web (pdf) ou au 415/391-2000.

San Francisco jouit d'un climat tempéré toute l'année, avec des 21 °C l'été et jusqu'à 5 °C l'hiver. Le temps peut parfois changer plusieurs fois par jour, notamment avec les fameuses nappes de brouillard. La pluie tombe le plus souvent de novembre à mars. La plupart des touristes visitent San Francisco en juillet et août. Aux autres saisons, vivez à l'inverse des habitants : explorez la ville le week-end et visitez les sites de vacances comme Carmel la semaine.

ÉVÉNEMENTS

FÉVRIER
Chinese New Year (*Tél. 415/982-3000*) La date du Nouvel An chinois varie chaque année et peut tomber fin janvier.
MARS
St. Patrick's Day Parade Une parade sur Market St, en l'honneur du saint patron de l'Irlande.
AVRIL
San Francisco International Film Festival (*Tél. 415/561-5000 ; www.sffs.org*) Diffusion de films et de vidéos internationaux.
Cherry Blossom Festival (*Tél. 415/563-2313 ; http://nccbf.org*) Ce Festival des cerisiers en fleur donne lieu à une parade, des spectacles et autres activités.
MAI
Carnaval San Francisco (*Tél. 415/920-0125 ; www.carnavalsf.com*) Festival de style latino-américain sur deux jours, avec une grande parade dans Mission District.
Cinco de Mayo (*Mission District, tél. 415/826-1401*) Célébration de

48 h en mémoire de la victoire mexicaine à Puebla, avec parade.
Bay to Breakers Race (*Tél. 415/359-2800 ; www.baytobreakers.com*) 80 000 personnes déguisées participent à une course de 12 km.
JUIN
Union Street Arts Festival (*Tél. 800/310-6563 ; www.union-streetfestival.com*). Artisanat d'art, gastronomie, concert de musique.
Dipsea Race (*Tél. 415/331-3550; www.dipsea.org ; www.northbeach-festival.com*) Course de 11 km de Mill Valley à Stinson Beach.
North Beach Festival (*Tél. 415/989-2220*) Musique, gastronomie et autres activités.
Lesbian, Gay, Bisexual, Transgender Pride Celebration (*Tél. 415/864-3733; www.sfpride.com*) Défilé dans Castro District. Nombreux événements, y compris un festival du film au Castro Theater.
Juneteenth Festival (*Tél. 415/931-2729 ; www.sfjuneteenth.org*) Célébration de l'abolition de l'esclavage avec une parade et un Festival du film.
JUILLET
Cable-Car Bell-Ringing Championship Championnat de tramway sur Union Square.
San Francisco Marathon (*Tél. 888/958-6668 ; www.runsfm.com*) Un parcours de 42 km à travers la ville.
SEPTEMBRE
Shakespeare in the Park (*Tél. 415/558-0888 ; www.sf-shakes.org*) Tous les spectacles ont lieu au Golden Gate Park.
San Francisco Blues Festival (*Tél. 415/979-5588; www.sfblues.com*) Célébration en plein air de la musique blues à Fort Mason et Justin Herman Plaza.
San Francisco Opera Soirée d'ouverture (*War Memorial Opera House, tél. 415/864-3330 ; www.sf-opera.com*) Gala et bal traditionnel.
OCTOBRE
Castro Street Fair (*Tél. 415/841-1824*) Autour de Castro St et Market St.
San Francisco Jazz Festival (*Tél. 415/398-5655; www.sfjazz.org*) Festival dans plusieurs lieux.
Italian Heritage Parade and

Festival (*Tél. 415/703-9888*) Le 12 oct. : parade, bénédiction de la flotte et stands autour de Fisherman's Wharf et North Beach.
Halloween Grand événement gay autour du Castro District.
NOVEMBRE
Day of the Dead (*Tél. 415/722-8911*) Festival mexicain en l'honneur des défunts, avec une parade.

COMMENT SE RENDRE À SAN FRANCISCO

DEPUIS L'AÉROPORT
Le San Francisco International Airport (*tél. 800/435-9736 ; www.fly-sfo.com*) se trouve à 22,5 km de la ville par l'US 101 (*Bayshore Fwy*). Pour des renseignements sur les transports terrestres, appelez le 415/817-1717. BART (*Bay Area Rapid Transit, tél. 415/989-2278 ; www.bart.gov*) propose un service de train pour San Francisco jusqu'à minuit ; la station est au niveau 3 du Terminal international, accessible depuis tous les terminaux en empruntant la navette gratuite AirTrain jusqu'à la station Garage G/BART. Les bus SFO Airporter (*tél. 650/246-2775*) circulent entre l'aéroport et le centre-ville (*de 5 h à 23 h*). Les taxis pour San Francisco coûtent environ 45 $ et peuvent être partagés. Dans l'East Bay, à 27 km environ de la ville, l'Oakland International Airport (*tél. 510/563-3300*) plus petit, propose des liaisons avec San Francisco par BART, navette et taxi (*environ 50-60 $*).
EN TRAIN
Amtrak (*tél. 800/872-7245 ; www.amtrak.com*) Trains au départ et à l'arrivée de la station d'Oakland, 245 Second St au Jack London Square.

SE DÉPLACER

TRANSPORTS EN COMMUN

Pour les transports, composez le 511 (appel gratuit) depuis la Bay Area ; le 888/500-INFO (appel gratuit) depuis un autre lieu ; le 415/817-1717 (coût d'un appel local) ; www.transitinfo.org.

Muni Le San Francisco Municipal Railway *(Muni, tél. 415/701-2311 ; www.sfmuni.com)* regroupe les bus (réseau le plus vaste et le plus pratique), le Muni-Métro (six lignes) et les *cable-cars* (indiqué par CC dans le texte). Ils circulent sur trois lignes : Powell Hyde et Powell Mason commencent à Powell et Market Sts près d'Union Square ; la première se termine à Victorian Park près du Maritime Museum, la deuxième à proximité de Fisherman's Wharf au niveau de Bay et Taylor Sts. La ligne California St suit California St de Market St en passant par Chinatown jusqu'à Van Ness Ave Conseils : embarquez sur l'itinéraire plutôt que d'attendre dans la foule à un terminus. La ligne Powell-Hyde emprunte la pente la plus raide (sur Hyde St entre Chestnut St et Bay St).

Les tarifs de Muni sont de 1,25 $ pour les bus et le métro (35 *cents* pour les seniors ou les enfants) ; les transferts gratuits sont valables pour deux changements. Les *cable-cars* coûtent 2 $ pour un aller simple. Un Muni Passport revient à 9 $ pour une journée, 15 $ pour 3 jours, 20 $ pour 7 jours.

En ville Bay Area Rapid Transit ou BART *(tél. 415/989-2278 ; www.bart.gov)*, est une ligne ferroviaire qui relie 8 stations de San Francisco à 29 gares de l'East Bay. Les tarifs maxima sont de 1,50 $ dans la ville et 5 $ pour l'East Bay.

Taxis La course coûte 2,85 $ pour le premier mile et 2 $ par mile supplémentaire. Prévoyez un pourboire d'environ 15 %. Si vous avez besoin d'un taxi, appelez Yellow Cab *(tél. 415/333-3333)*, Veteran's Cab *(tél. 415/552-1300)*, ou Luxor Cab *(tél. 415/282-4141)*.

Ferries La Blue and Gold Fleet *(Pier 39 Marine Terminal, tél. 415/705-8200 ; www.blueandgoldfleet.com)* dessert le Jack London Square d'Oakland, Angel Island, Sausalito, Tiburon et Vallejo. Le Golden Gate Ferry *(derrière le Ferry Building, tél. 415/455-2000 ; www.goldengateferry.org)* conduit à Sausalito et Larkspur.

En dehors de la ville Les bus du Golden Gate Transit *(First et Mission Sts, tél. 415/923-2000 ; www.goldengate.org)* traversent le Golden Gate

Bridge et desservent les Comtés de Marin et de Sonoma. Les trains de Caltrain *(4e St et King St, tél. 800/660-4287 ou 510/817-1717 ; www.caltrain.com)* relient San Francisco à San Jose.

VISITES À PIED

Pour connaître les horaires des visites gratuites à pied, contactez le San Francisco Public Library's City Guides *(Tél. 415/557-4266 ; www.sfcityguides.org)*.

VOITURE

N'y pensez même pas ! Mais si vous décidez d'ignorer ce conseil, n'oubliez pas de céder la priorité aux piétons et aux *cable-cars*.

Les couleurs de stationnement sont : le rouge (arrêt ou stationnement interdits), le vert (limité à 10 min), le jaune (zone de livraison commerciale ; stationnement autorisé après 18 h), le blanc (aire d'arrêt uniquement) et le bleu (pour les personnes handicapées). Pour obtenir le téléphone des principales sociétés de véhicules de location, composez le 800/555-1212 (appel gratuit).

CONSEILS PRATIQUES

SÉCURITÉ

Bien que San Francisco soit relativement sûre, vous devez rester vigilant dans le Tenderloin (à éviter la nuit ; zone près d'Union Square, approximativement entre Larkin St, Mason St, O'Farrell St et Market St), la Western Addition (à l'ouest du Civic Center et au sud de Japantown) et Mission District (à l'est de Valencia St et au nord de 16e St). Il est prudent d'éviter les rues désertes et sombres. Si vous êtes victime d'une agression, donnez ce qu'on vous demande sans résister, puis appelez le 911.

TREMBLEMENT DE TERRE Peu probable. Mais si vous sentez une secousse, mettez-vous dans une entrée de porte ou sous une table, et restez éloigné des

fenêtres. Si vous êtes à l'extérieur, éloignez-vous des bâtiments, des arbres et des lignes électriques.

VOYAGEURS HANDICAPÉS

Le San Francisco Convention and Visitors Bureau met à disposition une ligne TDD/TTY (appareil de télécommunication pour sourds) au 415/392-0328. L'Independent Living Resource Center peut être contacté au 415/543-6222 ou TTY 415/543-6698 ; www.ilrcsf.org. **Muni** exploite plus de 30 lignes de bus et métro accessibles aux voyageurs handicapés *(tél. 415/701-2311)*. Pour le Comté de Marin, demandez la brochure Welcome Aboard du Golden Gate Transits *(tél. 415/455-2000, TDD 415/257-4554)*. Selon la loi, les édifices publics doivent être en partie accessibles et fournir des toilettes aux visiteurs handicapés.

URGENCES

• Pour les urgences (police, médicale, ou incendie), composez le 911 (appel gratuit).

• Urgences hospitalières 24 h/24 : Saint Francis Memorial Hospital *(900 Hyde St, tél. 415/353-6000)*, du Medical Center at the University of California, San Francisco *(505 Parnassus Ave, tél. 415/476-1037)*, et du San Francisco General Hospital *(1001 Potrero Ave, tél. 415/206-8000)*.

• Consulations médicales sans rendez-vous au Physician Access Center *(26 California St, tél. 415/397-2881)*. Le Traveler Medical Group (multilingue) *(490 Post St, tél. 415/981-1102)* propose des visites de médecin à votre hôtel.

• La San Francisco Dental Society possède un service d'aiguillage *(tél. 415/928-7337)*.

• Pharmacies : pharmacies Walgreen ouvertes 24 h/24 au 3201 Divisadero St *(tél. 415/931-6417)* et 498 Castro St *(tél. 415/861-3136)*. La Four Fifty Sutter Pharmacy *(tél. 415/392-4137)* et la Saint Francis Medical Center Pharmacy *(tél. 415/776-4650)* livrent les médicaments à votre hôtel.

HÔTELS

N°		tél.	prix		chambres	parking
45	ADELAIDE HOSTEL	415/359-1915	€	18		
85	AHWAHNEE HOTEL & RESTAURANT	406/862-8190	€€€€€	127	•	
29	ANDREWS	415/563-6877	€€	48		
61	ARCHBISHOP'S MANSION	415/563-7872	€€€	15		
73	ARGENT HOTEL	415/974-6400	€€€	667	•	
53	ARGONAUT HOTEL	415/563-0800	€€€€	252	•	
05	CAMPTON PLACE	415/781-5555	€€€€€	110	•	
30	CARLTON	415/673-0242	€€	163		
16	CHANCELLOR HOTEL	415/362-2004	€€€	137	•	
12	CLIFT	415/775-4700	€€€€	374	•	
32	COMMODORE INTERNATIONAL	415/923-6800	€€	113		
46	CORNELL HOTEL DE FRANCE	415/421-3154	€	60		
18	DONATELLO	415/885-8809	€€€	94		
83	DR. WILKINSON'S HOT SPINGS RESORT	707/942-4102	€€	42	•	
84	EL DORADO	707/996-3030	€€-€€€	26	•	
69	FOUR SEASONS	415/633-3000	€€€€€	277	•	
19	GALLERIA PARK	415/781-3060	€€€	177	•	
47	GOLDEN GATE	415/392-3702	€	25		
50	GRANT PLAZA	415/434-3883	€	72		
48	HALCYON	415/929-8033	€	25		
20	HANDLERY UNION SQUARE	415/781-7800	€€€	377		
71	HARBOR COURT	415/882-1300	€€€€	131	•	
57	HOSTELLING INTERNATIONAL FISHERMAN'S WHARF	415/771-7277	€	162		
51	HOTEL BOHEME	415/433-9111	€€€	15		
42	HOTEL CALIFORNIA	415/441.2700	€€	83	•	
33	HOTEL COSMO	415/673-6040	€€	144	•	
17	HOTEL DIVA	866/427-2861	€€€	111	•	
59	HOTEL DRISCO	415/346-2880	€€€€	48		
72	HOTEL GRIFFON	415/495-2100	€€€€	62	•	
74	HOTEL MILANO	415/543-8555	€€€	108		
41	HOTEL REX	415/433-4434	€€	94		
21	HOTEL TRITON	415/394-0500	€€€	140	•	
43	HOTEL UNION SQUARE	415/397-3000	€€	131	•	
06	HUNTINGTON HOTEL	415/474-5400	€€€€€	135	•	
03	HYATT REGENCY	415/788-1234	€€€€	805	•	
75	INN AT THE OPERA	415/863-8400	€€€	46	•	
34	INN AT UNION SQUARE	415/397-3510	€€	30	•	
86	INN BY THE LAKE	530/542-0330	€€-€€€	100	•	
35	JULIANA	415/392-2540	€€	107		
07	JW MARRIOTT	415/771-8600	€€€€€	329	•	

Indication de prix (chambre double sans petit-déjeuner)   € Moins de 70 €   €€ de 70 à 105 €

Financial district

Union Square et Nob Hill

Chinatown

North Beach, Telegraph Hill et Russian Hill

Fisherman's Wharf et Alcatraz

La Marina et au-delà

ascenseur	climatisation	piscine	salle de sports	site internet	fax
				www.adelaidehostel.com	415/359-1940
	•	EXT		www.nationalparkreservations.com/ahwahnee.htm	
•				www.andrewshotel.com	415/928-6919
•					415/885-3193
•	•		•	www.argenthotel.com	415/543-8268
•	•		•	www.argonauthotel.com	415/563-2800
				www.camptonplace.com	415/955-5536
	•			www.carltonhotel.com	415/673-4904
	•		•	www.chancellorhotel.com	415/362-1403
•	•		•	www.clifthotel.com	415/441-4621
			•		415/923-6804
				www.cornellhotel.com	415/399-1442
			•	www.clubdonatello.org	
	•	EXT	•	www.drwilkinson.com	
	•	EXT		www.hoteleldorado.com	707/996-3148
•	•	INT		www.fourseasons.com	415/633-3001
	•			www.galleriapark.com	15/433-4409
				www.goldengatehotel.com	415/392-6202
				www.grantplaza.com	415/434-3886
				www.halcyonsf.com	415/441-8033
		INT		www.handlery.com	415/781-0269
•	•	INT	•	www.harborcourthotel.com	415/882-1313
					415/771-1468
•				www.hotelboheme.com	415/362-6292
•	•			www.hotelca.com/Sanfrancisco	415/441-0124
•					415/563-6739
	•		•	www.hoteldiva.com	
•			•	www.hoteldrisco.com	415/567-5537
•	•	INT	•	www.hotelgriffon.com	415/495-3522
			•	www.hotelmilanosf.com	415/543-5885
•				www.thehotelrex.com	415/433-3695
•	•		•	www.hoteltriton.com	415/394-0555
	•			www.hotelunionsquare.com	415/399-1874
•	•	INT	•	www.huntingtonhotel.com	415/474-6227
•	•			www.hyatt.com	415/398-2567
•	•			www.innattheopera.com	415/861-0821
			•	www.unionsquare.com	415/989-0529
•	•	EXT		www.innbythelake.com	530/541-6596
	•		•		415/391-8447
•	•		•	www.marriott.com	415/398-0267

€€€ de 105 à 140 €   €€€€ de 140 à 210 €   €€€€€ plus de 210 €

Pacific Heights et Japantown   **Haight-Ashbury et le Golden Gate Park**   **Civic Center et SoMa**   **Les quartiers Mission et Castro**   **Escapades**

HÔTELS

N°		tél.	prix	chambres	parking
36	KENSINGTON PARK	415/788-6400	€€	88	●
80	LA PLAYA HOTEL	831/624-6476	€€€€	75	●
62	LAUREL INN	415/567-8467	€€€	49	
01	MANDARIN ORIENTAL	415/276-9888	€€€€€	158	●
58	MARINA INN	415/928-1000	€	40	
11	MARK HOPKINS INTER-CONTINENTAL	415/392-3434	€€€€€	380	●
37	MAXWELL	415/986-2000	€€	153	
13	MONACO	415/292-0100	€€€€	201	●
38	MONTICELLO INN	866/778-6169	€€	91	●
39	NOB HILL INN	415/673-6080	€€	21	
22	NOB HILL LAMBOURNE	415/433-2287	€€€	20	●
04	OMNI	415/677-9494	€€€€	362	●
02	PALACE	415/512-1111	€€€€€	552	●
40	PETITE AUBERGE	415/928-6000	€€	26	●
78	PHOENIX HOTEL	415/776-1380	€	44	●
14	PRESCOTT	415/563-0303	€€€€	164	●
64	QUEEN ANNE HOTEL	415/441-2828	€€€	49	
60	RADISSON MIYAKO	415/922-3200	€€€€	218	●
67	RED VICTORIAN BED, BREAKFAST & ART	415/864-1978	€€	18	
08	RITZ-CARLTON	415/296-7465	€€€€€	336	●
23	SAN FRANCISCO HILTON & TOWERS	415/771-1400	€€€	1895	●
76	SAN FRANCISCO MARRIOTT	415/896-1600	€€€	1500	●
49	SAN FRANCISCO RESIDENCE CLUB	415/421-2220	€	83	
56	SAN REMO	415/776-8688	€	62	●
24	SERRANO	415/885-2500	€€€	236	●
79	SEVEN GABLES INN	831/372-4341	€€€€	14	
09	STANFORD COURT	415/989-3500	€€€€€	393	●
68	STANYAN PARK	415/751-1000	€€	36	
31	THE CARTWRIGHT	800/919-9779	€€	114	
10	THE FAIRMONT	415/772-5000	€€€€€	600	●
81	THE INN ABOVE TIDE	415/332-9535	€€€€€	29	●
63	THE MAJESTIC	415/441-1100	€€€	57	●
77	THE MOSSER	415/986-4400	€	166	
54	TUSCAN INN	415/561-1100	€€€	221	●
65	UNION STREET INN	415/346-0424	€€€	6	
66	VICTORIAN INN ON THE PARK	415/931-1830	€€€	12	
25	VILLA FLORENCE	800/553-4411	€€€	183	
26	VINTAGE COURT	415/392-4666	€€€	107	●
27	WARWICK REGIS	415/928-7900	€€€	80	●
52	WASHINGTON SQUARE INN	415/981-4220	€€€	15	●
15	WESTIN ST. FRANCIS	866/497-2788	€€€€	1192	●
55	WHARF INN	415/673-7411	€€	51	●
28	WHITE SWAN INN	415/775-1755	€€€	26	
70	W SAN FRANCISCO	415/777-5300	€€€€€	423	●
44	YORK HOTEL	415/885-6800	€€	96	●
82	YOUNTVILLE INN	707/944-5600	€€€€	51	●

ascenseur	climatisation	piscine	salle de sports	site internet	fax
•				www.kensingtonparkhotel.com	415/399-9484
•	•	EXT		www.laplayahotel.com	831/624-7966
				www.thelaurelinn.com	415/928-1866
•	•		•	www.mandarinoriental.com	415/433-0289
•	•			www.marinainn.com	415/928-5909
•	•			www.markhopkins.net	415/421-3302
•	•			www.maxwellhotel.com	415/397-2447
•	•		•	www.monaco-sf.com	415/292-0111
•	•			www.monticelloinn.com	415/398-2650
				www.nobhillinn.com	415/673-6098
•	•				415/433-0975
•	•		•	www.omnihotels.com	415/273-3038
•	•	INT	•	www.sfpalace.com	415/543-0671
•	•		•	www.jdvhospitality.com	415/673-7214
		INT	•	www.thephoenixhotel.com	415/885-3109
•	•			www.prescotthotel.com	415/563-6831
•	•	EXT		www.queenanne.com	415/775-5212
•	•		•		415/921-0417
				www.redvic.com	415/863-3293
•	•	INT	•	www.ritzcarlton.com/hotels/san_francisco	415/2999l-0288
•	•	EXT	•	www.hilton.com/fr/	415/771-6807
•	•	EXT	•	www.sfmarriott.com	415/486-8101
					415/421-2335
				www.sanremohotel.com	415/776-811
	•		•	www.serranohotel.com	415/474-4879
				www.pginns.com	
•	•			www.marriott.com	415/391-0513
	•			www.stanyanpark.com	415/668-5454
	•			www.cartwrighthotel.com	415/398-6345
•	•		•	www.fairmont.com/Sanfrancisco	415/772-5013
	•			www.innabovetide.com	415/332-6714
•	•			www.thehotelmajestic.com	415/673-7331
	•			www.themosser.com	415/495-7653
	•			www.tuscaninn.com	415/561-1199
				www.unionstreetinn.com	415/922-8046
					415/931-1830
				www.villaflorence.com	415/397-1006
	•			www.vintagecourt.com	415/433-4065
•	•			www.warwicksf.com	415/441-8788
				www.wsisf.com	415/397-7242
•	•		•	www.westinstfrancis.com	415/774-0124
				www.wharfinn.com	415/776-2181
				www.jdvhospitality.com	415/775-5717
•	•	INT	•	www.starwoodhotels.com/whotels	415/817-7823
			•	www.yorkhotel.com	415/885-2115
	•	EXT		www.yountvilleinn.com	707/944-566

HÔTELS

Que vous choisissiez un somptueux établissement de Nob Hill ou un nouvel hôtel boutique très à la mode près d'Union Square, un motel au prix raisonnable le long de Lombard St ou un bed and breakfast dans un quartier victorien, votre hébergement ne se trouvera jamais loin des attractions de la ville. Pour réserver facilement une chambre (surtout aux périodes chargées), contactez les San Francisco Réservations (*tél. 510/628-4450 ou 800/677-1570 ; www.hotelres.com*). Vous pouvez aussi réserver en passant par le San Francisco Convention and Visitors Bureau (*tél. 888/782-9673 ; www.onlyinsanfrancisco.com*).

PRIX	
HÔTELS	
Indication de prix pour les hôtels.	
€	Moins de 70 €
€€	De 70 à 105 €
€€€	De 105 à 140 €
€€€€	De 140 à 210 €
€€€€€	Plus de 210 €

FINANCIAL DISTRICT

01 - MANDARIN ORIENTAL
222 SANSOME ST, 94104
TEL 415/276-9888
FAX 415/433-0289
Les deux tours de cet hôtel de luxe sont reliées par une passerelle en verre qui offre un panorama splendide sur la ville. Il occupe deux étages du troisième plus haut immeuble de la ville. Le service est haut de gamme.
⬦ Principales cartes

02 – PALACE
⬦ 2 NEW MONTGOMERY ST, 94105
TEL 415/512-1111
FAX 415/543-0671
Cette ancienne hôtellerie majestueuse qui date de 1909 abrite le célèbre restaurant *Garden Court*. L'hôtel possède une piscine protégée par une verrière et de vastes chambres superbement décorées.
⬦ Principales cartes

03 – HYATT REGENCY
5 EMBARCADERO CENTER, 94111
TEL 415/788-1234
FAX 415/398-2567
Cet hôtel est célèbre pour son hall en forme d'atrium de 17 étages et ses cabines d'ascenseur en verre. Les étages sont ouverts. Le décor des chambres convient plutôt au monde des affaires.
⬦ Principales cartes

04 – OMNI
500 CALIFORNIA ST, 94104
TEL 415/677-9494
FAX 415/273-3038
À deux *blocks* de Chinatown, ce « mini-Ritz » qui occupe un bâtiment de 1926 respire le luxe paisible, avec des équipements modernes (Internet haut débit, messagerie vocale personnalisée).
⬦ Principales cartes

UNION SQUARE ET NOB HILL

05 – CAMPTON PLACE
340 STOCKTON ST, 94108
TEL 415/781-5555
FAX 415/955-5536
Hôtel de luxe intime, à l'architecture fascinante. Service personnalisé, chambres chics, confort raffiné et restaurant célèbre (voir p. 258).
⬦ Principales cartes

06 – HUNTINGTON HOTEL
1075 CALIFORNIA ST, 94108
TEL 415/474-5400
FAX 415/474-6227
Une élégance discrète et un service personnalisé impeccable, associés à une atmosphère sympathique. Le célèbre restaurant *Big Four* propose un service en chambre (voir p. 257). Le spa de l'hôtel est doté de salles de soin ultraconfortables et d'une piscine intérieure à débordement.
⬦ Principales cartes

07 – JW MARRIOTT
500 POST ST, 94102
TEL 415/771-8600
FAX 415/398-0267
Hôtel spectaculaire et élégant, dont le hall possède un atrium grandiose et des ascenseurs en verre. Les chambres chics sont équipées de salles de bain en marbre.
⬦ Principales cartes

08 – RITZ-CARLTON
600 STOCKTON ST, 94108
TEL 415/296-7465
FAX 415/291-0288
Grandiose édifice néoclassique de 1909, parfaitement rénové. Chambres élégantes et service irréprochable (femme de chambre deux fois par jour, concierge multilingue disponible 24 h/24).
⬦ Principales cartes

09 – STANFORD COURT
905 CALIFORNIA ST, 94108
TEL 415/989-3500
FAX 415/391-0513
À l'écart, sur une pente de Nob Hill, un établissement à l'atmosphère intime grâce à sa cour d'entrée et au dôme en vitrail de son hall. Journal du matin et cafés servis à votre porte.
⬦ Principales cartes

10 – THE FAIRMONT
950 MASON ST, 94108
TÉL. 415/772 5000
FAX 415/772 5013
Hôtel classique de Nob Hill (1907) qui rappelle le vieux San Francisco. Hall opulent, avec plafond à caissons dorés et colonnes de marbre. Les chambres de la tour offrent la meilleure vue mais ont moins de charme.
⬦ Principales cartes

11 – MARK HOPKINS INTER-CONTINENTAL
1 NOB HILL, 94108
TEL 415/392-3434
FAX 415/421-3302

Une curiosité de Nob Hill. Chambres équipées de salles de bain en marbre. Vue panoramique sur la ville depuis le bar à cocktails Art déco.
♦ **Principales cartes**

12 – CLIFT
495 GEARY ST, 94102
TEL 415/775-4700
FAX 415/441-4621
Confort luxueux dans les chambres (aménagement de Philippe Starck dans les salles de bain). Un seul arbre a servi à décorer les murs du bar à cocktails Redwood Room (1933), ornés de « tableaux numériques ».
♦ **Principales cartes**

13 – MONACO
501 GEARY ST., 94102
TEL 415/292-0100
FAX 415/292-0111
Bâtiment de style Beaux-Arts (1910) abritant un hôtel qui reflète l'atmosphère des années 1930. Énorme cheminée à l'ancienne dans le hall. Chambres décorées de lits à baldaquin, d'armoires chinoises et de bureaux en bambou.
♦ **Principales cartes**

14 – PRESCOTT
545 POST ST, 94102
TEL 415/563-0303
FAX 415/563-6831
Hôtel intime au service impeccable. Décor des chambres par Ralph Lauren et mobilier en cerisier. Le club privé offre gratuitement à ses clients membres les cocktails et les hors-d'œuvre du restaurant attenant, le *Postrio* (voir p. 258).
♦ **Principales cartes**

15 – WESTIN ST. FRANCIS
335 POWELL ST, 94102
TEL 866/497-2788
FAX 415/774-0124
Une « grande dame » de 1904 sur Union Square. Chambres charmantes dans le bâtiment principal. Celles de la tour ont une plus belle vue mais moins de charme.
♦ **Principales cartes**

16 – CHANCELLOR HOTEL
433 POWELL ST, 94102
TEL 415/362-2004
FAX 415/362-1403
Hôtel très correct. Modestement décoré, il offre néanmoins quelques touches raffinées. ♦ **Principales cartes**

17 – HOTEL DIVA
440 GEARY ST, 94102
TEL 415/885-0200
Un design italien futuriste. Têtes de lit en acier et équipements high-tech dans les chambres. ♦ **Principales cartes**

18 – DONATELLO
501 POST ST, 94102
TEL 415/441-7100
FAX 415/885-8844
Grandes chambres à hauts plafonds. Toutes ont des lavabos en marbre et un confort élégant.
♦ **Principales cartes**

19 – GALLERIA PARK
191 SUTTER ST, 94104
TEL 415/781-3060
FAX 415/433-4409
Hôtel de style européen dans un superbe bâtiment de 1911. Touches de décoration Art nouveau dans le hall. Chambres décorées dans des teintes chaudes. Jardin sur le toit avec piste de jogging.
♦ **AE, MC, V**

20 – HANDLERY UNION SQUARE
351 GEARY ST, 94102
TEL 415/781-7800
FAX 415/781-0269
Hôtel avec boutiques à la décoration neutre. Le nouvel espace réservé au club propose des chambres plus sophistiquées, dont la plupart ont vue sur la piscine. ♦ **Principales cartes**

21 – HOTEL TRITON
342 GRANT AVE, 94108
TEL 415/394-0500
FAX 415/394-0555
Sorte de terrain de jeux pour stylistes. Hall décoré de volutes fantaisistes, colonnes sculpturales renversées et mobilier contemporain. Chambres de style postmoderne conçues dans le respect de l'environnement, peintes dans des tons originaux. ♦ **Principales cartes**

22 – NOB HILL LAMBOURNE
725 PINE ST, 94108
TEL 415/433-2287
FAX 415/433-0975
Hôtel de style européen au confort américain placé sous le thème du « bien-être » : salle de massage asiatique, minibar bio, petit déjeuner continental équilibré…
♦ **Principales cartes**

23 – SAN FRANCISCO HILTON & TOWERS
333 O'FARRELL ST, 94102
TEL 415/771-1400
FAX 415/771-6807
Hôtel bondé de congressistes et situé en pleine agitation urbaine qui, malgré sa taille immense, a su garder un personnel très disponible. Chambres de la tour dotées de grandes fenêtres offrant une vue étonnante sur la ville.
♦ **Principales cartes**

24 – SERRANO
405 TAYLOR ST, 94102
TEL 415/885-2500
FAX 415/474-4879
Hôtel de 1920 qui, bien que décoré dans des couleurs vives un brin exotiques a conservé son style colonial espagnol d'origine.
♦ **Principales cartes**

25 – VILLA FLORENCE
225 POWELL ST, 94102
TEL 800/553-4411
FAX 415/397-1006
L'hôtel évoque l'héritage italien de la ville et propose des chambres égayées de rayures aux couleurs chaudes. Le célèbre restaurant italien *Kuleto* est attenant à l'hôtel.
♦ **Principales cartes**

26 – VINTAGE COURT
650 BUSH ST, 94108
TEL 415/392-4666
FAX 415/433-4065

Avec pour thème le Wine Country, on y sert du vin le soir au coin de la cheminée. Les clients sont prioritaires pour les réservations au célèbre restaurant *Masa's* (voir p. 258) attenant.
Principales cartes

27 – WARWICK REGIS
490 GEARY ST, 94102
TEL 415/928-7900
FAX 415/441-8788
Agréable hôtel avec boutiques. Lits à baldaquins, meubles anciens et cheminées.
Principales cartes

28 – WHITE SWAN INN
845 BUSH ST, 94108
TEL 415/775-1755
FAX 415/775-5717
Comme dans un hôtel de luxe londonien : lambris de bois foncé, tapis à fleurs, bibliothèque et thé servi l'après-midi. Principales cartes

29 – ANDREWS
624 POST ST, 94109
TEL 415/563-6877
FAX 415/928-6919
Bâtiment de 1905, avec cabine d'ascenseur d'époque. Petites chambres décorées dans des teintes pêche pastel, avec des rideaux et des édredons en duvet fleuris, créant une ambiance d'auberge européenne. Bonne adresse.
Principales cartes

30 – CARLTON
1075 SUTTER ST, 94109
TEL 415/673-0242
FAX 415/673-4904
Décoré comme une ancienne propriété de San Francisco : tables marocaines peintes à la main, lampes de table en perles, ventilateurs au plafond, stores en bois. Chambres communicantes pour les familles. Principales cartes

31 – THE CARTWRIGHT
524 SUTTER ST, 94102
TEL 800/919-9779
FAX 415/398-6345
Hôtel avec boutiques et chambres assez petites, décorées d'objets anciens et de chintz fleuri.
Principales cartes

32 – COMMODORE INTERNATIONAL
825 SUTTER ST, 94109
TEL 415/923-6800
FAX 415/923-6804
Hôtel bohème, funky et très tendance : le décor du hall est une évocation humoristique d'un bateau de croisière.
Principales cartes

33 – HOTEL COSMO
761 POST ST, 94109
TEL 415/673-6040
FAX 415/563-6739
Dans le hall, de curieux fauteuils géométriques et un comptoir de réception en tuiles de verre multicolores. Des œuvres d'art sont exposées dans les zones communes. Les chambres des derniers étages ont une vue magnifique sur la ville. Principales cartes

34 – INN AT UNION SQUARE
440 POST ST, 94102
TEL 415/397-3510
FAX 415/989-0529
Petite auberge chic offrant une attention pleine de délicatesse. Salles de petit déjeuner avec cheminées à tous les étages. Chambres décorées dans un style géorgien ou plus contemporain. Hôtel non fumeur. Principales cartes

35 – JULIANA
590 BUSH ST, 94108
TEL 415/392-2540
FAX 415/391-8447
Un hôtel doté d'un personnel sympathique, d'un hall élégant et de chambres aux couleurs agréables. Le soir, du vin est servi au coin de la cheminée.
Principales cartes

36 – KENSINGTON PARK
450 POST ST, 94102
TEL 415/788-6400
FAX 415/399-9484
Hôtel de charme avec chambres spacieuses et des salles de bain en marbre et laiton. Partage son hall avec le Theater on the Square. Le restaurant *Farallon* est attenant à l'hôtel (voir p. 258).
Principales cartes

37 – MAXWELL
386 GEARY ST, 94102
TEL 866/778-6169
FAX 415/397-2447
Hôtel chic du Theater District avec chambres décorées dans le style Art déco victorien.
Principales cartes

38 – MONTICELLO INN
127 ELLIS ST, 94102
TEL 415/392-8800
FAX 415/398-2650
Hall de la période fédérale, cheminées, bibliothèque et chambres décorées dans des motifs floraux.
Principales cartes

39 – NOB HILL INN
1000 PINE ST., 94109
TEL 415/673-6080
FAX 415/673-6098
Un *bed and breakfast* traditionnel au mobilier victorien, bourré d'objets et de tableaux anciens, qui propose des tarifs avantageux pour plusieurs petites chambres. Les autres coûtent un peu plus cher.
Principales cartes

40 – PETITE AUBERGE
863 BUSH ST, 94108
TEL 415/928-6000
FAX 415/673-7214
Auberge de campagne intime, avec petit déjeuner complet servi dans la salle du jardin. La plupart des chambres ont une cheminée. Principales cartes

41 – HOTEL REX
562 SUTTER ST, 94102
TEL 415/433-4434
FAX 415/433-3695
Réalisé après l'Algonquin Hotel de Manhattan, il rend hommage aux écrivains : livres anciens, fauteuils en cuir et tables à écrire. Principales cartes

42 – HOTEL CALIFORNIA
580 GEARY BD, 94102
TEL 415/441-2700
FAX 415/441-0124

Réalisé comme un petit hôtel de campagne français, avec des couettes de plume, cet établissement est situé dans le Theater District.
⬟ Principales cartes

43 – HOTEL UNION SQUARE
114 POWELL ST, 94102
TEL 415/397-3000
FAX 415/399-1874
Premier hôtel avec boutiques de la ville, construit pour l'Exposition Panama-Pacific de 1915, qui a retrouvé un style contemporain épuré. Les suites sur le toit possèdent une terrasse privative.
⬟ Principales cartes

44 – YORK HOTEL
940 SUTTER ST, 94109
TEL 415/885-6800
FAX 415/885-2115
Aujourd'hui, c'est un hôtel avec boutiques. Autrefois, c'était un bar clandestin avec des passages souterrains qu'empruntaient les mondains de San Francisco.
⬟ Principales cartes

45 – ADELAIDE HOSTEL
5 ISADORA DUNCAN LANE (OFF TAYLOR ST), 94102
TEL 415/359-1915
FAX 415/359-1940
Dans une rue tranquille, hôtel très prisé des Européens, des voyageurs sac-à-dos et de ceux qui font attention à leur budget. Chambres privées et communes. ⬟ AE, MC, V

46 – CORNELL HOTEL DE FRANCE
715 BUSH ST, 94108
TEL 415/421-3154
FAX 415/399-1442
Bâtiment en brique de 1910, décoré en style provençal. Petit déjeuner compris. Le forfait à la semaine est une vraie bonne affaire. Non fumeur.
⬟ Principales cartes

47 – GOLDEN GATE
775 BUSH ST, 94108
TEL 415/392-3702
FAX 415/392-6202

Hôtel accueillant et douillet, du début du siècle, avec meubles en osier. 14 chambres avec salle de bain privée. Petit déjeuner continental.
⬟ Principales cartes

48 – HALCYON
649 JONES ST, 94102
TEL 415/929-8033
FAX 415/441-8033
Très bien noté par les voyageurs à l'affût de bonnes affaires. Hôtel récemment rénové, équipé de salles de bain privées, micro-ondes et réfrigérateurs. ⬟ AE, MC, V

49 – SAN FRANCISCO RESIDENCE CLUB
851 CALIFORNIA ST, 94108
TEL 415/421-2220
FAX 415/421-2335
Sur Nob Hill, une pension qui propose des tarifs à la journée, à la semaine ou au mois. Salles de bain privées ou communes. Certaines chambres donnent sur la baie.
⬟ N'accepte pas les cartes bancaires

CHINATOWN

50 – GRANT PLAZA
465 GRANT AVE, 94108
TÉL. 415/434-3883
FAX 415/434-3886
Un des hôtels les plus avantageux de la ville, à proximité de l'entrée de Chinatown et près d'Union Square.
⬟ Principales cartes

NORTH BEACH, TELEGRAPH HILL ET RUSSIAN HILL

51 – HOTEL BOHÈME
444 COLUMBUS AVE, 94133
TEL 415/433-9111
FAX 415/362-6292
Imprégné de l'esprit de North Beach, de la poésie de Ginsberg et de l'art des années 1950, un hôtel calme et au confort moderne. Non fumeur. ⬟ Principales cartes

52 – WASHINGTON SQUARE INN
1660 STOCKTON ST, 94133
TEL 415/981-4220
FAX 415/397-7242
Auberge douillette dont la plupart des chambres donnent sur le parc (certaines avec salle de bain commune). Petit déjeuner continental, thé l'après-midi.
⬟ Principales cartes

FISHERMAN'S WHARF ET ALCATRAZ

53 – ARGONAUT HOTEL
495 JEFFERSON ST, 94109
TEL 415/563-0800
FAX 415/563-2800
Hôtel qui a conservé les vieux murs en pierre et les poutres en bois de l'entrepôt restauré de 1909 qu'il occupe. Véritable retraite loin de l'agitation de Fisherman's Wharf.

54 – TUSCAN INN
🍽 425 NORTH POINT ST, 94133
TEL 415/561-1100
FAX 415/561-1199
Ambiance européenne, avec cheminée dans le hall où sont servis gratuitement le café et les *biscotti* du matin, ou un verre de vin le soir. Chambres petites mais richement décorées.
⬟ Principales cartes

55 – WHARF INN
2601 MASON ST, 94133
TEL 415/673-7411
FAX 415/776-2181
Auberge privée (du genre motel mais joliment arrangé). Plus calme et personnelle que les hébergements habituels de Fisherman's Wharf.
⬟ Principales cartes

56 – SAN REMO
2237 MASON ST, 94133
TEL 415/776-8688
FAX 415/776-2811
Construit en 1906 pour les victimes sans abri du tremblement de terre, l'hôtel propose des chambres de style pension, un brin désuètes.

HÔTELS

Salles de bain communes (sauf dans l'appartement avec terrasse qui offre une vue magnifique, à réserver longtemps à l'avance) et ultrapropres.
🌀 Principales cartes

LA MARINA ET AU-DELÀ

57 – HOSTELLING INTERNATIONAL FISHERMAN'S WHARF
FORT MASON, BLDG 240, 94123
TEL 415/771-7277
FAX 415/771-1468
Dans un bâtiment rénové de la guerre d'Indépendance, l'auberge propose des dortoirs séparés pour hommes et femmes, une cuisine et une salle commune avec cheminée, piano et table de billard.
🌀 MC, V

58 – MARINA INN
3110 OCTAVIA, 94123
TEL 415/928-1000
FAX 415/928-5909
Hôtel abordable avec des lits en pin et de la tapisserie à fleurs. Petit déjeuner continental et gâteaux dans l'après-midi inclus.
🌀 Principales cartes

PACIFIC HEIGHTS ET JAPANTOWN

59 – HOTEL DRISCO
2901 PACIFIC AVE, 94115
TEL 415/346-2880
FAX 415/567-5537
Construit en 1903, il offre de larges points de vue sur la baie. Hôtel haut de gamme.
🌀 Principales cartes

60 – RADISSON MIYAKO
1625 POST ST, 94115
TEL 415/922-3200
FAX 415/921-0417
Hôtel luxueux à l'atmosphère sereine, agrémenté d'un jardin japonais. La plupart des chambres ont de profondes baignoires japonaises et des lits futon. Il y a aussi des chambres de style occidental.
🌀 Principales cartes

61 – ARCHBISHOP'S MANSION
1000 FULTON ST, 94117
TEL 415/563-7872
FAX 415/885-3193
Ancienne cure de 1904 qui possède une verrière en vitrail, des chandeliers en cristal, d'immenses lits à baldaquin et de grandes baignoires.
🌀 Principales cartes

62 – LAUREL INN
444 PRESIDIO AVE, 94115
TEL 415/567-8467
FAX 415/928-1866
Sobre et stylé. Certaines chambres offrent une jolie vue. 🌀 Principales cartes

63 – THE MAJESTIC
🏨 1500 SUTTER ST, 94109
TEL 415/441-1100
FAX 415/673-7331
Chambres décorées d'objets anciens et équipées d'un lit à colonnes et d'une salle de bain en marbre avec baignoire à pieds. La plupart ont même une cheminée. Situé à l'écart de l'agitation du centre-ville.
🌀 Principales cartes

64 – QUEEN ANNE HOTEL
1590 SUTTER ST, 94109
TEL 415/441-2828
FAX 415/775-5212
Un établissement de 1890, avec un hall en chêne et cèdre, et proposant des chambres avec des fenêtres en baie ou une cheminée.
🌀 AE, MC, V

65 – UNION STREET INN
2229 UNION ST, 94123
TEL 415/346-0424
FAX 415/922-8046
Un bed and breakfast clair et spacieux, dans un bâtiment edwardien de 1904, orné de meubles anciens. Jardin odorant. 🌀 AE, MC, V

HAIGHT-ASHBURY ET LE GOLDEN GATE PARK

66 – VICTORIAN INN ON THE PARK
301 LYON ST, 94117
TEL 415/931-1830
FAX 415/931-1830
Maison victorienne en bordure du Panhandle du Golden Gate Park, où certaines chambres sont dotées de cheminées et de terrasses.
🌀 Principales cartes

67 – RED VICTORIAN BED, BREAKFAST & ART
1665 HAIGHT ST, 94117
TEL 415/864-1978
FAX 415/863-3293
Les lits aux baldaquins en batik et les vieux posters de rock rappellent le style de Haight dans les années 1960. Salles de bain communes (sauf dans 6 chambres). 🌀 AE, MC, V

68 – STANYAN PARK
750 STANYAN ST, 94117
TEL 415/751-1000
FAX 415/668-5454
Maison victorienne restaurée. La plupart des chambres ont une cheminée et certaines suites une cuisine, un salon et une salle à manger. Non fumeur. 🌀 Principales cartes

CIVIC CENTER ET SOMA

69 – FOUR SEASONS
757 MARKET ST, 94103
TEL 415/633-3000
FAX 415/633-3001
Grandes chambres avec salles de bain en marbre, œuvres d'art et tout le confort. Salle de sport de 930 m² équipements de fitness et spa.
🌀 Principales cartes

70 – W SAN FRANCISCO
181 THIRD ST, 94103
TEL 415/777-5300
FAX 415/817-7823
Style branché et ultraconfortable (duvets en plume d'oie, grandes tables de travail, Internet haut débit).
🌀 Principales cartes

71 – HARBOR COURT
165 STEUART ST, 94105
TEL 415/882-1300
FAX 415/882-1313

Un bâtiment de 1907 à l'atmosphère résidentielle charmante. Lits à baldaquin. La plupart des chambres donnent sur la baie.

⊗ Principales cartes

72 – HOTEL GRIFFON
155 STEUART ST, 94105
TEL 415/495-2100
FAX 415/495-3522
Petit hôtel élégant et confortable. Dans les chambres, murs en brique et banquettes de fenêtre. La plupart donnent sur la baie ou le centre-ville.

⊗ Principales cartes

73 – ARGENT HOTEL
50 3RD ST, 94103
TEL 415/974-6400
FAX 415/495-6152
Hall Art déco et chambres avec fenêtres spacieuses (vue magnifique aux étages supérieurs). ⊗ Principales cartes

74 – HOTEL MILANO
55 5TH ST, 94103
TEL 415/543-8555
FAX 415/543-5885
Une conception contemporaine de style italien. Club de remise en forme avec spa. Jeux Nintendo fournis dans les chambres. ⊗ Principales cartes

75 – INN AT THE OPERA
333 FULTON ST, 94102
TEL 415/863-8400
FAX 415/861-0821
Bien situé, proche des salles de spectacles, avec des avantages sur certains billets. Hôtel élégant avec œuvres d'art, objets anciens et lits à baldaquin raffinés.
⊗ Principales cartes

76 – SAN FRANCISCO MARRIOTT
55 4TH ST, 94103
TEL 415/896-1600
FAX 415/486-8101
Surnommé localement le Juke-Box en raison de son style Las Vegas fastueux. Idéalement situé pour explorer le quartier de SoMa. Nombreux équipements.
⊗ Principales cartes

77 – THE MOSSER
54 4TH ST, 94103
TEL 415/986-4400
FAX 415/495-7653
Hôtel familial datant de l'Exposition internationale Panama-Pacific de 1915. Chambres sans sophistication mais agréables. Celles avec salle de bain privée sont plus chères. Tarif à la semaine sur demande.
⊗ Principales cartes

78 – PHOENIX HOTEL
601 EDDY ST, 94109
TEL 415/776-1380
FAX 415/885-3109
Parodie de motel au décor tropical kitsch attirant des musiciens de rock et des célébrités branchées.
⊗ Principales cartes

ESCAPADES

MONTEREY

79 – SEVEN GABLES INN
555 OCEAN VIEW BD, 93950
TEL 831/372-4341
Manoir et cottages victoriens de 1886 transformés en *bed and breakfast*. Jardins et vue sur l'océan. ⊗ MC, V

CARMEL

80 – LA PLAYA HOTEL
8TH AVE & CAMINO REAL
TEL 831/624-6476
FAX 831/624-7966
www.laplayahotel.com
Jardins magnifiques, vue splendide et beaucoup de charme.
⊗ Principales cartes

SAUSALITO

81 – THE INN ABOVE TIDE
30 EL PORTAL, 94965
TEL 415/332-9535
FAX 415/332-6714
Seul établissement sur l'eau de la Bay Area. Chambres avec vue sur la baie, la plupart avec balcon et cheminée. Équipements de luxe et pour les affaires (grands bureaux, Wifi…). ⊗ Principales cartes

YOUNTVILLE

82 – YOUNTVILLE INN
6462 WASHINGTON ST, 94599
TEL 707/944-5600
FAX 707/944-5666
Cheminées en pierres, linge de maison élégant et certaines chambres avec patios privés. Un décor rustique pour un repas raffiné.
⊗ Principales cartes

CALISTOGA

83 – DR. WILKINSON'S HOT SPRINGS RESORT
1507 LINCOLN AVE, 94515
TEL 707/942-4102
Motel de style années 1950 doté de sources chaudes de cendres volcaniques et bains de boue, qui propose des soins en spa.
⊗ AE, MC, V

SONOMA

84 – EL DORADO
405 FIRST ST W., 95476
TEL 707/996-3030
FAX 707/996-3148
Petit hôtel surplombant la Plaza Sonoma où a eu lieu la révolte du Bear Flag. Chambres de style californien et délicieux petit déjeuner.
⊗ AE, MC, V

YOSEMITE VALLEY

85 – AHWAHNEE HOTEL
1 AHWAHNEE WAY, YOSEMITE NATIONAL PARK, 95389
TEL 406/862-8190
Auberge de montagne des années vingt à la décoration de style *Native American*. Réserver plusieurs mois à l'avance. ⊗ Principales cartes

LAKE TAHOE

86 – INN BY THE LAKE
3300 LAKE TAHOE BD, SOUTH LAKE TAHOE, 96150
TEL 530/542-0330
FAX 530/541-6596
Motel haut de gamme près d'une plage.
⊗ Principales cartes

RESTAURANTS

N°		tél.	sites internet
	€		
52	DOIDGE'S CAFÉ	415/921-2149	
21	HENRY'S HUNAN	415/788-2234	www.henryshunanrestaurant.com
80	LA SANTANECA	415/648-1034	
22	LUCKY CREATION	415/989-0818	
33	MARIO'S BOHEMIAN CIGAR STORE	415/362-0536	
85	MEDITERRANEAN MARKET	831/624-2022	
53	MIFUNE	415/922-0337	
34	MO'S GOURMET BURGERS	415/788-3779	
	€€		
78	2223 RESTAURANT	415/431-0692	www.2223restaurant.com
45	CASSIS BISTRO	415/292-0770	
39	CAFÉ MARIMBA	415/776-1506	
27	CAFFE SPORT	415/981-1251	
55	CHA CHA CHA	415/386-7670	www.cha3.com
46	CHEZ NOUS	415/441-8044	
73	CHOW	415/552-2469	
91	CHRISTOPHE RESTAURANT FRANCAIS	415/332-9244	www.french-restaurant-marin.com
47	FLORIO	415/775-4300	www.floriosf.com
19	GREAST EASTERN	415/986-2500	
20	HOUSE OF NANKING	415/421-1429	
28	IL FORNAIO	415/986-0100	www.ilfornaio.com
48	ISOBUNE SUSHI	415/536-1030	
95	LA CASA	707/996-3406	www.lacasarestaurant.com
49	LA MEDITERRANEE	415/921-2956	www.lamediterranee.net
29	L'OSTERIA DEL FORNO	415/982-1124	www.losteriadelforno.com
74	LUNA PARK	415/553-8584	www.lunaparksf.com
90	NAN YANG	510/655-3298	
70	OCTAVIA LOUNGE	415/863-3516	www.octavialounge.com
50	PERRY'S	415/922-9022	
30	ROSE PISTOLA	415/399-0499	www.rosepistolasf.com
51	SANPPO	415/346-3486	
75	SOUTH PARK CAFÉ	415/495-7275	ww.southparkcafesf.com
31	SUSHI GROOVE	415/440-1905	

Financial district

Union Square et Nob Hill

Chinatown

North Beach, Telegraph Hill et Russian Hill

Fisherman's Wharf et Alcatraz

La Marina et au-delà

N°		tél.	sites internet
83	TARPY'S ROADHOUSE	831/647-1444	www.tarpys.com
56	THEP PHANOM	415/431-2526	www.thepphanom.com
76	THIRSTY BEAR BREWING CO.	415/974-0905	www.thirstybear.com
77	TI COUZ	415/252-7373	
32	TOMMASO'S	415/398-9696	
79	UNIVERSAL CAFÉ	415/821-4608	www.universalcafe.net
	€€-€€€		
44	CLEMENTINE	415/387-0408	www.clementinesf.com
82	MONTRIO	831-648-8880	www.montrio.com
	€€€		
60	ABSINTHE	415/551-1590	www.absinthe.com
84	ANTON & MICHEL	831/624-2406	
36	A. SABELLA'S	415/771-6775	www.asabellas.com
89	BAY WOLF	510/655-6004	www.baywolf.com
94	BRANNANS GRILL	707/942-2233	www.brannansgrill.com
24	CAFÉ JACQUELINE	415/981-5565	
40	CAFÉ KATI	415/775-7313	www.cafekati.com
61	CALIFORNIA CULINARY ACADEMY	415/771-3500	www.baychef.com
41	ELITE CAFÉ	415/346-8668	www.theelitecafe.com
81	EMILE'S	408/289-1960	www.emilesrestaurant.com
23	ENRICO'S SIDEWALK CAFÉ	415/982-6223	
54	EOS	415/566-3063	www.eossf.com
71	FOREIGN CINEMA	415/648-7600	www.foreigncinema.com
62	FRINGALE	415/543-0573	www.fringalesf.com
38	GREENS	415/771-6222	www.greensrestaurant.com
64	HAYES STREET GRILL	415/863-5545	www.hayesstreetgrill.com
65	INDIGO	415/673-9353	www.indigorestaurant.com
06	KOKKARI	415/981-0983	www.kokkari.com
18	LE COLONIAL	415/931-3600	www.lecolonialsf.com
37	MCCORMICK & KULETO'S	415929-1730	www.mccormickandkuletos.com
72	MECCA	415/621-7000	www.sfmecca.com
42	MERENDA	415/346-7373	
66	MOMO'S	415/227-8660	www.sfmomos.com

Pacific Heights et Japantown Haight-Ashbury et le Golden Gate Park Civic Center et SoMa Les quartiers Mission et Castro Escapades

N°		tél.	sites internet
25	MOOSE'S	415/989-7800	www.mooses.com
92	MUSTARD'S GRILL	707/944-2424	www.mustardgrill.com
87	OLIVETO	510/547-5356	www.oliveto.com
07	PIPERADE	415/391-2555	www.piperade.com
08	PLOUF	415/986-6491	www.ploufsf.com
43	PLUMPJACK	415/563-4755	www.plumpjack.com
67	RESTAURANT LULU	415/495-5775	www.restaurantlulu.com
88	RIVOLI	510/526-2542	www.rivolirestaurant.com
09	TADICH GRILL	415/391-1849	
68	THE SLANTED DOOR	415/861-8032	www.slanteddoor.com
63	TWO	415/777-9779	www.two-sf.com
26	YABBIES COASTAL KITCHEN	415/474-4088	www.yabbiesrestaurant.com
10	YANK SING	415/781-1111	www.yanksing.com
69	ZUNI CAFÉ	415/552-2522	www.zunicafe.com
	€€€€		
01	AQUA	415/956-9662	
11	BIG FOUR RESTAURANT	415/771-1140	
57	BOULEVARD	415/543-6084	www.boulevardrestaurant.com
12	CAMPTON PLACE RESTAURANT	415/781-5555	www.camptonplace.com
86	CHEZ PANISSE	510/548-5525	www.chezpanisse.com
13	FARALLON	415/956-6969	www.farallonrestaurant.com
58	FIFTH FLOOR RESTAURANT	415/348-1555	www.fithfloorrestaurant.com
14	FLEUR DE LYS	415/673-7779	www.fleurdelyssf.com
59	JARDINIÈRE	415/861-5555	www.jardiniere.com
15	MASA'S	415/989-7154	
16	MILLENNIUM	415/345-3900	www.millenniumrestaurant.com
02	ONE MARKET RESTAURANT	415/777-5577	www.onemarket.com
17	POSTRIO	415/776-7825	www.postrio.com
35	RESTAURANT GARY DANKO	415/749-2060	www.garydanko.com
03	RUBICON	415/434-4100	www.sfrubicon.com
93	THE FRENCH LAUNDRY	707/944-2380	www.frenchlaundry.com
05	THE WATERFRONT RESTAURANT	415/391-2696	www.waterfrontsf.com
04	TOMMY TOY'S CUISINE CHINOISE	415/397-4888	www.tommytoys.com

RESTAURANTS

La restauration est une attraction majeure à San Francisco. Plus de 3 300 restaurants proposent de la cuisine californienne (originaire de la Bay Area), de la gastronomie française, des grillades, des burgers et tacos plus modestes, et de merveilleux plats d'Italie et des pays en bordure du Pacifique, d'Amérique latine et d'autres régions d'où ont émigré certains habitants de la ville. Vous pourriez manger à un endroit différent chaque jour pendant près de dix ans. Le *San Francisco Magazine* (*www.sanfran.com*) publie un guide des restaurants et le « Best Of San Francisco ». Il se commande par téléphone (*tél. 415/398-2800*).

PRIX	
RESTAURANTS	
Indication de prix pour les restaurants.	
€€€€	Plus de 50 €
€€€	De 25 à 50 €
€€	De 11 à 25 €
€	Moins de 11 €

FINANCIAL DISTRICT

01 – AQUA
252 CALIFORNIA ST
TEL 415/956-9662
Cuisine de fruits de mer créative. Spécialité de thon grillé recouvert de foie gras accompagné d'une sauce au pinot noir. Le restaurant propose un menu dégustation.
🍴 180 🅿 ❄
🕐 Fermé sam. et dim. midi
💳 Principales cartes

02 – ONE MARKET RESTAURANT
1 MARKET ST
TEL 415/777-5577
Cuisine américaine traditionnelle de saison. Goûtez la salade Caesar, la soupe d'huîtres, le mahi-mahi aux amandes et sauce citron.
🍴 220 🕐 Fermé sam. midi et dim. 💳 Principales cartes

03 – RUBICON
558 SACRAMENTO ST
TEL 415/434-4100
Restaurant en brique et bois dont Francis Ford Coppola et Robin Williams sont copropriétaires. Menus à la carte et excellente carte des vins.
🍴 100 🅿 🕐 Déjeuner mer. uniquement, fermé dim.
💳 Principales cartes

04 – TOMMY TOY'S CUISINE CHINOISE
655 MONTGOMERY ST
TEL 415/397-4888
Bonne adresse pour ceux qui apprécient un service élégant. Spécialité : bisque de fruits de mer servie dans une noix de coco accompagnée d'un feuilleté.
🍴 168 🅿
🕐 Fermé sam. et dim. midi
💳 Principales cartes

05 – THE WATERFRONT RESTAURANT
PIER 7, THE EMBARCADERO
TEL 415/391-2696
Restaurant contemporain avec vue sur la baie. Fruits de mer, viandes ou encore poulet rôti sont au menu.
🍴 160 🅿
💳 Principales cartes

06 – KOKKARI
200 JACKSON ST
TEL 415/981-0983
Une ambiance d'auberge de campagne (cheminée, boiseries, fleurs) pour un restaurant de fruits de mer et de viande. Remarquables : la moussaka et les côtelettes d'agneau grillées à la vinaigrette citron-origan.
🍴 185 🅿
🕐 Fermé sam. midi et dim.
💳 Principales cartes

07 – PIPERADE
1015 BATTERY ST
TEL 415/391-2555
La cuisine basque du chef Gerald Hirigoyen servie dans un cadre simple. Plats typiques : ragoûts de fruits de mer et de crustacés dans une sauce au piment fort et ris de veau braisés au madère.
🍴 60 🕐 Fermé sam. midi et dim. 💳 Principales cartes

08 – PLOUF
40 BELDEN PL
TEL 415/986-6491
Spécialités de moules avec des sauces fascinantes, de palourdes et d'huîtres. Restaurant servant aussi de délicieuses entrées, comme les pétoncles enrobés de bacon.
🍴 65 🕐 Fermé sam. midi et dim. 💳 Principales cartes

09 – TADICH GRILL
240 CALIFORNIA ST
TEL 415/391-1849
Le plus vieux restaurant de la ville (1849), une institution à San Francisco. Spécialité de sole, turbot de sable, friture Hangtown, sans oublier la fameuse sauce tartare.
🍴 120 🕐 Fermé dim.
💳 MC, V

10 – YANK SING
101 SPEAR ST
TEL 415/781-1111
49 STEVENSON ST
TEL 415/541-4949
De petits prix. Aux deux adresses, le personnel vous explique les plats présentés sur les chariots. Essayez le canard pékinois aux oignons verts et sauce à la prune ou l'avocat grillé farci au poulet et curry.
🍴 Spear St, 248 ; Stevenson St, 92 🕐 Fermé le soir
💳 MC, V

UNION SQUARE & NOB HILL

11 – BIG FOUR
1075 CALIFORNIA ST
TEL 415/771-1140
Dans l'hôtel Huntington. Les souvenirs en bois foncé du chemin de fer et l'atmosphère de club plantent le décor d'une splendide cuisine.
🍴 60 🕐 Fermé sam. et dim. midi 💳 Principales cartes

🍴 Nbre de couverts 🅿 Parking 🕐 Fermeture 💳 Principales cartes ❄ Climatisation

12 – CAMPTON PLACE RESTAURANT

340 STOCKTON

TEL 415/781-5555

Dans une élégante salle à manger, des plats d'influence française, comme la langouste du Maine aux cannellonis de ris et asperges à la maltaise.

🍴70 🅿 🪑
🕐 Fermé dim. midi
🗲 Principales cartes

13 – FARALLON

450 POST ST

TEL 415/956-6969

Célèbre pour les décors de fantaisie sous-marine de Pat Kuleto (lampes en forme de méduse, colonnes luisantes en varech), on y sert une cuisine de la côte, des viandes rôties et d'excellents desserts.

🍴225 🅿 🗲
🕐 Fermé dim. midi
🗲 Principales cartes

14 – FLEUR DE LYS

777 SUTTER ST

TEL 415/673-7779

Très apprécié, tant pour sa cuisine française que pour son décor luxueux.

🍴80 🅿 🗲
🕐 Fermé le midi et le dim.
🗲 Principales cartes

15 – MASA'S

648 BUSH ST

TEL 415/989-7154

La grande cuisine française modernisée, concoctée avec des ingrédients de saison. Décor minimaliste élégant.

🍴120 🅿 🗲
🕐 Fermé le midi, dim. et lun.
🗲 Principales cartes

16 – MILLENNIUM

580 GEARY ST

TEL 415/345-3900

Cuisine gastronomique, végétarienne et bio. Exemple de menu : champignons de Paris rôtis aux épices marocaines, salade de pois chiches et roquette, chutney de pommes au curcuma.

🍴150 🅿
🕐 Fermé le midi
🗲 Principales cartes

17 – POSTRIO

545 POST ST

TEL 415/776-7825

Cuisine américaine contemporaine. Tout est fait sur place, des pâtes au saumon fumé.

🍴180 🅿 🗲
🗲 Principales cartes

18 – LE COLONIAL

20 COSMO PL

TEL 415/931-3600

Cuisine franco-vietnamienne dans une ambiance des années 1920. Spécialités : quenelles de pétoncles au gingembre, canard pékinois laqué à la grenade. Le salon à l'étage, avec sa véranda, est agréable pour y prendre un cocktail.

🍴320 🅿 🕐 Fermé le midi 🗲 Principales cartes

CHINATOWN

19 – GREAT EASTERN

649 JACKSON ST

TEL 415/986-2500

Établissement très fréquenté, connu pour ses fruits de mer bon marché, fraîchement sortis des réservoirs disposés le long des murs. 🍴250

🗲 AE, MC, V

20 – HOUSE OF NANKING

919 KEARNY ST

TEL 415/421-1429

Cuisine sichuanaise si bonne que même les locaux supportent le décor sans intérêt et le service parfois peu aimable.

🍴45 🗲 MC, V

21 – HENRY'S HUNAN

924 SANSOME ST

TEL 415/956-7727

674 SACRAMENTO ST

TEL 415/788-2234

Restaurants populaires aux prix modestes qui servent des mets du Hunan épicés et fumants.

🍴30 🅿 🗲 AE, MC, V

22 – LUCKY CREATION

854 WASHINGTON ST

TEL 415/989-0818

Petit restaurant chinois servant l'une des meilleures cuisines végétariennes de la ville.

🍴35 🕐 Fermé mer.
🗲 MC, V

NORTH BEACH, TELEGRAPH HILL ET RUSSIAN HILL

23 – ENRICO'S SIDEWALK CAFÉ

504 BROADWAY

TEL 415/982-6223

Son patio est parfait pour déguster un mélange éclectique de plats. 🍴110 🅿
🗲 AE, MC, V

24 – CAFÉ JACQUELINE

1454 GRANT AVE

TEL 415/981-5565

Petit café où les soufflés sont fabuleux (truffe noire et langouste ou saumon et asperge).

🍴24 🕐 Fermé le midi, le lun. et mar. 🗲 Principales cartes

25 – MOOSE'S

1652 STOCKTON ST

TEL 415/989-7800

Dans un coin ravissant dominant Washington Square Park, cuisine californienne élaborée à partir d'ingrédients frais.

🍴100 🕐 Fermé dim. et mer. midi 🗲 Principales cartes

26 – YABBIES COASTAL KITCHEN

2237 POLK ST

TEL 415/474-4088

Yabbie signifie langoustine en australien, un ingrédient qui figure au menu. Bar cru et fruits de mer du bassin pacifique.

🍴50 🗲 D, MC, V

27 – CAFFE SPORT

574 GREEN ST

TEL 415/981-1251

Bonne cuisine italienne servie dans une ambiance festive.

🍴45 🕐 Fermé dim. et lun.
🚫 N'accepte pas les cartes bancaires

28 – IL FORNAIO

1265 BATTERY ST

TEL 415/986-0100

🍴 Nbre de couverts 🅿 Parking 🕐 Fermeture 🗲 Principales cartes 🗲 Climatisation

Célèbre *trattoria* italienne. Brunch le week-end.
🍴 280 🅿 🔷 Principales cartes

29 – L'OSTERIA DEL FORNO
519 COLUMBUS AVE
TEL 415/982-1124
Petite cuisine qui sert des plats du nord de l'Italie, délicieusement authentiques. On ne peut payer qu'en espèces.
🍴 28 🔷 N'accepte pas les cartes bancaires

30 – ROSE PISTOLA
532 COLUMBUS AVE
TEL 415/399-0499
Cuisine ligurienne et génoise nationalement reconnue. Spécialités : les savoureux poissons locaux, le célèbre *cioppino*, les pizzas au feu de bois et le porc rôti à la broche.
🍴 135 🅿 🔷 Principales cartes

31 – SUSHI GROOVE
1916 HYDE ST
TEL 415/440-1905
Délicieuse présentation de sushi, poisson et salades, dans une petite salle à manger arrangée avec goût.
🍴 50 🕐 Fermé le midi
🔷 AE, MC, V

32 – TOMMASO'S
1042 KEARNY ST
TEL 415/398-9696
Des pizzas à pâte fine et croustillante, cuites dans le four en brique, depuis les années 1930.
🍴 60 🕐 Fermé le midi et le lun. 🔷 Principales cartes

33 – MARIO'S BOHEMIAN CIGAR STORE
566 COLUMBUS AVE
TEL 415/362-0536
Établissement de quartier confortable, célèbre pour ses sandwiches à la *focaccia* et ses *cappuccinos*. 🍴 65 🔷 MC, V

34 – MO'S GOURMET BURGERS
1322 GRANT AVE
TEL 415/788-3779

Parmi les meilleurs hamburgers de la ville. Servent également des steaks et du poulet.
🍴 40 🔷 MC, V

FISHERMAN'S WHARF ET ALCATRAZ

RECOMMANDÉ

35 – RESTAURANT GARY DANKO
800 NORTH POINT ST
TEL 415/749-2060
L a cuisine contemporaine franco-californienne du chef et propriétaire, Gary Danko, se distingue dans ce restaurant souvent noté comme le meilleur de la ville. Le menu affiche du blanc de canard au citron et aux herbes sur hachis de canard et compote de rhubarbe. La cuisine, le décor et le service sont mémorables.
🍴 65 🅿 🔷 Principales cartes

36 – A. SABELLA'S
2766 TAYLOR ST, 3RD FL
TEL 415/771-6775
Fruits de mer locaux bien préparés, à déguster face au quai.
🍴 150 🔷 Principales cartes

37 – MCCORMICK & KULETO'S
900 NORTH POINT ST, GHIRARDELLI SQ
TEL 415/929-1730
Un intérieur sur le thème de l'océan, une vue sur la baie et un menu composé de poisson et de crustacés.
🍴 475 🔷 Principales cartes

LA MARINA ET AU-DELÀ

38 – GREENS
BG A, FORT MASON CTR
TEL 415/771-6222
Célèbre pour sa cuisine bio et végétarienne pour gourmets, ainsi que sa grande carte des vins.
🍴 130 🅿 🕐 Fermé dim. soir et lun. midi
🔷 D, MC, V

39 – CAFÉ MARIMBA
2317 CHESTNUT ST
TEL 415/776-1506
Ce café sert des plats mexicains, en particulier un excellent *mole* (prononcer molé) et des tacos aux fruits de mer.
🍴 85 🔷 AE, MC, V

PACIFIC HEIGHTS & JAPANTOWN

40 – CAFÉ KATI
1963 SUTTER ST
TEL 415/775-7313
Une cuisine très imaginative entre Orient et Occident, dans un décor de fresques.
🍴 70 🅿 🕐 Fermé le midi et le lun. 🔷 AE, MC, V

41 – ELITE CAFÉ
2049 FILLMORE ST
TEL 415/346-8668
Une cuisine créole et cajun de Louisiane qui propose des *baby back ribs* (petites côtes levées), des gombos et des « huîtres en enfer » panées.
🍴 85 🕐 Fermé le midi
🔷 Principales cartes

42 – MERENDA
1809 UNION ST
TEL 415/346-7373
Une *trattoria* à l'atmosphère romantique qui, dans ses menus à prix fixe, propose des plats comme les gnocchis au ragoût de pigeonneau.
🍴 42 🕐 Fermé de dim. à jeu. 🔷 AE, MC, V

43 – PLUMPJACK
3127 FILLMORE ST
TEL 415/563-4755
Un resto branché de Cow Hollow qui sert de la cuisine américano-californienne et les célèbres *devil's food cakes* (gâteaux du diable).
🍴 55 🅿 🕐 Fermé sam. et dim. 🔷 Principales cartes

44 – CLEMENTINE
126 CLEMENT ST
TEL 415/387-0408
Une délicieuse cuisine française de saison avec des cailles rôties au miel et quatre épices, et des

---

🍴 Nbre de couverts 🅿 Parking 🕐 Fermeture 🔷 Principales cartes 🄲 Climatisation

raviolis aux champignons de Paris. 🍴 49 🕐 Fermé le midi et le lundi 💳 AE, MC, V

45 – CASSIS BISTRO
2120 GREENWICH ST
TEL 415/292-0770
Un bistro français bon marché avec une ambiance de quartier.
🍴 45 🕐 Fermé le midi, le dim. et lun. 💳 N'accepte pas les cartes bancaires

46 – CHEZ NOUS
1911 FILLMORE ST
TEL 415/441-8044
Petites assiettes de mets italiens, grecs, espagnols et français. 🍴 42 💳 MC, V

47 – FLORIO
1915 FILLMORE ST
TEL 415/775-4300
Un chaleureux bistro de quartier où l'on déguste une cuisine simple, des fruits de mer et des raviolis aux champignons sauvages.
🍴 64 🕐 Fermé le midi 💳 AE, MC, V

48 – ISOBUNE SUSHI
1737 POST ST
TEL 415/563-1030
Ce ne sont pas les meilleurs sushis de la ville mais le cadre est amusant.
🍴 34 🅿 🔁 💳 MC, V

49 – LA MEDITERRANEE
2210 FILLMORE ST
TEL 415/921-2956
Cuisine méditerranéenne proposant un assortiment de dix tapas, et en dessert un *datil amandra* (dates et noix enrobées de pâte phyllo).
🍴 45 💳 AE, MC, V

50 – PERRY'S
1944 UNION ST
TEL 415/922-9022
Il sert des viandes grillées goûteuses, de la nourriture de bar et des sandwiches.
🍴 235 💳 Principales cartes

51 – SANPPO
1702 POST ST
TEL 415/346-3486

Petit restaurant servant une variété de standards japonais bien préparés et des variations plus imaginatives.
🍴 45 🅿 🆒 🕐 Fermé le lun. 💳 MC, V

52 – DOIDGE'S CAFÉ
2217 UNION ST
TEL 415/921-2149
Petit déjeuner et brunch, pancakes, *french toasts* et omelettes.
🍴 43 🕐 Uniquement petits déjeuners et brunches 💳 MC, V

53 – MIFUNE
1737 POST ST.
TEL 415/922-0337
Bon marché. Délicieuses nouilles chaudes ou froides.
🍴 82 💳 Principales cartes

HAIGHT-ASHBURY ET GOLDEN GATE PARK

54 – EOS
901 COLE ST
TEL 415/566-3063
Y goûter le curry de crevettes d'eau douce et galettes de pommes de terre ou le poulet à la sauce de soja noir.
🍴 125 🕐 Fermé le midi 💳 Principales cartes

55 – CHA CHA CHA
1801 HAIGHT ST
TEL 415/386-7670
Populaire bar à tapas dont le menu change tous les jours. Cuisine des Caraïbes, cajun et mexicaine.
🍴 100 💳 Principales cartes

56 – THEP PHANOM
400 WALLER ST
TEL 415/431-2526
Probablement la meilleure cuisine thaïe de San Francisco.
🍴 49 🕐 Fermé le midi 💳 Principales cartes

CIVIC CENTER ET SOMA

57 – BOULEVARD
1 MISSION ST
TEL 415/543-6084

Variations novatrices à partir de plats traditionnels. Le menu change souvent, ainsi que la carte des vins. Choix possibles : aiguillettes de canard Sonoma avec bacon Applewood, tarte de langouste.
🍴 180 🅿 🕐 Fermé sam. midi et dim. midi 💳 Principales cartes

58 – FIFTH FLOOR RESTAURANT
12 FOURTH ST (HOTEL PALOMAR)
TEL 415/348-1555
Restaurant de viande et fruits de mer d'inspiration française. Parmi les entrées : pétoncles grillés avec purée de maïs sucrée et *nuggets* de pommes de terre croustillants. Pour le plat : filet mignon argentin et gratin au Roquefort.
🍴 62 🅿 🆒 🕐 Fermé le midi et tous les dim. 💳 Principales cartes

59 – JARDINIÈRE
300 GROVE ST
TEL 415/861-5555
Menu de saison proposant de succulentes soupes de fruits de mer, des plats imaginatifs de viande et poisson et des fromages affinés sur place dans le cellier. Musique *live* le soir.
🍴 155 🅿 🆒 🕐 Fermé le midi 💳 Principales cartes

60 – ABSINTHE
398 HAYES ST
TEL 415/551-1590
Cuisine de bistro française créative à la sauce californienne. Grand choix d'huîtres.
🍴 135 🕐 Fermé lun. 💳 Principales cartes

61 – CALIFORNIA CULINARY ACADEMY
625 POLK ST
TEL 415/771-3500
École de premier plan qui enseigne une cuisine européenne et mondiale.
🍴 300 🕐 Fermé de sam. à lun. 💳 AE, MC, V

62 – FRINGALE
570 4TH ST
TEL 415/543-0573

🍴 Nbre de couverts   🅿 Parking   🕐 Fermeture   💳 Principales cartes   🆒 Climatisation

Restaurant sans prétention servant une délicieuse cuisine de bistro française d'influence basque. **55** Fermé sam., lun. midi et dim. AE, MC, V

63 – TWO
22 HAWTHORNE ST
TEL 415/777-9779
Dans un décor d'atelier d'artiste, l'ancien restaurant du chef Postrio pimente d'Orient la cuisine américano-méditerranéenne (caille laquée au sirop d'érable…). Ne vous privez pas de dessert. **210** P Fermé sam. et dim. midi Principales cartes

64 – HAYES STREET GRILL
324 HAYES ST
TEL 415/863-5545
Grand restaurant de fruits de mer servant du poisson grillé au charbon de bois accompagné de sauces succulentes. Bondé avant les concerts au Civic Center. **120** Fermé sam. midi et dim. midi Principales cartes

65 – INDIGO
687 MCALLISTER ST
TEL 415/673-9353
Cuisine californienne mettant l'accent sur les fruits de mer et les produits locaux. **120** Fermé le midi et le lun. AE, MC, V

66 – MOMO'S
760 SECOND ST
TEL 415/227-8660
Un endroit populaire qui sert la nouvelle cuisine américaine : côtes laquées au sirop d'érable, pétoncles et risotto d'asperge, servie à l'intérieur ou en terrasse. **200** P AE, MC, V

67 – RESTAURANT LULU
816 FOLSOM ST
TEL 415/495-5775
Cuisine californienne et méditerranéenne, spécialisée dans les viandes rôties au feu de bois dans un four en brique.

Son gâteau tiède au chocolat est fameux. **270** Principales cartes

68 – THE SLANTED DOOR
1 FERRY BUILDING 3
TEL 415/861-8032
Cuisine vietnamienne moderne très appréciée, à base de produits bio. **150** P AE, MC, V

69 – ZUNI CAFÉ
1658 MARKET ST
TEL 415/552-2522
On y déguste la cuisine méditerranéenne très appréciée de Judy Rodgers : salades Caesar grandioses, pommes frites croustillantes et huîtres. **186** P Fermé lun. AE, MC, V

70 – OCTAVIA LOUNGE
1772 MARKET ST
TEL 415/863-3516
Une cuisine du monde différente chaque mois. Brunch du dimanche très fréquenté. **125** Fermé sam. midi Principales cartes

71 – FOREIGN CINEMA
2534 MISSION ST
TEL 415/648-7600
Cuisine californienne et méditerranéenne servie à l'extérieur, tandis que des films étrangers sont projetés sur les murs. **250** P Fermé de lun. à ven. midi et le lun. soir Principales cartes

72 – MECCA
2029 MARKET ST
TEL 415/621-7000
Cuisine typiquement américaine (carrés d'agneau rôtis du Colorado, fettucini maison…). DJ et musique *live*. **150** P Fermé le midi Principales cartes

73 – CHOW
215 CHURCH ST
TEL 415/552-2469
Très fréquenté pour ses pâtes,

pizzas, poulets rôtis et sandwiches. **74** MC, V

74 – LUNA PARK
694 VALENCIA ST
TEL 415/553-8584
Plats italiens et français surtout, à des prix très raisonnables. **49** AE, MC, V

75 – SOUTH PARK CAFÉ
108 SOUTH PARK ST
TEL 415/495-7275
Ce café propose des aiguillettes de canard sautées à la sauce au miel épicée et des poires Bosc pochées, ainsi que son saumon royal fumé. **40** Fermé le midi et le dim. Principales cartes

76 – THIRSTY BEAR BREWING CO.
661 HOWARD ST
TEL 415/974-0905
Endroit très populaire de SoMa où les bières brassées sur place et les excellentes tapas espagnoles attirent une foule d'employés après le travail. **300** Fermé dim. midi Principales cartes

77 – TI COUZ
3108 16TH ST
TEL 415/252-7373
Un seul mot : crêpes. Plus de deux douzaines de garnitures, en plats et en desserts. **100** MC, V

78 – 2223 RESTAURANT
2223 MARKET ST
TEL 415/431-0692
Des ingrédients de saison habilement préparés en mets américains, méditerranéens ou caribéens : poulet rôti et oignons en lanières, paella de fruits de mer, ris de veau croustillants. **100** Fermé le midi Principales cartes

79 – UNIVERSAL CAFÉ
2814 19TH ST
TEL 415/821-4608
Lieu improbable dans une zone industrielle décliné en restaurant spacieux et ensoleillé servant des cafés torréfiés maison, des pizzas…

Nbre de couverts P **Parking** **Fermeture** **Principales cartes** **Climatisation**

RESTAURANTS

🔲 40 ⏰ Fermé de mar. à ven. midi et tous les lun.
💳 AE, MC, V

80 – LA SANTANECA
3781 MISSION ST
TEL 415/648-1034
Délicieux plats du Salvador et du Mexique, comme les *pupusas* fourrées au fromage et la soupe au chorizo.
🔲 44 ⏰ Fermé lun. 💳 MC, V

ESCAPADES

SAN JOSE

81 – EMILE'S
545 SOUTH 2ND ST
408/289-1960
Cuisine raffinée de classiques comme l'*osso buco* et l'agneau au romarin.
🔲 180 🅿 💳 ⏰ Fermé le midi et de dim. à lun.
💳 AE, MC, V

MONTEREY

82 – MONTRIO
414 CALLE PRINCIPAL
TEL 831/648-8880
Cuisine de bistro californienne, avec un soupçon de France et d'Italie : *crab cakes* et rémoulade, *portabello* et ragoût de légumes.
🔲 200 💳 Principales cartes

83 – TARPY'S ROADHOUSE
2999 MONTEREY-SALINAS HWY
TEL 831/647-1444
Maison couverte de lierre qui sert une cuisine américaine, comme le lapin rôti et un canard aux noix de pécan au barbecue.
🔲 300 💳 Principales cartes

CARMEL

84 – ANTON & MICHEL
MISSION & 7TH STS
TEL 831/624-2406
Un des meilleurs restaurants de la côte. Excellente carte des vins des vignobles locaux.
🔲 90 🅿 💳 Principales cartes

85 – MEDITERRANEAN MARKET
OCEAN & MISSION STS
TEL 831/624-2022
Un « *deli* » proposant des mets pour pique-nique.
🅿 💳 AE, MC, V

BERKELEY

86 – CHEZ PANISSE
1517 SHATTUCK AVE
TEL 510/548-5525
Berceau légendaire de la cuisine californienne. Menu à partir d'ingrédients bio locaux préparés selon une technique française.
🔲 Restaurant 50, Café 50 ⏰ Fermé dim. 💳 Principales cartes

87 – OLIVETO
5655 COLLEGE AVE
TEL 510/547-5356
Le chef Paul Bertolli prépare de succulents plats rustiques de Toscane.
🔲 110 ⏰ Restaurant Fermé sam. et dim. midi
💳 Principales cartes

88 – RIVOLI
1539 SOLANO AVE
TEL 510/526-2542
Cuisine familiale « tendance » qui sert un saumon sauvage grillé avec des gnocchis. Superbes desserts.
🔲 70 💳 ⏰ Fermé le midi
💳 Principales cartes

OAKLAND

89 – BAY WOLF
3853 PIEDMONT AVE
TEL 510/655-6004
Cuisine remarquable de style méditerranéen dans un cadre charmant.
🔲 80 🅿 ⏰ Fermé sam. et dim. midi 💳 Principales cartes

90 – NAN YANG
6048 COLLEGE AVE
TEL 510/655-3298
Cuisine de Birmanie élaborée à partir d'ingrédients de haute qualité.
🔲 20 🅿 ⏰ Fermé lun.
💳 MC, V

SAUSALITO

91 – CHRISTOPHE RESTAURANT FRANCAIS
1919 BRIDGEWAY BD
TEL 415//332-9244
Cuisine française dans une charmante maison ancienne, remplie de meubles Art nouveau. Bon rapport qualité/prix.
🔲 120 🅿 ⏰ Fermé de sam. à lun. midi et le lun. soir
💳 Principales cartes

NAPA

92 – MUSTARD'S GRILL
7399 ST. HELENA HWY
TEL 707/944-2424
Propose des plats comme les *baby back ribs* au pudding de maïs et de délicieux hamburgers.
🔲 60 🅿 💳  💳 D, MC, V

YOUNTVILLE

93 – THE FRENCH LAUNDRY
6640 WASHINGTON ST
TEL 707/944-2380
Considéré comme le « meilleur restaurant d'Amérique ». Réserver deux mois à l'avance. Morue en croûte d'ail et pommes de terre rôties au thym et à l'ail caramélisé.
🔲 62 🅿 ⏰ Fermé le midi de lun. à jeu. 💳 AE, MC, V

CALISTOGA

94 – BRANNANS GRILL
1374 LINCOLN AVE
TEL 707/942-2233
Cuisine sans prétention, comme ses ribs braisés au miel et gingembre et son risotto de citrouille. 🔲 190 🅿 💳
💳 Principales cartes

SONOMA

95 – LA CASA
121 E. SPAIN ST
TEL 707/996-3406
Cuisine mexicaine traditionnelle, près de Sonoma Plaza.
🔲 190 🅿 💳
💳 Principales cartes

SHOPPING

La personnalité d'un magasin de San Francisco est souvent liée à son quartier, et chaque district possède son propre esprit...

QUARTIERS

Union Square possède de grands magasins et des boutiques exclusives de stylistes, et Maiden Lane, des boutiques et des galeries élégantes. Jackson Square, dans Financial District, accueille de splendides boutiques d'antiquités. North Beach abrite des commerces très éclectiques et originaux. Hayes Valley est une zone branchée où sont proposés des vêtements à la mode, de l'artisanat, des meubles, des boutiques tendance, des bijoux et des galeries. Le long d'Upper Fillmore St s'alignent des boutiques haut de gamme d'objets pour la maison, de cadeaux, ainsi que des friperies. Union St équipe la jeunesse aisée de vêtements chics, articles ménagers, antiquités, bijoux et lunettes de soleil de stylistes. Tendance et psychédélique, Haight St regorge de vêtements, livres et disques vintage, et de tout l'attirail rétro des hippies. À Mission District on trouve des vêtements et des meubles d'occasion, des articles de friperies, ainsi que des magasins évoquant la culture hispanique du quartier. À SoMa, de nombreux magasins d'usine côtoient des galeries d'art branchées, un mélange qui reflète parfaitement la personnalité du quartier. Le San Francisco Shopping Center (Market et Fifth St) accueille le colossal grand magasin Nordstrom. Dans Financial District, la Crocker Galleria (entre Post, Kearny, Sutter et Montgomery) abrite des dizaines de boutiques. Les nombreux bâtiments de l'Embarcadero Center (au pied de Sacramento St) accueillent quelque 175 magasins. Ghirardelli Square (extrémité ouest de Fisherman's Wharf) forme un complexe de boutiques d'art et d'artisanat, de vêtements, d'articles ménagers, etc. Le Cannery offre un assortiment de magasins similaires à ceux de Fisherman's Wharf.

ANTIQUITÉS ET BROCANTES

Bonhams and Butterfields, 220 San Bruno Ave (SoMa), tél. 415/861-7500.
Don's Antiques, 572 Valencia St (Mission), tél. 415/586-3022.
Farinelli Antiques and Fine Art, 311 Grant Ave (Union Sq), tél. 415/433-4823.

MODE

Ambience, 1458 Haight St (Haight-Ashbury), tél. 415/552-5095.
Annie's, 2 512 Sacramento St (Pacific Heights), tél. 415/292-7164.
Brooks Brothers, 150 Post St (Union Sq), tél. 415/397-4500.
Gimme Shoes, 416 Hayes St (Hayes Valley), tél. 415/864-0691.
Girlfriends, 1 824 Union St (Cow Hollow), tél. 415/673-9544.
Jessica McClintock, 180 Geary St, Fourth Fl (Union Sq), tél. 415/398-9008.
Kenneth Cole, 865 Market St (Union sq), tél. 415/227-4536.
Loehmann's, 222 Sutter St (Financial District), tél. 415/982-3215.
Metier, 355 Sutter St (Union Sq), tél. 415/989-5395.
Next To New Shop, 2 226 Fillmore St (Upper Fillmore), tél. 415/567-1628.
Peek-A-Boutique, 1 306 Castro St (Noe Valley), tél. 415/641-6192.
Urban Outfitters, 80 Powell St (près d'Union Sq), tél. 415/989-1515.

ARTS, ARTISANAT, CADEAUX

Gump's, 135 Post St (Union Sq), tél. 415/982-1616.
Twig-Gallery of American Crafts, 2 162 Union St (Cow Hollow), tél. 415/928-8944.
Worldware, 301 Fell Street (Hayes Valley), tél. 415/487-9030.

LIBRAIRIES

A Different Light, 489 Castro St (Castro District), tél. 415/431-0891.
City Lights, 261 Columbus Ave (North Beach), tél. 415/362-8193.
Harold's International Newsstand, 454 Geary St (Union Sq), tél. 415/441-2665.

GRANDS MAGASINS

Macy's, Stockton et O'Farrell Sts (Union Sq), tél. 415/397-3333..
Neiman-Marcus, 150 Stockton St (Union Sq), tél. 415/362-3900.
Nordstrom, 865 Market St (Union Sq), tél. 415/243-8500.
Saks Fifth Avenue, 384 Post St (Union Sq), tél. 415/986-4300.

MOBILIER, DÉCORATION

Crate & Barrel, 55 Stockton St (Union Sq), tél. 415/982-5200.
Scheuer Linens, 340 Sutter St (Union Sq), tél. 415/392-2813. Fermé dim.

BIJOUX

Dianne's Old and New Estates, 2181A Union St (Cow Hollow), tél. 415/346-7525.
Shreve and Company, 200 Post St (Union Sq), tél. 415/421-2600.

MARCHÉS

Ferry Plaza Farmers' Market, Ferry Building, Market St et Embarcadero (Embarcadero), tél. 415/291-3276.
Heart of the City Farmers' Market, Market St entre Seventh et Eighth Sts (Civic Center), tél. 415/558-9455.

DISQUES ET CD

101 Music, 513 Green St (North Beach), tél. 415/392-6368.
Streetlight, 2 350 Market St (Castro), tél. 415/282-8000.

SORTIR

Dans le domaine des arts du spectacle, les lieux de divertissement de San Francisco présentent de tout, de l'opéra de niveau international au théâtre d'avant-garde, de la danse à la comédie en passant par le rock.

INFORMATION / BILLETS

Pour des renseignements sur les événements en cours, appelez le San Francisco Convention and Visitors Bureau au 415/391-2001. La rubrique « Datebook » du *Sunday San Francisco Chronicle* (*www.sfgate.com*) propose une liste des divertissements ; consultez aussi www.sfarts.org, le *San Francisco Bay Guardian* et le *SF Weekly*.

Billetteries Appelez BASS Tickets pour acheter des billets (commission en sus) : tél. 415/478-2277. TIX (tél. 415/433-7827, uniquement pour des renseignements) vend des billets demi-tarif pour le jour même. Le kiosque TIX est sur Union Square, du côté de Stockton St (espèces uniquement, fermé lun.).

THÉÂTRE

THEATER DISTRICT
American Conservatory Theater/ACT, Geary Theater, 415 Geary St, tél. 415/749-2228, www.actsf.org. Ce théâtre de 1909 joue des pièces du répertoire, de Shakespeare à Tennessee Williams, ainsi que des œuvres contemporaines.
Curran Theatre, 445 Geary St, tél. 415/551-2000, www.curran-theater.com. De grandes comédies musicales dans un ravissant théâtre de 1922.

AUTRES SALLES
Beach Blanket Babylon, Club Fugazi, 678 Green St, tél. 415/421-4222. Comédies musicales parodiques et loufoques imprégnées de l'esprit san-franciscain et de la culture pop.
Magic Theatre, Fort Mason, Building D, Marina Bd et Buchanan St, tél. 415/441-8822, www.magic-theatre.org. Des dramaturges américains y mettent en scène de nouvelles pièces avec des acteurs stars ou inconnus.
The Marsh, 1 062 Valencia St, tél. 415/641-0235. Petites productions d'avant-garde et branchées.
Theatre Rhinoceros, 2 926 Sixteenth St, tél. 415/861-5079. La plus ancienne compagnie de théâtre gay et lesbien.

MUSIQUE

Grace Cathedral Concerts, Grâce Cathedral, 1100 California St, tél. 415/749-6300 ; www.grace-cathedral.org.
San Francisco Opera, War Memorial Opera House, 301 Van Ness Ave, tél. 415/864-3330 ; www.sfopera.com.
San Francisco Symphony, Louise M. Davies Symphony Hall, 201 Van Ness Ave, tél. 415/864-6000 ; www.sfsymphony.org.

DANSE

San Francisco Ballet, War Memorial Opera House, 301 Van Ness Ave, tél. 415/865-2000 ; www.sfballet.org.

VIE NOCTURNE

Biscuits and Blues, 401 Mason St, tél. 415/292-2583.
Bimbo's 365 Club, 1 025 Columbus Ave, tél. 415/414-0365.
Boom Boom Room, 1 601 Fillmore St, tél. 415/673-8000.
Cobb's Comedy Club, The Cannery, 915 Columbus Ave (Fisherman's Wharf), tél. 415/928-4320.
Enrico's Sidewalk Café, 504 Broadway, tél. 415/982-6223.
Fillmore Auditorium, 1 805 Geary Bd, tél. 415/346-6000.
Great American Music Hall, 859 O'Farrell St, tél. 415/885-0750.
Harry Denton's Starlight Room, Sir Francis Drake Hotel, 450 Powell St, tél. 415/395-8595.
Jazz at Pearl's, 256 Columbus Ave, tél. 415/291-8255.
Ruby Skye, 420 Mason St (Union Sq.), tél. 415/693-0777.
The Saloon, 1 232 Grant Ave, tél. 415/989-7666.

Slim's, 333 Eleventh St, tél. 415/255-0333.
Ten 15, 1 015 Folsom St, tél. 415/431-1200.
The Warfield, 928 Market St, tél. 415/775-7722.

ACTIVITÉS DE PLEIN AIR

SPORTS COMMERCIAUX

Oakland A's, Network Associates Coliseum, 7000 Coliseum Way, Oakland, 94621, tél. 510/568-5600 (billets). Baseball.
San Francisco 49ers, 3Com Park à Candlestick, tél. 415/656-4900. Football américain.
San Francisco Giants, SBC Park, tél. 415/467-8000. Baseball.
San Jose Earthquakes, San Jose State's Spartan Stadium, Seveth St, entre E. Alma Ave et E. Humboldt St, San Jose, 9511, tél. 408/556-7700. Football.

MARCHE ET VÉLO

Avenue Cyclery, 756 Stanyan St (Haight-Ashbury), tél. 415/387-3155. Location de vélos à côté du Golden Gate Park.
Surrey Bikes & Blades, 50 Stow Lake Dr (Golden Gate Park), tél. 415/668-6699. Location de vélos et de rollers.

GOLF

Presidio Golf Course, 300 Finley Rd, tél. 415/561-4661, www.presidiogolf.com.
Lincoln Park Golf Course, 34e Ave et Clement St, tél. 650/759-8700, www.lincolnparkgc.com

PLANCHE À VOILE

Cityfront Boardsports, 2 936 Lyon St (Marina), tél. 415/929-7873. Location de planches pour véliplanchistes expérimentés.

AUTRES SPORTS

Golden Gate Park Boathouse, Stow Lake, tél. 415/752-0347.
San Francisco Lawn Bowling Club, près de Sharon Meadow et du Carousel, tél. 415/487-8787.

CRÉDITS PHOTOGRAPHIQUES

Abréviations utilisées :
(c) centre ; (h) haut ; (b) bas ;
(g) gauche ; (d) droite.

Couverture : (g), Corbis UK Ltd/Morton Beebe, S. F. (c), Eye Ubiquitous. (d), Pictor International, London.

1, PhotoFile ; 2/3, PhotoFile ; 4, Gettyone/Stone ; 9, Peter Newark's Pictures ; 10/11, Catherine Karnow ; 11, Eric Risberg, AP/Worldwide Photos ; 12, AA Photo Library/Robert Holmes ; 13, Gettyone/Stone ; 14/15, Catherine Karnow ; 16/17, Gettyone/Stone ; 19, Gettyone/Stone ; 21, Getty Images ; 22/23, Corbis UK Ltd/Bettmann. ; 24/25, Peter Newark's Pictures ; 26, Peter Newark's Pictures ; 27, Peter Newark's Pictures ; 28/29, Corbis UK Ltd/Gianni Dagli Orti ; 31, Corbis UK Ltd/Ansel Adams Publishing Rights Trust ; 32, Corbis UK Ltd/Bettmann ; 33, Corbis UK Ltd/Jim Sugar Photography ; 34/35, Moviestore Collection ; 36/37, Corbis UK Ltd/Philip Gould ; 38, Corbis UK Ltd/Morton Beebe, S.F. ; 39, Corbis UK Ltd/Morton Beebe, S. F ; 41, Corbis UK Ltd/Morton Beebe, S. F. ; 42/43, Gettyone/Stone ; 44g, Robert Holmes ; 44d, Robert Holmes ; 45g, Corbis UK Ltd/Richard Cummins ; 45d, Corbis UK Ltd/Robert Holmes ; 46, Robert Harding Picture Library ; 47, Robert Harding Picture Library ; 50/51, Corbis UK Ltd/Bob Rowan ; Progressive Image ; 53, Robert Holmes ; 54, Floris Leeuwenberg/Corbis ; 55, Robert Holmes ; 56, AA Photo Library/Ken Paterson ; 57, PhotoFile ; 60, Hisham Ibrahim-Photo5.com ; 63, Karen Huntt/Corbis ; 64, Catherine Karnow ; 65h, Corbis UK Ltd/Kevin Fleming ; 65b, Corbis UK Ltd/Bettmann ; 66, Corbis UK Ltd/Morton Beebe, S.F. ; 68, Catherine Karnow ; 69, AA Photo Library/Ken Paterson ; 70, Corbis UK Ltd/Nik Wheeler ; 73h, PhotoFile ; 73b, Corbis UK Ltd/Phil Schermeister ; 74, PhotoFile ; 75, Catherine Karnow ; 76, AA Photo Library/Ken Paterson ; 77, PhotoFile ; 78, San Francisco Convention & Visitors Board/Mark Snyder ; 79, PhotoFile ; 81, Corbis UK Ltd/Robert Holmes ; 82h, PhotoFile ; 82b, PhotoFile ; 83, Corbis UK Ltd/Roger Ressmeyer ;

84, Photovault ; 85, PhotoFile ; 86/87, Photovault ; 87, Allen Ginsberg/Corbis ; 88, Robert Harding Picture Library ; 90, Corbis UK Ltd/Morton Beebe, S.F. ; 91, Catherine Karnow ; 92, Corbis UK Ltd/Morton Beebe, S.F. ; 93, AA Photo Library/Ken Paterson ; 94/95, Robert Holmes ; 96, PhotoFile ; 97h, Corbis UK Ltd/Bob Rowan ; Progressive Image. ; 97b, Corbis UK Ltd/Bob Rowan ; Progressive Image ; 98, Catherine Karnow ; 99, Photovault ; 100, Corbis UK Ltd/Underwood & Underwood ; 101, Robert Harding Picture Library ; 104/105, PhotoFile ; 106/107, PhotoFile ; 107, Robert Holmes ; 108, Photovault ; 109, PhotoFile ; 110g, Popperfoto ; 110d, Corbis UK Ltd/Bettmann ; 111h, Photovault ; 111bg, Popperfoto ; 111bd, Popperfoto ; 112, PhotoFile ; 113h, Corbis UK Ltd/Michael S. Yamashita ; 113b, AA Photo Library/Ken Paterson ; 114h, Robert Holmes ; 114b, Wax Museum/Barre Phong, S.F. ; 115, Robert Holmes ; 117, PhotoFile ; 118/119, Cosmo Condina/Gettyone/Stone ; 120, Corbis UK Ltd/Robert Holmes ; 121, Corbis UK Ltd/Robert Holmes ; 123, PhotoFile ; 124, AA Photo Library/Ken Paterson ; 125h, Corbis UK Ltd/Morton Beebe, S.F. ; 125b, Corbis UK Ltd/Morton Beebe, S.F. ; 126, Robert Harding Picture Library ; 127, Corbis UK Ltd/Phil Schermeister ; 128, Corbis UK Ltd/Morton Beebe, S.F. ; 131, PhotoFile ; 132/133, PhotoFile ; 133, AA Photo Library/Robert Holmes ; 135, AA Photo Library/Ken Paterson ; 136h, Robert Holmes ; 136b, Robert Holmes ; 137, Monica Lee ; 139h, Robert Holmes ; 139b, Robert Holmes ; 140, Robert Holmes/Corbis ; 141, AA Photo Library/Robert Holmes ; 142t, Robert Holmes ; 142b, Robert Holmes ; 143, Corbis UK Ltd/Kelly-Mooney Photography ; 144, Corbis UK Ltd/Morton Beebe, S.F. ; 147, Corbis UK Ltd/Richard Cummins ; 148, Corbis UK Ltd/Catherine Karnow ; 150, Robert Holmes ; 151, Corbis UK Ltd/Robert Holmes ; 152, Corbis UK Ltd/Kelly-Mooney Photography ; 153, Corbis UK Ltd/Kevin Fleming ; 154, Corbis UK Ltd/Kevin Fleming ; 155, PhotoFile ; 157, Corbis UK Ltd/Morton Beebe, S.F. ; 158/159, Corbis UK Ltd/Phil Schermeister ; 159g, Robert Holmes ; 159d, AA Photo Library/Ken Paterson ; 161, AA Photo Library/Ken Paterson ; 162, PhotoFile ;

163h, Corbis UK Ltd/Ted Streshinsky ; 163b, Corbis UK Ltd/Henry Diltz ; 164, Marcio Jose Sanchez, AP/Worldwide Photos ; 165, PhotoFile ; 166, ©2002 Corporation of the Fine Arts Museums, The New de Young Museum, Herzog & de Meuron, Primary Designers, Fong & Chan Architects, Principal Architects Michael Sechman & Assoc., Inc., Renderer ; 167, Fine Arts Museums of San Francisco, gift of Mr. and Mrs. John D. Rockefeller III, 79.7.15 ; 168, Fine Arts Museums of San Francisco, Estate of Henry J. Crocker, 61.1.9 ; 169, Jeff Chiu, AP/Worldwide Photos ; 170h, California Academy of Sciences/Dong Lin ; 170b, California Academy of Sciences/Dong Lin ; 171, Jeff Chiu, AP/Worldwide Photos ; 172–73, PhotoFile ; 174, Corbis UK Ltd/Robert Holmes ; 175, Robert Holmes ; 176, Corbis UK Ltd/Kevin Fleming ; 178, Corbis UK Ltd/Morton Beebe, S.F. ; 179, Monica Lee ; 180, AA Photo Library/Ken Paterson ; 182/183, Robert Holmes ; 184, Robert Harding Picture Library ; 185, Asian Art Museum of San Francisco ; 186/187, Eric Risberg, AP/Worldwide Photos ; 188, Asian Art Museum of San Francisco ; 189, PhotoFile ; 190, Corbis UK Ltd/Kevin Fleming ; 191, Corbis UK Ltd/The Purcell Team ; 192h, Corbis UK Ltd/Morton Beebe, S.F. ; 192b, Robert Holmes ; 194, Corbis UK Ltd/Morton Beebe, S.F. ; 195, Kim Steele/Getty ; 196, Allsport (UK) Ltd. ; 197, PhotoFile ; 200, AA Photo Library/Ken Paterson ; 201h, AA Photo Library/Ken Paterson ; 201b, AA Photo Library/Ken Paterson ; 202/203, Catherine Karnow ; 204/205, Corbis UK Ltd/Dave Bartruff ; 206, Catherine Karnow ; 207, PhotoFile ; 209, Robert Holmes ; 210, Corbis UK Ltd/Michael S. Yamashita ; 212, PhotoFile ; 213, Robert Harding Picture Library ; 214/215, PhotoFile ; 215, PhotoFile ; 216, PhotoFile ; 217, PhotoFile ; 218, Robert Holmes ; 219, PhotoFile ; 220/221, PhotoFile ; 221, Corbis UK Ltd/Robert Holmes ; 222h, PhotoFile ; 222b, Robert Holmes ; 223, Photofile ; 225, Robert Harding Picture Library ; 226, PhotoFile ; 227, Robert Holmes ; 228/229, PhotoFile ; 230/231, Robert Harding Picture Library ; 232, Robert Harding Picture Library ; 234/235, PhotoFile ; 241, Gettyone/Stone

Première institution scientifique et pédagogique à but non lucratif du monde, la National Geographic Society a été fondée en 1888 « pour l'accroissement et la diffusion des connaissances géographiques ». Depuis lors, elle fait découvrir le monde à des millions de personnes par le biais de ses magazines, livres, programmes de télévision, vidéos, cartes et atlas, bourses de recherche, ateliers pour enseignants, matériel scolaire innovant et ses championnats de géographie.
La National Geographic Society est financée par les cotisations de ses membres, des dons et la vente de ses produits éducatifs. Ce soutien est essentiel à sa mission, qui consiste à mieux faire comprendre le monde et favoriser la sauvegarde de notre planète grâce à l'exploration, la recherche et l'enseignement.

San Francisco
est une publication de la National Geographic Society

Président directeur général : John M. Fahey, Jr.
Président du conseil d'administration : Gilbert M. Grosvenor
Premier vice-président et président du Département livres : Nina D. Hoffman
Vice-président et directeur du Département livres : Kevin Mulroy
Directrice artistique : Marianne Koszorus
Directeur de la photographie : Charles Kogod
Directrice des publications des guides touristiques : Elizabeth L. Newhouse
Éditrice en chef et responsable éditoriale de la collection : Barbara A. Noe
Directeur de la cartographie : Carl Mehler
Publication des cartes : Joseph F. Ochlak
Directrice artistique : Cinda Rose
Directeur de la fabrication : R. Gary Colbert
Responsable du projet en fabrication : Richard S. Wain
Coordination éditoriale : Laurence Porges
Assistants : Kay Kobor Hankins, Judith Klein

Création et réalisation de AA Publishing
Responsable de projet : Betty Sheldrick
Responsable artistique du projet : David Austin
Éditeur : Victoria Barber
Graphiste : Keith Russell
Responsable de la cartographie : Simon Mumford
Cartographe : Amber Banks
Directeur de la fabrication : Richard Firth
Recherche iconographique de Zooid Pictures Ltd.
Cartes dessinées par Chris Orr Associates, Southampton, GB
Illustrations dessinées par Maltings Partnership, Derby, GB

Réalisation éditoriale : National Geographic France
Direction éditoriale : Françoise Kerlo
Responsable éditoriale : Marilyn Chauvel
Chef de fabrication : Alexandre Zimmowitch

Mise à jour 2008 : Dédicace, Villeneuve d'Ascq

NATIONAL GEOGRAPHIC
LES GUIDES DE VOYAGE

Guides de pays au grand format :
à partir de 15,95 €

AUSTRALIE   CALIFORNIE   CANADA   CHINE   COSTA RICA

CUBA   ÉGYPTE   FLORIDE   INDE   JAPON

MEXIQUE   PROVENCE   RÉPUBLIQUE DOMINICAINE   THAILANDE   VIETNAM

<u>Déjà paru</u> : Taïwan   <u>À paraître</u> : Afrique du Sud, Argentine, Cambodge, Nouvelle-Zélande, Pérou ...

ALLEMAGNE   AMSTERDAM   BARCELONE   BERLIN   ESPAGNE   FLORENCE TOSCANE   FRANCE

GRANDE-BRETAGNE   GRÈCE   HONG-KONG   IRLANDE   ITALIE   LONDRES   MADRID

NEW YORK   PARIS   PORTUGAL   PRAGUE ET LA RÉPUBLIQUE TCHÈQUE   ROME   SAINT-PÉTERSBOURG   VENISE

<u>Déjà parus</u> : Miami, Naples et l'Italie du Sud, Pékin, Roumanie, San Francisco, Shanghaï, Sicile, Washington   <u>À paraître</u> : Los Angeles ...

Guides de pays européens, de villes et régions au format poche à partir de 9,95€